自然命理

命理眞詮 이론편

저자   천경욱

 觀溪軒

명리진전 이론편

발 행 | 2016년 1월 14일
저 자 | 千 慶 旭
펴낸이 | 한건희
펴낸곳 | 주식회사 부크크
출판사등록 | 2014.07.15.(제2014-16호)
주 소 | 서울특별시 금천구 가산디지털1로 119 SK트윈타워 A동 305호
전 화 | 1670-8316
이메일 | info@bookk.co.kr

ISBN | 979-11-5811-621-7

www.bookk.co.kr

人之不學　如登天而無術
學而智遠
如披祥雲而觀靑天　登高山而望四海
- 莊子 -

시작하며

오랜 세월 바라다보기만 하던 易學공부를 시작하고 보니 흥미진진하고 가슴 설레던 때도 많았지만 지금 여기서 되돌아보니 힘겨운 자신과의 오랜 싸움이라는 생각이 든다. 모든 공부가 인내심이 없이는 끝까지 가기가 어려운 것이지만 역학공부는 더더욱 그러한 것 같다.

格物致知하고자 晝耕夜讀했던 선학들이 학문을 위해 부단히 정진했던 애씀이 가슴에 와 닿는다. 漢代의 역학자였던 왕필이 15세가 되던 해에 자연의 이치를 통해서 易에 대한 깨달음을 이루고자 하여 대나무 밭에 들어가서 7일간이나 대나무를 바라다보다가 결국 병을 얻게 되었다지만 그러한 그의 깨달음에 대한 갈망과 열정이 수천년 동안 후학들에게 귀감이 되고 그의 학문이 찬사를 받고 있는 이유일 것이다.

자연현상, 자연의 이치 안에서 사람의 命理를 깨우치고 이 세상에 태어나게 된 인간의 오고감을 깨닫고자 했던, 깨우침의 여러 방법 중에서 學術을 택했다. 學術, 藝術, 武術, 道術, 醫術이라고 우리가 부르는데 術이라는 글자는 형성문자로서 뜻을 나타내는 다닐 행(行 다니다, 길의 모양) 部와 音(음)을 나타내는 글자 朮(출→술)이 합(合)하여 이루어진 것인데 朮(출)은 '짝 달라붙다, 뒤따라가는 일'을 의미한다. 行은 길, 術은 '사람이 모여서 생긴 마을안의 길'이요, '모든 사람이 따르는 길'이라는 의미를 지니고 있다. 방법, 수단, 길, 기교, 기예를 뜻하는 글자이다. 장자의 글귀 중에 이런 글귀가 있다.

人之不學 如登天而無術... ... ...
사람이 배우지 아니하면 아무런 방법, 수단, 길도 없이 하늘로 오르려는 것과 같다

學術은 학문을 통하여 깨달음에 이르고자 하는 것이요,
藝術은 예능을 통하여 깨달음에 이르고자 하는 것이요,
武術은 무예를 통해서 깨달음에 이르고자 하는 것이요,
道術은 도학을 통하여 깨달음에 이르고자 하는 것이요,
醫術은 의학을 통하여 깨달음에 이르고자 하는 것이다.

 선현의 발자취를 따라가면 깨달음의 경지에 이를 것이라는 확신으로 이 길을 걷기로 선택하였다. 반복학습을 통해서 깨달음에 이를 것이라 생각하고 선학들의 책을 보고, 자연을 바라보면서 궁구하기를 여러 해 동안 하였으나 깨달음의 경지에 이르는 것은 많은 인내를 요하는 것 같다.
 모국어도 제대로 못하는 사람이 외국어를 모국어처럼 이해를 하고 구사한다는 것은 그리 쉬운 일이 아닌 것 같다. 심적 스트레스도 적은 일이 아닐 것이다. 젊은 나이에 한창 외국어를 공부하면서 터득한 것이 하나 있다. 외국어 회화책 몇 권을 사서 읽고 듣기를 몇 차례 반복한 다음 그 중에서 제일 나은 책을 선정해서 백번쯤 듣고 읊조려보는 것이 터득한 방법이었다. 석 달쯤 지나면 공부하던 외국어로 꿈을 꾸게 되는데 몇 마디 안 되는 말이라도 쉽고 유창하게, 편안하게 말을 한 경우에는 이미 외국어가 언어로써 뇌속에 자리를 잡았다는 것을 의미한다. 언어라는 것이 참으로 신비한 부분이 있는데 한번 언어로 뇌속에 자리를 잡게 되면 굳이

무슨 말을 할 것인지, 어떤 문장을 선택할 것인지 미리 생각지 않아도 저절로 자연스레 표현하고자 하는 주제의 방향이 설정된대로 말이 나오게 되어있다. 상대방이 하는 말이 무슨 뜻인지 이해를 하게 되고 상응한 말로 응대를 하면서 대화 주제에 관한 말들을 하게 되는 것이다. 꿈속에서 외국어로 대화하는 꿈을 두어 차례 꾸고 나면 외국어 실력이 괄목할 만큼 신장이 되어있는 자신을 발견하게 된다. 끊임없이 반복을 할 때 이런 일이 일어난다. 끊임없이 한 목적을 두고 알고자 할 때 이런 신비스런 일이 벌어진다. 무의식의 세계에서 내가 알고자 하는 것, 가지고 싶어 하는 것을 실현시키려할 때 꿈을 통하든 사람을 통하든, 자연을 통하든, 어느 것을 통하든지 실현시켜내는 것이다. 생각이 현실화되기 위해서는 엄청난 에너지가 필요하다. 전자와 양성자가 결합하여 수소를 만들고 헬륨을 만들어 낸다. 이때 강렬한 빛과 열이 필요하게 되는데 이 빛과 열은 에너지요 파동이다. 우리의 생각도 결국 에너지요 파동이다. 이 에너지가 물질이 되기까지는 엄청난 에너지가 필요하다. 수소와 수소가 결합하여 헬륨이 될 때 질량이 남게 되는데 이 질량이 빛과 열의 에너지로 바뀐다. 이것이 태양을 지금도 타오르게 하고 지구위의 만물이 생존하게 하고 있는 것이다. 이 에너지를 다시 물질로 바꾸려면 엄청난 에너지가 필요하게 되는 것이다. 햇볕이 열과 각종 파장을 지니고 지구에 복사 될 때에는 그저 따사로운 햇볕에 불과하지만 돋보기를 통과시켜서 초점을 맞추어 집중시키면 불이 일어난다. 빛 에너지가 불로 化하는 것이다. 마찬가지로 생각 에너지가 현실화되기 위해서는 반복해서 생각하고 또 생각할 때 가능해지는 것이다. 깨달음의 경지에 이르는 것도, 우리가 필요한 것을 얻고자 기도를 하는 것도 이것과 무관하지 않다. 생각을 거듭할 때, 반복하여 습관이 될 때까지 수시로 배운 것을 익히고 또 익힐 때 기적 같은 일이 현실화 된다고 본다. 이러한 경험의 일화가 있어서 소개하고자 한다.

독일의 화학자 프리드리히 A. 케클레에 의해 분자구조식이 고안이 되어 사용되기 시작하였는데 오늘날에도 화학을 공부하려는 사람들은 반드시 배우게 되는 것이다. 그가 했던 다음의 강의 내용을 보자.

"그런데 저는 종종 친구인 휴고 뮬러와 함께 저녁 시간을 보내곤 하였습니다... 많은 이야기를 했는데 대부분 제가 좋아하는 화학에 관한 것이었습니다. 어느 기분 좋은 여름날 밤 ... 이층버스에 앉아 있었습니다... 저는 몽상에 빠졌으며 원자들이 눈앞에서 빙글빙글 뛰어놀고 있었습니다. 그 아주 작은 생물들이 나의 꿈속에 나타날 때는 언제나 똑같은 몸짓이었습니다. 그러나 그때까지는 그것들의 움직임에 어떤 의미가 있다고 생각해 본 적이 없었습니다. 하지만 이번에는 작은 것 두 개가 짝을 짓기도 하고, 큰 것이 적은 것 두 개를 끌어안기도 하였습니다. 그리고 좀 더 큰 것은 작은 것을 세 개 또는 네 개를 붙들면서 전체는 눈이 돌 정도로 격렬한 운동을 계속하는 것이 몇 번이고 보였습니다. 큰 것이 사슬을 만들고 작은 것은 사슬의 끄트머리를 끌고 있는 것도 보였습니다... ... 차장의 안내 방송이 저를 꿈에서 깨어나게 했습니다. 그리고 그날 밤은 이 꿈의 윤곽을 종이에 스케치

하면서 보냈습니다. 이것이 구조론의 시작이었던 것입니다.

벤젠이론에서도 비슷한 일이 있었습니다. 겐트대학에 있을 때 … … 저는 앉아서 교과서에 필요한 것을 써넣고 있었는데 작업이 지지부진 했습니다. 다른 일에 신경이 쓰였던 것이었습니다. 의자를 난로 쪽으로 향하게 하고 꾸벅꾸벅 졸고 있었습니다. 그때에 또 제 눈앞에서 원자들이 춤을 추기 시작하는 것이었습니다. 이때는 작은 것들이 뒤쪽에 얌전히 있었습니다. 이런 일이 가끔 있었기 때문에 제 마음의 눈도 예민해져 여러 가지 모양을 하고 있는 큰 구조까지 식별할 수가 있었습니다. 이따금 길다란 열이 마치 뱀처럼 얽히고설키면서 찰싹 달라붙기도 했습니다. 그런데 어찌된 셈인지 뱀 한 마리가 자신의 꼬리를 물고 마치 저를 비웃기라도 하듯이 눈앞에서 빙글빙글 돌고 있었습니다. 마치 번갯불이 번쩍 하듯이 눈을 떴습니다. 그날 밤도 저는 이 가설을 어떻게 정립할 것인가에 관해 생각하며 보냈습니다.

런던에서의 버스 안과 겐트대학시절 난로 앞에서의 케클레의 꿈은 유기분자의 구조에 관한 심원한 이론으로 진전되어 과학의 진보에 매우 값진 것이 되었다. 분자의 구조에 대한 이론을 정립하고자 끊임없이 생각을 거듭하던 것이 결국 꿈을 통해서 실마리를 얻게 된 것이다. 첫 번째 꿈에서 원자가 '사슬을 만들고', '큰 것이 작은 것을 두 개 끌어안기도 하고', '좀 더 큰 것은 작은 것을 서너 개 붙들고' 있는 것을 보고 케클레는 탄소원자가 수소원자나 기타 다른 원자와 결합하면 서로서로 사슬을 만들 수 있을 것이라 제안하게 되었다"

[출처] 꿈에 의해 탄생한 분자의 구조식

魏志(위지)에 이런 글귀가 있다.
讀書百遍其義自見(독서백편기의자현)
아무리 어려운 글이라도 백번을 되풀이해서 읽으면 그 뜻이
절로 알아지게 된다.

 무엇이든지 백번 쯤 읽고 나면 저절로 그 뜻이 무엇인지
문장 스스로 그 뜻을 드러낸다는 얘기다. 어떤 공부를 통하
든지 깨달음의 경지로 나아가는 길은 이와 같은 것이라고
확신을 하여 명리학을 통하여 이루어보고자 했다. 몇 권의
명리학 서적들을 읽어본 뒤에 그 중에서 가장 이치에 맞게
설명을 해놓은 책을 선정해서 반복해서 읽었다. 일차적으로
일백독, 이차로는 일천독, 삼차로는 일만독을 할 것이라고
스스로 다짐을 하고 읽기 시작했다. 李書九라는 분은 書經
서문을 구천독을 하여 붙여진 이름이라 한다.

柏得讀狂 眼徹紙面
백곡 김득신은 독서광으로, 눈빛이 종이를 꿰뚫을 정도로 책
을 읽었다

 조선 현종(顯宗) 시대의 文臣이자 詩로 이름을 날린 백곡
(柏谷) 김득신(金得臣)이 당대 최고의 독서광(讀書狂)이었다는
사실을 뜻하는 말이다. 일만 번 이상 읽은 책이 36권이나 된
다 했다. 이런 선현들의 공부에는 먼발치에도 따를 수가 없
지만 이제 깨달음의 길, 배움의 길에 접어들었으니 심혈을
기울여 따라가고자 하여 책을 한번 읽을 때마다 책 뒤편에

다 읽은 날짜를 기록하고 있는데 여백이 거의 메꾸어져 가고 있다. 易學 공부를 하고 있다고 말하기에는 아직은 선현들의 애씀에 비해서는 심히 부끄럽지만 어느 날에는 자신이 원하는 깨달음의 경지에 이를 것을 확신하고 선현들의 공부에 대한 갈망과 열의를 채찍으로 삼고자한다.

이렇게 책을 읽던 중, 2014년 12월에 재미있는 꿈을 꾸게 되었다. 학우들과 명리학을 공부하다가 누구의 부탁으로 사주를 간명해주는 꿈이었는데 아주 편안한 마음으로 쉽게 풀이를 해준 후에 꿈을 깼다. 몇 주일 뒤에 또 비슷한 꿈을 꾸게 되었다. 그 꿈을 꾸고 나서 머릿속에서 명리학에 대한 정리가 되는 듯했다. 흩어진 구슬처럼 뇌속에 존재하던 지식들이 하나로 꿰어지는 듯하여 가슴이 설레었다.

學而時習之 不亦說乎.
배우고 또 배운 것을 익히되 익숙해져서 습관이 되도록 수시로 익히면 이 또한 기쁘지 아니한가?
논어에 나오는 글귀이다. 수시로 배운 것을 익혀서 습관처럼 되도록 하면 거기서 오는 깨달음의 희열이 있을 것을 말하는 것이라고 여겨진다. 반복학습이 중요함을 알 것 같다.

주변을 돌아다보니 선생도 많고 학파도 많고 나름 깨달았다는 사람도 너무 많아서 올바른 스승을 찾기가 그리 쉽지 않았다. 어디로, 누구에게로 가서 배워야할지가 막연하였다. 내가 무지한데 올바른 스승을 구분하여 찾아갈 능력이 있겠는가 하는 의구심이 들어서 인연이 되어 참된 스승을 만나기까지 혼자서 공부해보기로 생각하고 험난한 역학공부의 여정을 시작하게 되었다. 웬만한 일에는 출발선이 보이고 끝나는 지점이 짐작이 되는 것인데 이 공부는 출발만 있는 것이라 힘이 드는 것 같다. 주희는 자신이 지은 염계 선생을 위한 화상찬(畫像贊)에 주렴계의 깨우침과 태극도설에 대하여 이렇게 평했다.

不由師傳 黙契道體(불유사전 묵계도체)
스승으로 말미암아 전해 받은 것이 아니라 묵묵히 도체를 깨달았다.

그 당시에 스승이 없었겠는가, 책이 없었겠는가마는 그만큼 이치를 깨닫기 위해서 불철주야 학문에 정진했다는 뜻일 것이다. 스승을 만나지 못하면 좋은 책이라도 구해서 읽고 또 읽고 반복하여 일백독 일천독 일만독을 하면서 자연이치를 궁구하면 어느 날엔가는 눈이 크게 떠져서 大悟의 순간을 맞이할 것이라는 확신을 가지고 공부를 시작했다. 간명을 해 주는 꿈을 꾸고 난 얼마 뒤에 명리서적을 읽고 있다가 어떤 사람의 명조가 갑자기 생각이 나서 펼쳐놓고 한참을 보고 있는데 여덟 글자가 갑자기 태양을 쳐다볼 때처럼 눈이 부시게 빛을 내는 것을 보았다. 명리학을 조금 이해함에서 오는 희열감을 느끼는 듯했다. 몇일 뒤에 또한번 그런 경험을 하고나서 사주 여덟 글자를 다시 보니 씨줄날줄로 엮어져서 작용하는 모습이 무리를 지어 나타났다가는 다시 다른 글자들과 무리를 짓는 모습으로 나타났다. 케클레와 같은 신기한 체험이었는데 다시 그런 현상을 보려나 했지만 다시 보지는 못하고, 命理를 자연현상에서 일어나는 이치와 비교하여 궁

구하며 깨달음의 경지를 향해 한걸음씩 내딛고 있다

명리서적을 보면서 궁금했던 것이 많았다. 혼자서 자연을 바라다보면서 그 변화의 이치를 궁구하여 해답을 구하고자 하니 여간 어려운 일이 아니었다. 왜 甲은 己土와 合을 하며 왜 合을 하면 土가 되는 것일까? 戊土는 왜 癸水와 合을 하며 合을 하면 왜 火가 발생하는 것인지 궁금했다. 寅과 亥가 왜 合을 해서 왜 木이 되는지, 卯戌이 왜 合을 해서 왜 火가 되는지 궁금했다. 甲은 왜 己土와만 합을 하고 戊土나 辛金과 같은 다른 것과는 合을 못하는지 궁금했다. 현실에서는 그렇지 않는데 冲이 되면 왜 파괴의 작용만 하는 흉살로 설명이 되는 것인지 궁금했다. 응축하는 기운과 숙살의 기운, 결실을 하게 하는 기운은 庚辛金의 작용이라고 대부분의 책에서, 학파에서 설명을 하고 있는데 곡식이 익는 것은 가을에만 있는 것이 아니고 초여름에도 발생한다. 보리, 밀, 마늘, 양파는 夏至 쯤 되면 잎들은 서리를 맞은 것처럼 말라 죽고 뿌리나 열매는 결실을 하여 수확을 하게 되는데 이때에 열매를 맺게 하고 잎을 마르게 하는 기운은 응축의 기운이나 숙살의 기운이 아니면 무슨 기운인가? 봄의 기운은 木의 기운으로서 초목의 싹을 틔우고 자라게 하지만, 가을에 뿌린 밀, 보리는 가을 기운으로 싹이 터서 잘 자라는데 이것은 木氣運과 어떻게 구분하여야 하는가 하는 의구심이 늘 떠나지 않았다. 서적을 아무리 뒤져보아도 속시원하게 답을 해주는 책도, 사람도 없었다. 일부 先學들은 명리학이 역에서, 자연현상에서 비롯되었음을 인정하면서도 왜 陽干의 흐름과 陰干의 흐름이 다 같이 순행한다는 異論을 내놓는지 궁금했다. 물어봐도 대답을 해주는 사람도 없었다. 답을 모르거나 질문내용에서 벗어난 답을 주거나 했다. 어떤 학파에서는 어떤 슴은 인정을 하고 어떤 슴은 인정을 하지 않는 경우도 보았다. 陽干의 순행은 인정을 하고 陰干의 역행은 인정을 하지 않는다는 것은 易의 일부는 인정을 하고 일부는 인정을 하지 않는다는 것인데 이렇게 부분적으로만 인정을 하고 나머지는 버려도 좋은 불완전한 학문이 수천 년을 이어져 내려왔을까 하는 의구심도 들었다. 자연의 이치는 틀림이 없었으나 바라보는 관찰자의 역량이 부족하여 자연의 본모습을 상실함에서 오는 불일치 혹은 불확실함임을 알게 되었다. 의사들의 유방암 오진율이 35%라는 것에 놀란 적이 있었다. 우리나라 장마철의 일기예보 오보율이 50~72%라는 기사를 보고서 또 놀란 적이 있었다. 관찰자의 역량이 모자라서 자연의 변화이치를 다 읽어내지 못한 것에 원인이 있는 것이다. 명리학도 마찬가지라 생각한다. 이것은 학술을 통한 깨달음의 경지에 이르러 자연이 사람에게 주는 영향이 어떠함을 알고, 이 세상에 살게 되는 인간의 오고감을 알고, 우리가 이 역학공부를, 명리학을 공부해야할 필요가 어디에 있는지 그 이유를 찾고자 하는 것이다.

孟子 萬章에 나오는 글귀이다.

莫之爲而爲者, 天也 (막지위이위자 천야)
莫之致而至者, 命也 (막지치이지자 명야)　　(孟子 萬章)
하려고 뜻한 것이 아닐지라도 저절로 되는 것은 하늘의 뜻이요, 이르게 하고자 하지 않을지라도 저절로 이르러오는 것은 命이다.

저절로 되는 하늘의 뜻이 어떠한지를 알고 저절로 우리에게 닥쳐오는 命이 어떠한 모습으로 다가오는지를 알아보고자 하는 것이다.

 글을 쓰면서 못 다 쓴 아쉬움이 많이 남는다. 배움의 과정에 있는 자로서 한 번의 정리가 필요했고 나름대로 자연의 이치에 대하여 생각한 것들을 정리할 필요가 있어서 글을 쓰긴 썼지만 아쉬움이 너무 많이 남는다. 먼저는 자신이 학문에 나태해지지 않도록 채찍을 들고 주마가편을 하고 싶었다. 풀리지 않았던 자연의 이치와 명리학의 관계를 오늘 날 과학의 이름으로 밝혀놓은 이론과 명리학의 실증적 자료들을 비교하여 풀어내고 싶었다. 易學徒들에게 참고가 되었으면 하는 간절한 마음에 표현된 문구들이 어느 누구에게든지 외람된 것이 아니기를 두 손을 모은다. 또한 이 험난한 역학의 머나먼 여정을 함께 가는 道伴들에게는 易學을 바라보고 자연을 바라보는 안목이 본 拙著를 통해서 크게 높아지기기를 바란다. 法古創新이라 했다. 선현의 깨달음과 학문을 토대로 더욱 정진하여 자신의 깨달음의 경지로 나아가기를 바란다.

乙未年 乙酉月 庚子日 卯時
覩命 拜書

【목차】

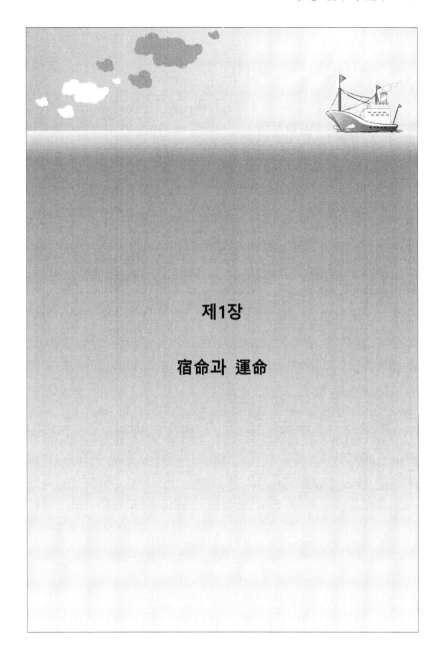

제1장

宿命과 運命

제1장 宿命과 運命

  인간의 몸의 물질적 구조와 작용, 정신세계와 삶과의 관계에 대한 부분은 생각하면 할수록 신비롭다.

  인간은 어떻게 살게 되는가? 개인의 자유의지로 살아가는가, 주어진 대로, 정해진 대로 살게 되는 것인가? 인간을 자유의지의 존재관점으로만 보기에는 어쩔 수 없이 즉, 선택권 없이 주어진 대로 살아가야하는 부분이 너무 많다. 성형을 해서 다른 모습으로 살아보고자 하지만 기질이나 성정, 삶의 성향, 삶의 환경은 쉽게 바뀌어지지 않는다. 반대로 인간이 자유의지, 자유 선택권 없이 주어진 대로 살아가게 되는 존재라고 보기에는 선택의 순간이 너무 많다. 이 선택조차도 그것을 선택할 수밖에 없는 여러 요인에 의해서 선택했다고 말 할 수도 있다. 주변 상황이나 여건이 그것을 선택할 수밖에 없도록 몰아간다면 동일한 그 시간, 동일한 그 공간에서는 동일한 그것을 선택 할 수밖에 없다고 말할 수도 있다.

  선택이라는 것은 같은 조건과 환경에서 여러 가지가 나열되어 있을 때 그 중 하나를 택할 수 있는 것이 진정한 선택이라고 볼 수 있을 것이다. 충분한 돈을 가지고 시장에 먹거리를 사러 갔다고 가정을 해보자. 가격을 상관하지 않고서도 내가 먹고 싶은 것을 선택할 수가 있다. 내 취향, 기호에 맞춰서 고를 수 있다. 하지만 돈이 부족할 때에는 내가 선택할 수 있는 것이 제한적이다. 내 취향이나 기호에 맞추어서 물론 최대한 근접하게 맞추어 보려고는 하겠지만 내가 원하는 것을 모두 선택할 수가 없다. 어쩔 수 없이 돈 액수에 맞추고 함께 먹는 가족의 숫자에 맞추고 돈이 다시 들어오는 시점까지의 기간에 맞추어야 한다. 이러한 두 가지의 상황이 우리 삶에서 공존한다. 내가 자유의지를 가지고 선택하는 상황이나 환경, 어쩔 수 없이 선택하게 되는 상황이다. 정도의 차이는 있을지라도 이 두 가지 상황에서 선택하는 삶으로 인해 그 다음 단계의 삶이 결정되고 이어져 간다. 그러면 어떤 분야에서 어느 정도 쯤 선택에서 자유의지가 있는지 또는 없는지 궁금해진다. 이미 정해진 것은 나의 선택 권한 밖의 일이니 거론할 필요가 없다. 이미 주어진 환경을 안고 살아가야 한다. 내가 자유의지를 가지고 선택을 하게 되든, 선택을 할 수 밖에 없는 상황으로 내 몰려서 선택하게 되는 그 결과가 어떠할지는 항상 궁금해지는 것이다. 선택권 없이 선택해야 되는 상황에서는 더욱이 지금 선택을 할 수 밖에 없는 이 일의 미래가 궁금하고, 그 결과가 궁금하고 불안하다. 봄이 온다고 해서 모든 사람에게 기다려지는 봄은 아니다. 봄이 고통스러운 사람, 현재 직면하여 있는 상황이 고통스러운 사람에게는 아름다운 꽃들도 눈에 들어오지 않고, 山海珍味도 그 맛을 느끼지 못할 것이다. 보릿고개를 넘어야하는 가난한 사람에게는 오늘 하루 가족들의 한끼 식사가 절실하게 필요하고, 밭에서 씨를 뿌리는 사람들이 부러울 뿐이다. 어떻게 보리고개를 넘길까 하는 생각에만 몰두 하게 된다. 나도향의 소설『뽕』이나 김동인의 소설『감자』는 굶주리던 시기에 질곡의 삶을 살던 주인공에게 가족을 위해 선택할 수 있는 다른 길들이 있었을까? 그러면 이런 피하지 못할 상황으로 몰아가는 보이지 않는 힘은 무엇일까?

전생에 선업을 많이 쌓아서 이생에 왕족이나 부자로 태어나고 전생에 악업을 많이 지어서 이생에서 악인으로 혹은 가난한 집안에서 태어나는 것일까? 전생을 모르고 믿지 않더라도 현실성도 사실성도 없고 설득력도 떨어진다.

공중에 나는 참새 한 마리라도 하나님이 허락하지 않으면 떨어지지 않고, 들에 핀 백합화도 다 기르신다고 성경에는 기록해 놓았다. 하나님이 이 땅 위에 사는 모든 생명을 하나하나 정성스럽게 보살피고 있다면 병들어 죽어가는 사람은 하나님이 조금씩 죽이고 있다는 얘기가 되고, 천재지변으로 수 만 명이 한꺼번에 죽는 것도 하나님이 그렇게 했다는 얘기가 된다. 이렇게 기록한 것처럼 전지전능자가 인생사에, 땅위의 모든 생명들의 삶에 개입하고 있을까? 수천 년 동안 철학자와 종교인들 사이에 논쟁이 되어왔으나 아직껏 해답이 없는 것이니 스스로 길을 찾아야 한다.

다만 아무리 궁구를 해보고 선현들의 철학서적을 뒤지고, 종교서적을 뒤져보아도, 무신론자들의 주장을 살펴보아도 내가 나의 삶을 살아가면서 자유의지를 가지고 자의로 선택할 수 있는 부분은 그리 많지 않다는 것은 사실임이 분명하다. 인생의 대부분의 삶이 주어진 삶이다. 주어진 삶의 환경 속에서 강제적 선택과 자유의지적 선택부분이 있을 뿐이다.

성경에 보면 농부의 씨 뿌리는 비유가 나온다. 농부가 들녘에 나가서 씨를 뿌리는데 어떤 씨는 길가에, 어떤 씨는 자갈밭에, 어떤 씨는 옥토에 뿌려져서 저마다 결실을 맺었다. 혹은 쭉정이로, 혹은 30배, 60배, 100배의 결실을 맺었다. 씨앗에게는 어느 밭에 뿌려질지에 대한 선택권이 없다. 옥토에 뿌려진 씨앗은 순조로운 삶을 살고, 자갈밭에 떨어진 씨앗은 파란의 삶을 살아갈 것이다. 결실의 결과에 대한 책임이나 영향력은 누구에게 있을까? 자갈밭이나 옥토에 있을까, 아니면 씨를 뿌리는 농부에게 있을까, 아니면 씨 자신에게 있을까? 혹 이도 저도 아니면 원인이 복합적인 것일까?

 건축업에 종사해서 재물도 얻고 화목한 가정에서 가장의 역할도 충실히 하면서 살아가던 사람이 있었다. 아들이 하나 있었는데 아들이 고등학교 다닐 때 이 아버지는 학부형 회장도 하고, 수천 만원 들인 커다란 시계탑도 학교에 기증했다. 건설업에 종사하고 있으면서 나름 열심히 공부를 해서 중장비 관련 자격증도 4개나 따고 경북대학교 대학원에서 석사학위도 받았다. 79년 입학당시에는 경북대학교도 나름 실력이 있는 학생들이 들어가는 유명 대학이었다. 그런데 다 키워 놓은 아들이 갑자기 죽게 되면서 집안에 흉사가 계속해서 발생했다. 아들이 죽은 다음 해에 부모가 또 돌아가셨다. 그해 말에 같이 살던 부인도 그간의 충격으로 인해 정신 이상자가 되고 말았다. 이듬해 년초에 정신병원에 데려다 놓았는데 몇 주 후에 아내가 병원을 탈출했다. 어디로 갔는지 알 수가 없다 했다. 운영하던 회사는 문을 닫은 지 오래이고 가진 돈은 다 떨어져서 끼니조차 해결하기가 어려워졌다. 이 세상에서 더 이상 살아있을 이유가 없어진 듯했다. 여관에서 목을 매고 죽으려고 줄을 준비해서 여관으로 가던 차에, 이 가장이 형편이 좋았을 때에 도움을 주었던 지인으로부터 연락을 받았다. 그 지인이 방을 얻어주고 용기를 주어서 죽지 못했다고 한다. 얘기를 하면서 눈물을 글썽인다. 작은 트럭이나 하나 있으면 물건을 팔러 전국에 다니면서 정신이상의 아내를 찾아야겠다고 한다.

 이 불행은 누가 준 것일까? 하나님이 이런 시련을 주고 있을까? 아니면 전생에 지은 악업 때문일까? 아니면 스스로 선택한 삶의 결과였을까? 원치 않는 이런 시련의 목적은 무엇일까? 맹자의 말씀대로 시련으로 단련된 훌륭한 사람으로 만들어 사회에 필요한 인물이 되도록 하기 위한 시련일까? 아니면 전생에 지은 업을 해결하기 위한 것일까? 이도 저도 아니면 그냥 당한 삶의 일부일까?

天將降大任於斯人也 (천장강대임어 사인야)
必先勞其心志(필선노기심지)
苦其筋骨(고기근골) 餓其體膚(아기체부),
窮乏其身行(궁핍기신행) 拂亂其所爲(불란기소위),
是故(시고) 動心忍性(동심인성) 增益其所不能(증익기소불능).

하늘이 장차 사람에게 큰 사명을 내리려 할 때에는 반드시 먼저 그 생각하는 마음의 뜻을 지치게 하고, 그 몸을 고통스럽게 하고, 그 몸을 굶주리게 하고 그 생활을 궁핍하게 하며 그 하고자 하는 일마다 어지럽게 하나니, 이는 그의 마음을 움직여 참을성을 길러주어 지금까지 할 수 없었던 일도 할 수 있게 하기 위함이라.

 맹자의 告子章의 일부이다. 위대한 금언이긴 한데 모든 사람들에게 적용하여 해석하기에는 무리가 있어 보인다.

어느 것도 답을 주기에는 설득력이 없는 듯하다.

대자연에는 생존을 위한 법칙만 존재하는 듯하다. 측은지심도, 慈愛心, 수치심도 없다. 한겨울 영하 20℃ 북풍이 부는데 하루 종일 서있으면 누구든지 얼어 죽는다. 악인이든 선인이든 모두 다 얼어 죽는다. 더위에도 더위로 죽는 사람이 많다. 쓰나미로 혹은 지진으로 수천, 수만 명이 한꺼번에 죽어가도 하늘은 무심한 듯하다. 동정을 베풀어서 얼어 죽어가고 있는 사람에게 태양빛으로 몸을 따뜻하게 해주거나 두꺼운 옷을 가져다가 입혀주거나 하지 않는다. 자연의 이치에 順하여 살면 순탄하고, 자연의 이치에 역으로 거스르면 파란을 겪게 된다.

자연과의 조화, 자연의 이치에 따른 행동, 삶이 그 삶을 순탄하게 만든다. 추운데 데려다 놓으면 옷을 껴입고 따뜻한 곳을 찾아가고, 더운데 데려다 놓으면 얇은 옷을 입고 시원한 그늘을 찾아가는 것이 삶이다. 순응의 삶이다. 추운 곳에 가서 옷을 벗고 돌아다니고, 더운 곳에 가서 옷을 두껍게 껴입고 돌아다니면 죽는다. 겨울에 따뜻하다고 해서 때에 맞지 않게 피어나는 개나리는 얼어버린다.

너무 일찍 피어난 사과꽃이 냉해를 입으면 열매를 맺지 못해 수확거리가 없어진다. 사과 꽃눈은 날씨가 따뜻해서 나왔지 스스로 나왔겠느냐 하는 문제다. 환경적인 변화에 의해서 피동적으로 변화에 따라가다가 보니 때로는 꽃이 피고 자라서 좋은 열매를 맺거나, 때로는 꽃눈이 얼어서 떨어지고 열매를 맺지 못한다. 날씨가 일시적으로 따뜻해졌어도 때가 아님을 알고 기다릴 줄 알아야 한다. 대자연의 이치에 따라서 순탄한 삶을 살아가기 위해서는 자연의 이치를 알아야 한다. 순한 삶을 살고 있을지라도 갑작스럽게 들이닥치는 예견치 못한 변화가 있을 수도 있으나 그 異變 속에서도 다시 순응해서 삶을 이어가는 생명체만 생존한다. 대자연은 죽은 자는 감추고 살아있는 자들과만 함께하는 듯하다. 그리고 죽은 자를 해체하여 새로운 모습으로, 다른 존재로 새로운 삶을 부여한다. 어쩌면 이렇게 불멸의 존재를 이어가는지 모르겠다.

 사람도 자연의 법칙에서 벗어날 수 없다. 자유의지를 가지고 선택을 하든, 내몰리고 몰려서 강제적 선택을 본의 아니게 피동적으로 할 수 밖에 없든지 사람은 자연의 법칙을 벗어날 수는 없다. 병을 치료하고 약을 선택하기 위해서는 의술이 필요하다. 仁義를 가지고 인술을 베풀 수 있는 의사가 필요하다. 마찬가지로 順한 삶을 살아가기 위해서는 자연의 이치를 깨닫고 삶의 行路를 깨닫고 있는 易術人이 필요하다. 醫術人에게 끊임없는 공부가 필요하고 惻隱之心으로 인의를 베풀 仁性이 필요하듯이 역술인에게도 자신의 말에 책임을 질 수 있는 공부가 필요하고 惻隱之心으로 仁義를 베풀 仁性이 필요하다. 어느 분야에도 마찬가지이겠지만 대자연은 무정하나 인간에게는 자비심이 있다. 이 자비심으로 공존, 공생의 길을 함께 도모할 수가 있을 것으로 본다.

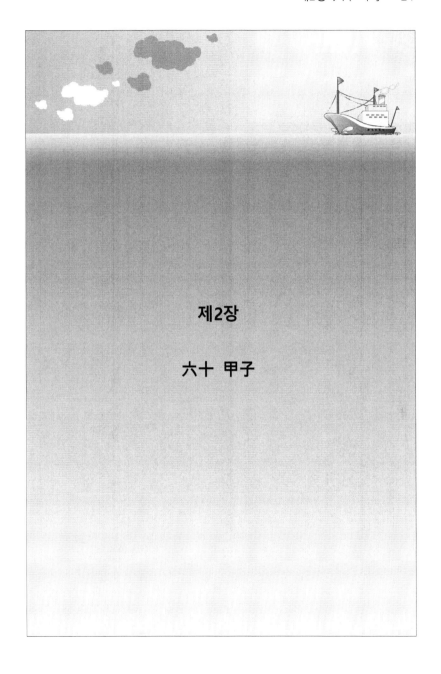

제2장

六十 甲子

제2장　六十 甲子

癸酉	壬申	辛未	庚午	己巳	戊辰	丁卯	丙寅	乙丑	甲子
癸未	壬午	辛巳	庚辰	己卯	戊寅	丁丑	丙子	乙亥	甲戌
癸巳	壬辰	辛卯	庚寅	己丑	戊子	丁亥	丙戌	乙酉	甲申
癸卯	壬寅	辛丑	庚子	己亥	戊戌	丁酉	丙申	乙未	甲午
癸丑	壬子	辛亥	庚戌	己酉	戊申	丁未	丙午	乙巳	甲辰
癸亥	壬戌	辛酉	庚申	己未	戊午	丁巳	丙辰	乙卯	甲寅

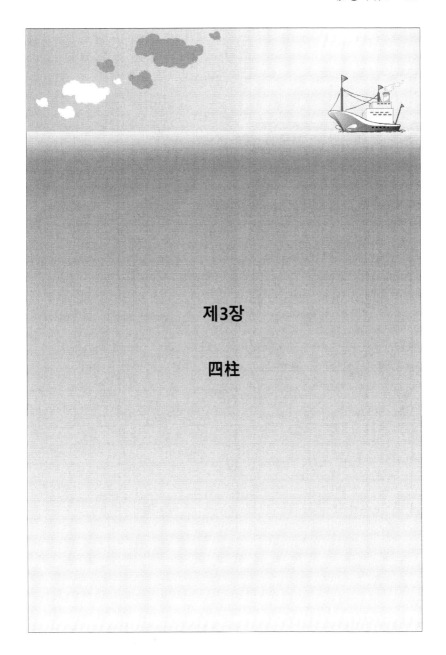

제3장

四柱

제3장   四柱

天干은 甲에서 시작을 하고 地支는 子에서 시작을 한다. 周나라 시대에는 子月 즉 冬至를 기준으로 해서 甲子월 甲子일 甲子시에 한해가 시작되었다. 시대마다 차이를 보이기도 했다. 寅月 立春 節入日을 기준으로 한 해의 시작으로 삼은 것은 夏代, 漢代, 現代이다.

어느 것이 옳은지에 대해서는 지금도 논란이 있지만, 좀 더 확실한 검증이 필요하다. 天에서는 子月에 봄이 시작되고 땅에서는 丑月에 봄이 시작되고 사람에게는 寅月이 되어야 비로소 봄이 시작된다. 사람은 인월이 되면 한해를 준비하게 된다. 사람에게 봄이 와서 움직이는 시점을 한해의 시작으로 보는 現代와 漢代의 歷法에도 일면 일리가 있는 것이지만, 하루의 시작이 子時이고, 地支의 시작이 子이고, 동지 전후에 甲子月 甲子日 甲子時에 一陽이 始生하여 陽구간으로 바뀌는 것을 감안할 때에는 子月을 한해의 시작점으로 보는 것이 타당하다고 본다.

四柱를 정하는 법

四柱

사주는 사람이 태어난 생년, 생월, 생일, 생시의 간지를 말한다. 각 생년, 월, 일, 시는 간지 두 글자로 되어 있으므로 모두 여덟 글자가 된다. 이 여덟 글자와 대운의 간지, 그리고 세운의 간지, 월운의 간지, 日運의 간지가 합, 충, 형, 파, 해 등의 상호작용을 하여 당사자의 운명을 결정한다.

　년의 간지를 年柱
　달의 간지를 月柱
　날의 간지를 日柱
　시의 간지를 時柱라고 한다.

　十干과 十二支의 유래에 대해서는 정확하지는 않으나 기록되어 있는 고서를 통해서 그 시기를 가늠해 볼 수가 있다.

甲乙丙丁戊己庚申壬癸를 十干 또는 天干이라고 하고,
子丑寅卯辰巳午未申酉戌亥를 十二支 또는 地支라고 한다.

　易學의 발생기원은 확실치는 않다. 전해져 내려오는 기록을 보면, 중국 황하강 유역은 강수면이 땅보다 높아 홍수가 나면 범람하기 때문에 통치자는 치수(治水)를 잘해야 聖君으로 받들어졌다. 그러기에 통치자가 된 자는 통치를 잘 하기 위하여 심신을 정결히 하고 하늘에 제사를 지내어 당년의 길흉을 알고자 하였다. 초기에는 통치자 자신들의 필요한 것들을 위하여 제를 지내고 길흉을 알고자 하였으나 점차로 보편화되면서 객관성을 뒷받침하는 괘가 만들어지고 卦象이 덧붙여졌다. 이것이 역학이 생겨나게 된 동기가 되었다. 그 후 중국 宋代의 자평 선생이 연해자평이라는 책을 저술함으로써 일간 중심의 명리학이 자리를 잡아 오늘날까지 이어져 내려오고 있다.

十干은 하늘의 기운의 움직임을 나타내고 십이지는 땅의 기운의 움직임을 나타내는데 십간과 십이지를 조합하여 60개의 간지를 만들어 낸다.

천간과 지지는 아래와 같이 음양으로 나누어진다.

天干　陽　＝　甲　丙　戊　　庚　　壬
　　　陰　＝　乙　丁　己　　辛　　癸

地支　陽　＝　寅　巳　辰戌　申　　亥
　　　陰　＝　卯　午　丑未　酉　　子
　　　　　　木　火　土　　金　　水

十二支가 상징하는 동물과 시간은 다음과 같다.
子 : 밤 11 시 - 새벽 1 시
丑 : 새벽 1 시 - 새벽 3 시
寅 : 새벽 3 시 - 새벽 5 시
卯 : 새벽 5 시 - 아침 7 시
辰 : 아침 7 시 - 아침 9 시
巳 : 아침 9 시 - 오전 11 시
午 : 오전 11 시 - 낮 1 시
未 : 낮 1 시 - 오후 3 시
申 : 오후 3 시 - 오후 5 시
酉 : 오후 5 시 - 저녁 7 시
戌 : 저녁 7 시 - 밤 9 시
亥: 밤 9 시 - 밤 11 시

  천간과 지지의 유래를 살펴보면, 중국 삼황시절, 삼황 중의 한 사람인 황제헌원이 치우((蚩尤)라는 장군과 자주 싸우게 된다.

桓檀古記 馬韓世家 上
계속하여 蚩尤氏가 있었는데 구야를 만들어서, 광석을 캐고 철을 주조하여 병기를 만들고, 또 돌을 날리는 기계도 만들었다. 이에 천하는 감히 그에게 대적하는 자가 없었다. 때에 헌구가 굴복치 않으니 치우는 몸소 군대를 인솔하고 출동하여 이를 크게 정벌코자하여 탁록에서 크게 싸웠다. 탁록은 지금 산서성의 대동부이다. 싸움이 있기 전에 탁록격문을 만들어 81종당의 대인을 소환했다.

먼저 치우의 형상을 그려 분포하더니 목숨을 바칠 것을 맹세하게 하고는 가로대,
"그대 헌구는 짐의 말을 밝히 들으렷다. 태양의 아들이라 함은 오직 짐 한 사람뿐이라. 짐이 하늘의 아들로서 이 세상을 만세토록 공의롭게 하기 위하여 인간의 마음을 닦는 맹세를 짓노라. 그대 헌구는 우리의 삼신일체의 원리를 모독하고 삼윤구서의 행을 게을리하였으니 삼신은 오래도록 그 더러운 것을 싫어하고 짐 한 사람에게 삼신의 토벌을 행하도록 하였으니 그대가 일찌감치 불의한 마음을 씻고서 행동을 고쳐서 본성으로부터 씨알을 찾을 것이니 그대의 머리 속에 내려와 있음이로다. 만약 명령에 순응치 않는다면 하늘과 사람이 함께 진노하여 그대의 목숨이 온전하지 못할 것이리니

네 어찌 두렵지 않겠는가?" 라고 했다. 이에 헌구가 평정되어 복종하니 천하는 나를 으뜸으로 여기더라.

繼有蚩尤氏 作造九冶以採　鑄鐵作兵 又制飛石迫擊之機 天下莫敢讐之 時 軒丘 不服 蚩尤 躬率往征之 大戰於涿鹿 涿鹿今山西大同府也 將戰 作涿鹿檄文 乃召八十一 宗黨大人 先以頒示蚩尤形像 具命誓而告之 蚩尤天王曰 爾軒丘 明聽朕誥 日之有子 惟朕一人 爲萬世爲公之義 作人間洗心之誓 爾軒丘 侮我三神一體之原理 怠棄三倫九誓之行 三神 久厭其穢 命朕一人 行三神之討 爾早己洗心改行 自性求子 降在爾腦 若 不順命 天人咸怒 其命之不常 爾無可懼乎哉 於是 軒丘 乃平服 天下 宗我焉

천간지지에 대한 이야기는 6천년 전의 중국의 삼황오제 시대로 거슬러 올라가며 시작된다.

三皇은 伏羲, 神農, 黃帝를 일컬으며, 五帝는 소호(少昊), 전욱(顓頊), 제곡(帝嚳), 요(堯), 순(舜)을 말한다.

복희는 음양오행의 기원이 되는 하도를 용마에서 발견하여 선천 팔괘를 만들었다고 하고, 신농은 농사짓는 법을 백성들에게 가르치고 전파하였다 하고, 황제는 백성의 삶의 질을 향상시키기 위하여 옷과 집을 짓는 법을 가르치고 『황제내경』을 저술하였다고 한다.

10천간에 대한 이야기는 수없이 많이 전해져 내려오는데, 伏羲時代에 사용하였다는 이야기도 있고 황제시대에 사용하였다는 이야기도 있다.

연해자평에 의하면,

「중국의 황제 때에 치우(蚩尤)가 나와 세상을 어지럽게 함에 황제께서 백성의 고생을 심히 걱정하여 마침내 천우와 탁녹의 들에서 싸워 이를 죽였다. 그러나 유혈이 백리에 뻗쳐 이것을 다스리기가 어려워서 황제는 목욕재계하고 하늘에 비니 하늘이 이를 가상히 여겨 십간, 십이지를 내려 주었다. 황제는 십간을 원으로 포하여 天形을 상징하고 십이지를 방으로 포하여 地形을 상징하고 그 빛을 합하여 직문에 명하여 이를 널리 퍼지게 하니 그 후로는 잘 다스려지게 되었다. 후일 大撓氏가 나와 세상의 일을 걱정하여 가로대 '아! 황제가 성인으로서도 오히려 악살들을 능히 다스리지 못하였거늘 후세에 재해를 장차 어찌하리오' 라고 탄식하여 마침내 십간, 십이지를 합하여 육십갑자를 배성하도다」 라고 기술되어 있다.

이것이 60갑자의 기원이 되는 것이다.

甲子年의 시작은 여러 가지 설이 분분한데, 대체적으로는 수성, 금성, 화성, 목성, 토성, 태양, 지구, 달이 일렬로 정렬한 날을 甲子年 甲子月 甲子日 甲子時로 정하였다고 한다. 황제의 즉위식이 바로 이날이며 이때부터 날짜에 60갑자를 붙이기 시작하였다고 한다. 그러다가 한나라 시대에 이르러 기원전 105년인 병자년에 오성이 정렬하는 동지를 기준으로 재정비하였다는 설도 있다. 따라서 동지에 갑자를 정하였다는 설에 따라 입춘이 아닌 동지를 새해가 시작되는 것으로 사주팔자를 정하는 사람들도 있다. 사찰에서는 아직도 동지를 새해의 시작으로 인식하여 동지가 지난 후에 사주팔자를 간명하고자 하기도 한다. 갑자력의 기원이 어떠하든 간에 하늘에 있는 천체의 움직임과 기운의 흐름을 깊이 관찰하여 만들었으므로 과학적인 의미가 있다고 본다. 천기와 지기의 흐름과도 상당한 연관성이 있음을 알 수 있다. 우주 천체의 움직임과 배열이 인체, 자연과 인간의 삶, 자연의 현상에 어떠한 영향을 미치고 있는지를 살폈다. 자연의 법칙을 쫓아서 60갑자를 만들고 이를 통해서 인간의 운명을 살펴보고자 하는 것이다.

천간과 지지를 결합시켜서 60간지를 조합할 때에 결합방식은 陽干은 陽支와 陰干은 陰支와 결합된다. 양간과 음지, 음간과 양지는 결합할 수는 없다. 예를 들어 갑축이나 을자로는 조합을 하지 않는다는 말이다.

年柱 정하는 법

태어난 연월일시의 간지를 알아보는 편리한 방법은 만세력을 활용하는 것이다.
연월일시의 사주 중에 년주를 구하는 방법은 태어난 해의 간지를 찾으면 된다. 음력을 표기하는 달력에는 그 해가 무슨 해인지 적혀져 있으니 쉽게 알 수가 있다. 그 해의 갑자가 년주가 된다. 2015년에 태어난 사람의 년주는 을미가 된다. 2014년에 태어난 사람의 년주는 갑오가 된다. 다만 주의할 점은 2015년과 2014년 즉 을미년과 갑오년을 나누는 기준점은 입춘절기가 된다. 음력 2014년 12월16일이 입춘일이 되는데 12시58분이 절입시각이 된다. 이날 이 시각 이후에 태어난 사람들부터 을미년 생이 되는 것이고 년주가 을미가 된다. 이날 巳時에 태어난 사람은 양력으로는 2015년이 되지만 2014년생이 되는 것이다. 물론 년주도 갑오가 된다.

月柱 정하는 법

생월의 간지도 만세력을 찾아보면 쉽게 찾을 수가 있다. 월주는 각 월의 월건에 의하는데 주의하여야 할 점은, 년주를 정할 때 입춘 절입 시각을 기준으로 하듯이 각월의 간지를 정할 때에도 절입 시기를 기준으로 한다. 각 절입 일시는 만세력에 기입되어 있으니 참조하면 된다.

각월의 절입시기는 다음과 같다.

1월: 입춘
2월: 경칩
3월: 청명
4월: 입하
5월: 망종
6월: 소서
7월: 입추
8월: 백로
9월: 한로
10월: 입동
11월: 대설

12월: 소한

월의 지지는 변하지 않는다.
1월의 월지: 寅
2월의 월지: 卯
3월의 월지: 辰
4월의 월지: 巳
5월의 월지: 午
6월의 월지: 未
7월의 월지: 申
8월의 월지: 酉
9월의 월지: 戌
10월의 월지: 亥
11월의 월지: 子
12월의 월지: 丑

항상 이와 같이 고정되어 있다. 월간은 해마다 바뀌게 되는데 이 월간을 찾는 방법을 月頭法이라고 한다.
월건을 찾는 방법 중에 손쉬운 방법은 逢龍卽化設이다.
天門은 戌亥사이에 위치하고 있는데 奎,壁으로 나뉘고, 地戶는 辰巳의 사이에 위치하고 있는데, 角,軫으로 나뉜다. 甲己年에는 戊己 금천지기가 角,軫을 경유하면 戊辰, 己巳가 되는데 뒤로 세어나가보면 丙寅月이 한해의 시작월이 되는 것이다.

갑기-토 을경-금 병신-수 무계-화 정임-목

또 다른 月頭法을 보면, 매월의 天干은 그 년간이 合을 하여 化한 오행을 生하는 오행의 陽干부터 시작한다. 예컨대 甲과 己가 년간인 해는, 갑기합화토가 된다. 土를 생하는 오행의 양간이 한해의 시작 월의 천간이 되는데 土를 생하는 오행은 丙火이다. 따라서 갑이나 기가 천간이 되는 해에 있어서 정월의 간지는 丙寅, 2월의 간지는 丁卯, 3월의 간지는 戊辰이 된다.

日柱 정하는 법

태어난 날의 간지는 만세력이 없으면 알기가 어렵다. 子時부터 하루가 시작되는데 이를 기준으로 일주를 찾으면 된다.

時柱 정하는 법

時의 간지는 월주의 간지와 같이 시지는 항상 일정하고 시간은 일간에 의하여 결정된다.

時의 천간은 만세력에서도 찾을 수가 없으므로 시주를 구하는 법을 알아둘 필요가 있다. 월건법에 준해서 시주를 구하면 된다. 逢龍卽化設로 진사의 천간을 찾게 되면 뒤로 세어서 子에 이르면 된다. 갑기일이면 土가 合化한 오행인데 무진, 정묘, 병인, 을축, 갑자가 되니 갑자시가 이 날의 시작 시주가 되는 것이다. 몇 시에 태어났는지 태어난 시간을 천간에 대입하여 시주를 찾으면 된다.

또 다른 방법으로는 일간이 합화한 오행을 극하는 오행의

陽天干을 시주의 천간으로 사용한다. 갑기일이면 合化 土가 되는데 土를 극하는 것은 木이 되니 木의 양간인 甲을 사용하여 甲子가 이날이 시작되는 時柱가 된다.

시중에서 판매되고 있는 만세력 중에는 절입 일자나 절입 시각을 잘 못 계산하여 기입해놓은 것도 있으니 정확한 사주간명을 위해서는 정확한 만세력을 준비할 필요가 있다.

또한 朝子時와 夜子時로 구분해놓는 경우를 보는데 날이 바뀌는 것 때문에 이렇게 구분하는 것이다. 설명을 보면 그럴 듯 해보이지만 시공의 흐름에 대한 이치를 알지 못하기 때문이라고 본다. 12진법에 따른 날짜의 변화추이는 구분을 위한 인간의 방편이 되는 것이지 시간은 그저 끊이지 않고 흐른다. 亥가 子를 열면서 이어지고, 子는 丑을 열어주면서 이어지고 丑은 寅을 열면서 이어지는 것이다. 亥時가 끝날 무렵이 되면 이미 다음 날의 子時가 시작되면서 서서히 子時의 모습이나 작용이 나타나기 시작하는 것이다. 날짜 변경선은 인간의 편리함을 위해 정해놓은 인위적 규칙이다.

大運을 정하는 법

년, 월, 일, 시 사주가 정해지고 나면 이 사주를 가지고 운명을 예측하게 되는데 해가 바뀌고 달이 바뀌면서 맞이하게 되는 운명을 파악하기 위해서는 이 명조가 어디로 흘러가는지 파악하는 것이 무척 중요하다. 대운이 있고 세운이 있고 월운이 있는데 대운의 흐름을 파악하는 것이 아주 중요하다. 여덟 글자가 10년마다 맞이하는 환경이 되기 때문이다. 이 대운은 태어난 달과 년간의 음양을 가지고서 정하게 된다.

년간이 양간이면 남자는 대운의 흐름이 순행하고 여자는 역행을 하게 된다. 년간이 음간이면 남자의 대운의 흐름은 역행하게 되고 여자는 순행하게 된다. 예를 들어서 계묘년 생의 남자는 음간이기 때문에 대운은 역행을 하게 되고 여자는 순행을 하게 된다. 계묘년, 신유월 생의 남자이면 년주가 음간이니까 역행을 하는데 신유월 다음에 역행으로 흐르는 간지는 경신이 된다. 경신, 기미, 무오, 정사, 병진, 을묘, 갑인, 계축으로 흘러간다. 여자의 명조이면 신유 다음 간지부터, 임술, 계해, 갑자, 을축, 병인, 정묘, 무진 이렇게 순행으로 흘러간다. 대운은 10년마다 변하게 되는데 몇 세부터 시작되는지 대운수를 정하는 것은 만세력을 참고하면 되니 여기서는 생략하기로 하겠다.

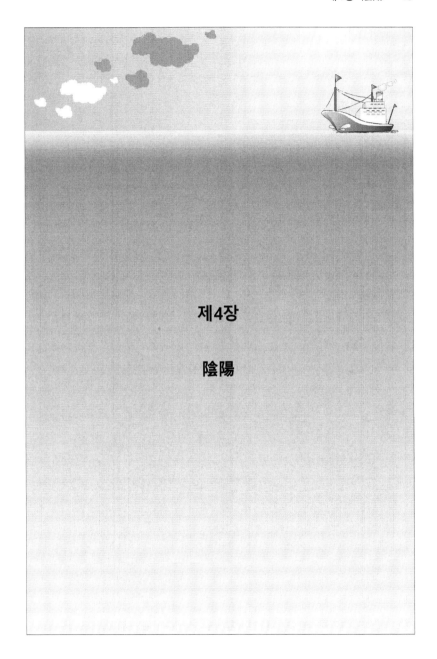

제4장

陰陽

제4장   陰陽

天干의 陰陽

  음양이라는 개념은 지극히 상대적이다. 남자와 여자로 확연히 둘로 나눌 수 있는 것도 있지만 대부분 음양의 경계를 구분하기가 참으로 모호하다. 태양과 달, 남과 여로 구분하는 것 이외에 구분하려는 것 자체가 난해하다. 예를 들면 밤과 낮의 교차시간, 고저장단의 구분, 강유의 구분, 한난조습의 음양구분은 지극히 난해하다. 구분하기 위해서는 기준점을 정해놓아야 하는데 이것이 그리 쉽지 않다. 예를 들어, 해가 비치는 시간을 낮이요, 양이라 하고, 해가 비치지 않는 시간을 밤이요, 음이라 한다면 해가 비친다, 안 비친다는 구분의 기준점에 따라서 음양의 구분이 달라질 수 있는 것이다. 卯時와 酉時는 계절에 따라서 음이 되었다가 양이 되었다 할 것이다. 여름에는 卯酉時에도 해가 떠있으니 양에 속할 것이요, 겨울에는 해가 떠있지 않으니 음에 속할 것이다. 만일, 명암으로 음양을 구분한다면 음양의 구분 시간이 달라지니 더 애매해진다. 해가진 후와 해가 떠오르기 직전에도 여전히 밝다. 어느 정도 어두워져야 음이 되고 어느 정도 밝아야 양이 되는지 구분이 모호해진다. 六壬學에서는 낮밤을 구분할 때에 해가 하늘에 떠 있으면 낮, 떠 있지 않으면 밤으로 본다. 일출일몰 시간이 낮밤의 기준점이다. 언뜻 보기에는 간단하고 쉬운 듯이 보이지만 이 또한 논란의 여지는 있어 보인다. 또 다른 一例를 들어보면, 15℃의 물을 겨울에 마시면 따뜻하게 느껴지고 여름에 마시면 시원하게 느껴진다. 따뜻한 것이 양이라면 겨울에 마시는 15℃ 물은 양이 되고 같은 물의 온도일지라도 여름에 마시는 15℃의 물은 서늘하니 음이 될 것이다. 겨울에 마시느냐, 여름에 마시느냐에 따라서 음양이 달라지게 되는 것이다.

30℃의 물을 기준으로 온도가 내려가면 음, 올라가면 양으로 구분한다면 15℃의 물은 음이 될 것이다. 이런 것으로는 寒暖으로 나눌 수가 없기 때문에 결국 음양으로 구분하는 것은 지극히 상대적이다. 음양을 구분하기 위해서는 비교점이 먼저 결정되어야한다.

음양이란 것은 이처럼 지극히 상대적이다. 지극히 상대적인 음양을 가장 근접하게, 가장 합리적으로 구분을 해보려는 시도가 수천 년 이어져 왔다. 명리학에서도 마찬가지이다. 음양이라는 것이 실을 잘라서 늘어놓은 것처럼 구분되어지는 것이 아니다. 먼동이 틀 때와 황혼처럼 구분하기가 어렵고 고저장단처럼 구분하기가 어렵다.

지금까지 이해되고 있는 음양의 의미를 살펴보면 陽은 봄, 여름, 밝음, 움직임, 솟아오름, 뜨거움, 태양, 낮, 억셈, 용기, 강함, 남성, 높음, 양전자 등으로 볼 수 있다. 陰은 가을, 겨울, 어둠, 고요함, 하강, 달, 차가움, 밤, 부드러움, 유순, 약함, 여성, 낮음, 음전자 등으로 볼 수 있다. 이런 음양의 구분 외에 구분짓기가 애매한 부분이 있다. 중성자, 중성인(게이, 레즈비언), 동틀 무렵, 황혼, 미지근한 상태, 억세지도 부드럽지도 않는 것, 높지도 낮지도 않는 것 등이다.

움직이는 것을 陽이라고 한다면 움직이지 않는 것을 陰이라고 할 수 있다. 움직이는 것이 움직인다는 동작의 상태를 중심으로 보면 움직이지 않는 것이 음이 될 것이다. 하지만 움직이는 것의 力學的인 측면에서 바라보면 앞으로 움직여 나아가는 것의 반대는 뒤로 움직이는 것이다. +1만큼 움직였다면 –1만큼 반대로 움직이는 것이다. +1만큼 앞으로 움직였다면 –1만큼 반발력, 반대급부의 작용이 저절로 발생하게 되는데 이것을 陰이라고 보아야하는 경우도 있다. 0에서, 無에서 1만큼 움직인다면 반드시 1만큼 물러나는 힘과 작용이 발생하게 된다.

陽이 생기면 반대작용의 陰이 생기고 힘의 0인 지점이 생겨난다.

甲이란 운동이 甲만큼의 에너지(상승의 힘, 氣)를 지니고 위로 발생하게 되면 己土라는 운동이 己土만큼의 에너지(하강의 힘, 氣)를 지니고 아래로 발생하게 된다. 이 두 힘의 가운데에는 힘과 氣가 0이 되는 점이 동시에 발생이 되는 것이다. 음양은 두 가지의 氣, 象, 形의 구분된 작용이 아니라 하나의 氣 혹은 음양 두 가지의 氣가 동일한 시공간에서 팽창과 응축, 消長을 거듭하는데 이것이 太極의 작용이다.

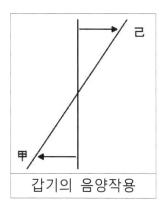

갑기의 음양작용

여름 태양빛이 아무리 강렬하다고 할지라도 땅위의 온도가 무한히 높아질 수가 없다. 엄밀히 말하면 태양빛은 약간의 차이는 있어도 강렬해진 적도, 약해진 적도 없다. 어느 정도 온도가 오르면 더 이상 오르지 않는다. 물을 아무리 끓여도 100℃이상으로 온도를 넘기지 못한다. 불의 세기를 1,000℃로 올려도 100℃ 이상의 물이 되지 않는다. 작아진 물입자가 활발히 움직이려는 힘, 즉 팽창력을 지니고 있을 뿐이다.

寒暖이란 말은 지극히 상대적인 구분을 나타내는 언어이지만 달리 표현할 말이 없다. 물이 열기를 받아서 물입자가 아주 잘게 쪼개어지면 잘게 쪼개어진 물입자는 열을 지니고 氣化하여 위로 오른다. 지구중력의 끌어내리는 힘보다 더 가벼워지면 물입자는 위로 올라간다. 너무 작아서 지구의 중력의 영향을 덜 받게 되면 공중에 떠다니게 되고 하늘로 오르게 된다. 미세한 수증기가 공중에서 얼은 채 땅으로 내려오지 않고 부유하는 것이 diamond dust이다. 하늘로 오르면 오를수록 기온은 내려가고 미세한 물방울은 끌어당기는 힘, 즉 물의 속성에 의해 뭉치게 된다. 내려오지도 오르지도 않는 상태에서 공중에 머물러 있는 것이 구름이다. 물입자들끼리 뭉쳐져서 커지면 무거워지는데 중력에 의해 땅으로 내려오게 된다. 이것이 비다. 壬水가 된다. 물이 하늘로 오르면 陽운동이 되는데 甲乙丙丁의 운동이 바로 위로 오르는 운동, 陽운동이 된다. 위로 오르다가 極에 이르러 더 이상 오르지 않으면 움직임이 없는 靜의 상태가 된다. 이 지점이 바로 戊己土가 된다. 위로 오르려는데 더 이상 못 오르는 것이 戊土이고, 응축하는 힘과 물입자의 引力에 의해서 물입자가 커지면 운동방향이 바뀌게 되는데 비록 정지상태에 있지만 땅으로 내려오려고 하는 상태 이것이 己土다.

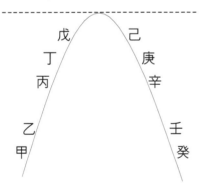

물입자가 더 이상 오르지 않고 머무르는 지점

주돈이의 太極圖說에 이런 글귀가 있다.
太極動而生陽 動極而靜 靜而生陰 靜極復動
一動一靜 互爲其根 分陰分陽 兩儀立焉

(태극이 움직이면서 양을 생성하고, 움직임이 지극함에 이르면서 고요함에 이르고, 고요하면서 음을 생성하고, 고요함이 지극함에 이르면서 다시 움직임이니, 한 번의 움직임과 한 번의 고요함이 서로 그 뿌리가 되며, 음을 나누고 양을 나누어 양의가 세워지는구나)

 甲은 지상의 물이, 冷氣가 태양열을 얻으면 위로 솟구치는데 그 힘이 땅을 가르고 돌을 제치고 바위를 뚫는다 하여 甲木參天이라고 표현했다. 甲에서 시작된 분출의 힘, 솟구치는 힘, 위로 상승하는 힘은 어느 정도 하늘로 올라가면 더 오르지 못하게 되는데 땅에서 솟구쳐 오르던 물입자가 높이 올라가면서 차가워진다. 냉기의 영향을 받으면 응축의 힘이 생기는데 물방울이 커지면서 더 이상 오르지 못하는 지점에 도달하게 된다. 물이 氣化되어 팽창해서 공중으로 오르는 힘이 冷氣 즉 水氣를 얻어서 응축함으로써 커지게 되면 물은 아래로 움직임의 방향을 바꾸게 된다. 물호스로 하늘을 향해 물을 분사하면 호스입구는 압력이 강하다. 분사되어 나오는 호스입구의 직전, 직후가 甲의 힘이라면 호스입구를 빠져나와서 위로 올라가는 힘이 乙의 힘이 되고 위로 오를수록 분산되어 펼쳐지는데 이것이 丙丁의 힘으로 비유될 수 있다. 오르는 것이 멈추어지는 지점, 즉 솟아오르려는 힘이 0이 되는 지점이 戊土가 되고, 방향이 바뀌어져 내려오려는 지점, 즉 방향이 바뀌어졌지만 내려오려는 힘이 0이 되는 지점이 己土가 된다. 물입자가 좀 더 차가워지고 引力과 응축의 힘이 커져서 물입자가 더 커져 지구의 중력을 이기지 못하여 내려오는 힘이 바로 庚辛의 힘으로 비유될 수 있다. 땅으로 내려와 있는 모습이 壬癸水가 되는데 壬癸水는 다시 땅위의 熱氣를 받게 되고 물이 열을 받게 되면 물은 기화되고 팽창하면서 잘게 쪼개어진다. 잘게 쪼개어진 물입자는 다시 위로 상승하게 된다. 이렇게 운동을 무한 반복하는 것이 자연의 이치이다.

  물이나 미립자가 熱氣를 얼마만큼 지니느냐에 따라서 땅위에 있을지, 공중에 있을지, 하늘위에 있을지 그 위치가 정해지는 것이다. 물, 즉 水氣가 火氣를 많이 품고 있으면 팽창하고 솟아오르려는 힘이 강해지고, 水氣가 火氣를 적게 품고 있으면 응축하고 하강하려는 힘이 강해진다. 팽창력을 가지고 솟아오르려는 힘과 응축력을 가지고 내려오려는 힘을 중심으로 음양을 구분하면 아래 그림과 같다.

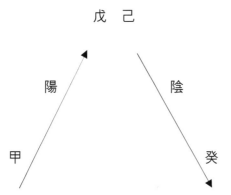

  甲乙, 丙丁, 戊己, 庚辛, 壬癸를 五行의 氣質에 따라 음양을 분류하면 갑병무경임은 양이 되고 을정기신계는 음이 된다.

地支의 陰陽

巳	午	未	申
辰			酉
卯			戌
寅	丑	子	亥

地支의 陰陽은 아래 도표와 같다.

子	丑	寅	卯	辰	巳	午	未	申	酉	戌	亥
양	음	양	음	양	음	양	음	양	음	양	음

子午는 존재의 모습이 하늘과 땅을 오르내리면서 나타내는 것이라서 음양의 구분이 명확하다. 子午는 본래 성정이 陽이지만 땅에서 작용할 때에는 陰으로 작용을 한다. 다시말해 體는 陽이지만 用은 陰이 되는 것이다.

天干 壬水는 하늘에서 陽이 되고 天干 癸水는 陰이 된다. 天干 壬水는 하늘에서는 寒冷氣를 대표하는데 寒冷氣는 하늘로 오를수록 강해지고 땅으로 내려올수록 약해진다. 하늘에서는 강하여 陽의 성질을 띠고 陽으로 쓰여지나 땅으로 내려오면 약하여져서 陰의 성질을 나타내게 되는 것이다. 하늘에서는 壬水가 되고 땅에서는 陰의 성질을 나타내는 子水가 되는 것이다. 반대로 癸水는 아지랑이, 수증기와 같은 것

이라서 땅에서는 강하지만 하늘로 오를수록 약해져서 오르려는 본성의 모습을 잃게 된다. 癸水는 열기를 품어야 癸水의 모습을 지니고 그 성정을 나타내게 되는데 하늘로 오를수록 寒冷해지기 때문에 그 본성이 유약해지면서 陰의 성질을 띄게 되고 땅으로 내려올수록 강해져서 陽의 성질을 띄고 陽의 운동, 陽의 활동을 하게 된다. 하늘에서는 陰干인 癸水가 되고 땅에서는 陽支인 亥水가 되는 것이다.

天干 丙火는 하늘에서 陽이 되고 天干 丁火는 陰이 된다. 天干 丙火는 하늘에서는 차가운 빛을 대표하는데 寒冷한 빛은 하늘로 오를수록 그 운동이나 성질이 강해지고 땅으로 내려올수록 약해진다. 하늘에서는 강하여 陽의 성질을 띄고서 陽의 운동이나 활동을 하게 되지만, 땅으로 내려오면 유약하여져서 陰의 성질을 나타내게 되는 것이다. 하늘에서는 丙火가 되고 땅에서는 陰의 성질을 나타내는 午火가 되는 것이다. 반대로 丁火는 열기, 불과 같은 것이라서 땅에서는 강하지만 하늘로 오를수록 약해져서 오르려는 본성의 모습을 잃게 된다. 정화는 오르려는 본성 때문에 세력만 얻으면 하늘로 오르게 되지만 하늘로 오를수록 냉기에 의하여 세력을 잃고 유약해져가는 것이다. 丁火는 열기를 품어야 혹은 불이어야 丁火의 모습을 지니고 그 성정을 나타내게 되는데 하늘로 오를수록 寒冷해지기 때문에 그 본성이 유약해지면서 陰의 성질을 띄게 되고 땅으로 내려올수록 강해져서 陽의 성질을 띄고 陽의 운동, 즉 오르려는 운동을 활발하게 하고 세력을 가지고 활동을 하게 된다. 하늘에서는 陰干인 丁火가 되고 땅에서는 陽支인 巳火가 되는 것이다.

陽氣와 陰氣의 旺衰에 따라 陰陽을 구분하면 子에서 巳까지는 陽, 午에서 亥까지는 陰이 된다.

황도에 따른 태양의 움직임에 따라서 陰陽을 구분하면 甲木이 장생하는 亥부터 辰까지가 陽境이 되고 八卦 중에서 陽卦에 속하는 방위인 乾坎艮震이 된다. 庚金이 장생하는 巳에서 戌까지가 陰境이 되고 八卦 중에서 陰卦에 속하는 방위인 巽離坤兌가 된다.

五行의 升降作用으로 陰陽을 구분하면 寅에서 未까지가 陽이 되고, 申에서 丑까지가 陰이 된다.

活과 死로 陰陽을 구분하면 子에서 巳까지가 活의 구간이 되며 陽이되고, 午에서 亥까지가 死의 구간이며 陰이 된다. 活木과 死木으로 구분하는 것은 직업의 속성을 나눌 때 木이 活의 구간에 있으면 농업, 조경, 육종, 미용과 같은 살아 있는 것을 다루게 되고 木이 死의 구간에 있으면 건축, 製紙, 섬유, 의류, 방직, 모직과 같은 것을 다루게 된다.

방위로 陰陽을 구분하면 艮方에 속하는 丑부터 午까지는 陽이 되고, 坤方에 속하는 未부터 子까지는 陰이 된다.

밤낮으로 음양을 구분하면(六壬學에서는 해가 하늘에 떠있는 시간이 낮으로 陽이 되고, 해가 지고 나면 밤으로 음이 된다. 일출시간과 일몰시간을 기준으로 한다) 寅卯辰은 日出의 시간이고 申酉戌은 日沒의 시간이다. 丙火의 장생이 되는

寅時가 끝나는 무렵에서 해가 뜨고 戌時 시작 무렵에 해가 지면 여름이다. 長生이 되는 申時의 끝부분에 해가 지고, 즉 壬水가 入墓하는 辰時의 시작부분에 해가 뜨면 겨울이다. 겨울에는 申時 끝무렵에 해가지는데 水氣와 밤이 시작되고, 辰時가 시작될 무렵에 해가 뜨니 밤이 끝나고 壬水가 入墓한다. 卯時에 해가 뜨고 酉時에 해가지면 春秋가 된다. 丙, 壬의 氣 즉 寒暖의 두 기운의 움직이는 방향성과 旺衰에 따라서 春秋가 정해진다. 태양의 빛이 들고 남에 따라 구분짓지 않고 溫冷, 寒暖의 왕쇠강약과 움직이는 방향성에 따라서 음양과 춘추를 구분짓게 된다.

三合으로 陰陽을 구분하면, 亥卯未, 寅午戌은 陽이 되고 巳酉丑, 申子辰은 陰이 된다.

陰陽의 구분이 중요한 이유는 사주의 성격, 추구하는 방향성을 구분하기 때문이다. 男命은 陽의 속성을 지니고 있기 때문에 陰을 만나야 조화를 이루니 陰을 편하게 사용을 하고, 陽은 좀 어렵게 사용하게 된다. 女命은 陰의 속성을 지니고 있기 때문에 陽을 만나야 조화를 이루게 되니 陽을 편하게 사용을 하고, 陰은 좀 어렵게 사용하게 된다. 陽적인 속성의 직업은 현실적인 것, 활동적인 것에 적합하고 음적인 속성의 직업은 이상적인 것, 정적인 것에 적합하다. 양적인 성격은 밝고 화려하고 대인관계가 원활하고, 음적인 성격은 어둡고 혼자 있기를 좋아하게 된다. 이러한 구분을 위해서 음양의 구분이 아주 중요하게 된다.

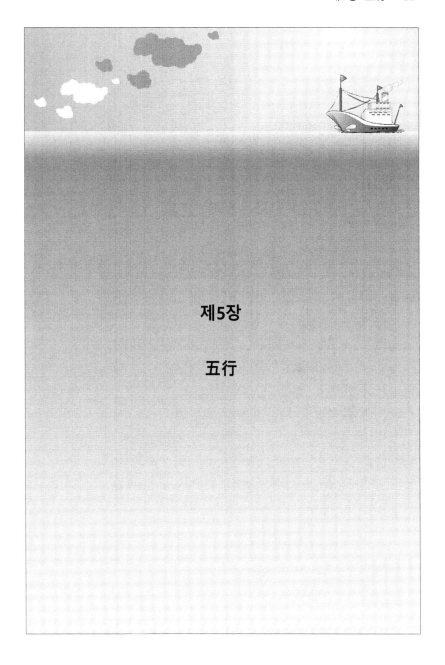

제5장

五行

제5장 五行

 五行의 글자 뜻이나 작용을 알려면 五行이 생긴 근원부터 이해할 필요가 있다. 주돈이의 太極圖說을 살펴보면,

無極而太極(무극이태극)
무극에서 비롯하여 태극이 되니,
太極動而生陽(태극동이생양) 動極而靜(동극이정)
태극이 움직이면서 양을 생성하고,
움직임이 지극함에 이르면서 고요함에 이르고,
靜而生陰(정이생음) 靜極復動(정극복동)
고요하면서 음을 생성하고,
고요함이 지극함에 이르면서 다시 움직이니,
一動一靜 互爲其根(일동일정 호위기근)
한번의 움직임과 한번의 고요함이 서로가 그 뿌리가 되며,
分陰分陽 兩儀立焉(분음분양 양의입언)
음을 나누고 양을 나누어 양의가 세워지는구나.
陽變陰合(양변음합) 而生水火木金土(이생수화목금토)
양이 변하고 음이 합하면서, 수화목금토 오행을 생성하며,
五氣順布(오기순포) 四時行焉(사시행언)
다섯 가지의 기운이 순서대로 펼쳐져 춘하추동 사시의 계절이 운행하는구나.
五行一陰陽也(오행일음일양야)
오행은 하나의 음양이요,

陰陽一太極也(음양일태극야)
음양은 하나의 태극이요,
太極本無極也(태극본무극야)
태극은 무극을 근본으로 하고 있구나.

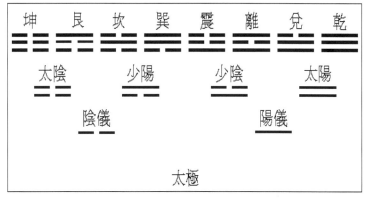

地上太極

天上太極圖

地上太極圖

易은 자연, 우주의 生成원리와 萬物의 生成을 밝히고 있다.
易有太極 즉, 易에는 太極이 있다. 太極이 兩儀를 낳아 陰陽

이되고 五行이 되고 萬物이 되는데, 五行의 구분도 음양의
구분처럼 애매하고 난해한 면이 적지 않다.

　자연의 변화, 사계의 변화, 밤낮의 변화, 지구위에 펼쳐지는
寒暖의 변화를 다섯 가지로 대표되는 기와 물질에 대비하여
표현하였다.

　木火土金水로 움직여 나간다 해서 木이 끝나면 木을 끊어
내고 火가 시작되는 것이 아니다. 木이 점점 運行하면 점차
火의 속성을 많이 지니게 된다. 그러므로 火는 木의 속성,
土의 속성, 金의 속성, 水의 속성을 다 지니고 있다. 다만 어
느 氣가 더 많이 강하게 작용하느냐에 따라서 방향이 정해
진다. 땅에서 위로 오르려는 氣, 힘은 甲木에 비유하고 오르
기를 다하면 다시 땅으로 환원하려는 힘, 氣를 己土에 비유
한다. 이 두 가지 힘은 땅위에서 동시에 존재한다. 여름 소
나기가 갑자기 쏟아지면 지면의 열기로 인해 내렸던 소나기
가 안개가 되어 피어오르는 것을 볼 수 있다. 木金이 共存하
고 火水가 한 장소에 共存 한다. 木이 있으면 金이 반드시
있고 火가 있으면 水가 반드시 같은 장소에 共存한다. 어느
것이 더 세력이 있느냐의 차이이다. 陰陽이 共存 하듯이 五
行도 동시에 동일 장소에 共存하고 있다. 五行의 흐름을 순
서대로 정해놓고 변화의 추이, 운동의 방향, 각 氣의 旺衰에
따라서 五行을 구분하면 된다.

　太極圖說에 五行一陰陽也 陰陽一太極也라 했다.
太極이 兩儀를 낳고 兩儀가 四象을 낳고 四象이 八卦를 낳
고 八卦에서 64卦로 萬象과 작용이 펼쳐지게 된다. 太極이
兩儀를 낳고 兩儀가 五行을 낳고 이 五行을 좀 더 확장하게

되면 하늘의 기운은 五運이 되고 10天干이 되고 땅 위에서는 六氣가 되고 12地支가 된다. 天干과 地支를 조합하여 60가지로 나누어서 인간의 성정, 思考, 氣候의 강약, 빈부귀천, 수요장단, 사건, 사고의 생멸을 나타내 보이고 있다. 모든 것이 법칙에 따라서 다 드러나 있으되 그것을 알 수 있는 예지력이 사람에게 부족할 뿐이다.

남태평양에서 태풍이 발생하면 이미 그 진로는 정해졌는데 단지 기상청에서 예측할 능력이 부족해서 알지 못할 뿐이다. 자연재해가 일어나기 전에 동물들은 미리 감지하고 피난하는 경우를 가끔씩 본다. 한 가지 대형사건이 일어나기 전에 스물아홉가지 작은 사건이 일어나고 그 이전에 300가지 징조가 나타난다는 통계가 있다. 하인리히 법칙이다. 모든 인생사, 자연 재난에는 발생하기 이전에 이미 징조를 보이는데 사람이 알지 못하고 혹 아는 방법이 있어도 점술로 경멸하고 있을 뿐이다.

周易 繫辭傳을 보면, "易은 聖人이 심오한 이치를 극진히 탐구하고 조짐을 연구한 것이다. 심오하기 때문에 세상의 이치에 통달 수 있고 기미가 있기 때문에 천하의 일을 성취할 수 있으며… " 라고 했다.
四季의 변화를 오행으로 나누어 보면 목은 봄, 화는 여름, 토는 長夏, 금은 가을, 수는 겨울이 된다.

겨울의 고요와 정적인 상태에서 한해의 농사를 위해 농기구를 정비하고 씨앗을 준비하기 시작하면 봄이다. 들녘에 봄풀이 돋아나고 차갑고 매서운 바람이 훈훈한 바람으로 바뀌어 요란스럽게 불어댄다. 厥陰風木이 되는 이유이다. 바람이 훈훈하고 들풀이 돋아나고 사람들은 한해의 농사를 위해 준비한다. 한해를 계획한다. 木의 氣運이 오면 나타나는 자연의 현상, 사람들의 반응, 행동이 된다.

　초록이 펼쳐지고 풀잎에, 나뭇가지에 꽃이 피기 시작하면 아지랑이는 하늘로 오르고 겨울잠을 자던 동물들이 활발하게 움직이고 농부는 논밭에 씨앗을 뿌린다. 綠陰이 점점 짙어져가고 꽃잎이 떨어지고 난 자리에 콩알만한 열매가 모습을 드러내며 땅위로 지렁이가 출몰하면 땅위에는 火기운이 강해진 것이다. 火기가 강해지면 나타나는 자연현상이며 火氣에 대한 자연과 사람의 반응이다.

　잎이 넓어지고 열매가 커져 나가면 무더위가 시작되게 되고 소나기가 쏟아지기 시작한다. 매미가 짝을 부르느라 산천이 시끄럽다. 겨울잠을 자는 동물들은 이때 몸속에 영양을 저장한다. 잎이 넓은 나무들은 부지런히 씨앗을 영글게 하고 단단하게 만들어간다. 土의 기운이 펼쳐지게 되면 나타나게 되는 자연현상, 사람들의 반응이다.

　과일열매가 익어가고 곡식이 익어 가면 火土의 시기에 열심히 활동하던 잎들은 이제 마르기 시작한다. 하늘은 높고 푸르고 먹구름으로 비를 뿌리던 구름은 뭉게구름으로 아름답게 떠다닌다. 산천이 건조해지기 시작하면 잎이 마르게 되는데, 열매만 두고 몸체에서 잎을 떨어뜨려 분리하는 일이 온 산을 붉게 물들인 단풍이다. 자연도 분리를 준비하고, 이별을 준비하고 농부도 열매와 쭉정이를 분리하는 작업을 하게 된다. 金기운이 땅위에 강해지면 나타나는 자연의 모습이다. 사람들의 반응이다.

 단단한 씨앗, 열매, 곡식들은 더 단단해진다. 곳간에 저장이
된다. 나무는 잎을 다 떨구어 내고 수분을 줄여서 얼어 죽지
않도록 대비를 한다. 사람들은 방에 모여서 쉬기도 하고 먹
기도 한다. 밤이 길어 잠자는 시간은 길어진다. 조용하게 흘
러간다. 따뜻한 곳을 찾아간다. 땅위에 水氣가 많아지면 나
타나는 자연현상이며 사람들의 반응이다.

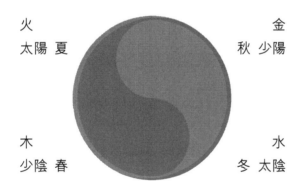

火
太陽 夏

金
秋 少陽

木
少陰 春

水
冬 太陰

木

 木은 봄으로 대변된다. 하늘로 솟구치는 힘이다. 씨앗의 딱
딱한 껍질을 가르고 뚫고 나오려는 힘, 차갑고 딱딱한 땅을
뚫고 올라오는 힘이다. 비록 연약한 싹이지만 그 힘은 땅도
가르고 씨앗껍질도 가른다. 돌도 밀쳐내고 솟아오르는 힘을

지니고 있다. 하루의 시작을 의미하니 동쪽, 해 뜨는 아침을 뜻한다. 땅속의 물을 나뭇가지 끝까지 끌어올리기 위해서 모관운동을 하게 되는데, 이를 위해 바람을 일으켜 끊임없이 가지를 흔든다. 하루를 계획하고 시작 하는 것, 어린아이를 교육 하는 것, 아름답게 꾸미는 것, 無에서 有를 창조해 내는 것, 건축물을 세워 올리는 것, 사람을 만나서 仁을 베푸는 것, 기르는 것, 미래지향적인 꿈, 문명, 계몽, 신맛을 의미한다.

교육, 출판, 기획, 디자인, 설계, 건축, 육영, 사람을 상대로 仁을 베푸는 일, 농업과 인연이 많다.

火

火는 여름으로 대변된다. 펼쳐지는 것이다. 木의 힘이 曲直의 힘으로 솟아오르다가 이제 옆으로 펼쳐지고 꽃을 피우는 것이다. 중천에 뜨는 태양, 한낮이다 화려하고 밝고 활동적이고 강하게 펼쳐지려는 힘이다. 옆으로 펼쳐지고, 표현하고 나타내려는 대중적 성향, 강하고 화려하게 불꽃처럼 타오르다가 사그라드는 炎上의 기질을 지니고 있다. 방향으로는 남쪽이다.

언론, 방송, 예술, 연예, 홍보, 마케팅, 미용, 의료와 인연이 많다.

土

土는 長夏, 장마철을 의미 한다. 소나기를 동반한 무더위이다.

중정의 힘, 조절력으로써 陰陽을 조화롭게 조절하는 기능을 지닌다. 중앙을 의미하며 중립적 입장을 취한다. 중립의 위치에 있다 보니 다른 것에 휩쓸려 변색하는 듯이 보이지만 본성은 결코 잃지 않는다.

辰土는 寅卯辰으로 어울리면 木처럼 행동을 하게 되고 申子辰으로 어울리면 水처럼 행동을 하고 巳午未와 어울리면 土로 행동을 하게 되지만 본성을 잃지는 않는다.

종교, 철학, 부동산, 감리감독, 중개업과 인연이 많다.

金

金은 가을을 대변한다. 서리가 내리면 낙엽이 지니 이별을 의미하고, 건조한 햇볕과 밤낮으로 심해지는 일교차에 의해서 오곡백과가 무르익어가니 결실을 의미한다. 또한 수렴을 의미하고, 작은 것에 부가가치를 높여 놓은 것이니 보석, 화폐, 귀금속, 전기, 전자제품 등을 의미한다. 음기가 강화됨으로 응축이 심화된다. 단단해진다. 차가워진다. 숙살지기가 발동이 되니 법집행을 의미한다.

의협심이 있고 의리도 있지만 끊고 맺음이 분명하다. 實利에 밝고 합리적이며 필요 없는 일에 투자를 하거나 동정을 베풀지 않는다. 내 것과 남의 것을 확실히 구분하고 시비를 잘 가리는 기질이 있다.

방위로는 서쪽을 나타내며 흰색을 의미한다. 서구문명, 서양인을 뜻하기도 하며 물질문명을 뜻하기도 한다. 문과계열이면 법, 경영, 경제학으로의 진학을 의미하고, 이과계열이면 군인, 경찰, 검사와 인연이 많다. 섬세함을 다루고자 하는 경향이 있으므로 전자, 전기, 정밀기계, 반도체, 의료, 귀금속 세공과 관련이 있다.

자동차, 항공, 금속, 금융, 발효식품 등과 인연이 많다.

水

水는 겨울을 대변한다. 陰氣가 강해져서 아래로 응축, 축장을 하니 저장을 의미한다. 밤을 뜻하고 한기가 강한 겨울을, 어둠을, 휴식을 뜻한다. 휴식을 잘해야 새로운 힘으로 다음을 살아갈 수 있다. 밤에 잠을 잘 자고 일어나야 다음 날을 힘차게 살아가게 되고 겨울을 잘 보내야 봄에 힘차게 활약을 하게 되는 것이다.

인생으로 보면 황혼기에 해당하니 축적된 지식, 정보, 지혜의 보고를 의미한다. 육체적, 외향적 활동을 하지 않으니 정신적인 활동을 많이 한다. 시골, 해외지역, 섬과 같은 지역에 살거나 역학 공부와 같은 정신세계, 철학 공부를 하거나 연구직 교수와 같은 직종과 관련이 많다.

유통, 요식업, 영업, 성직자, 역술업과 인연이 많다.

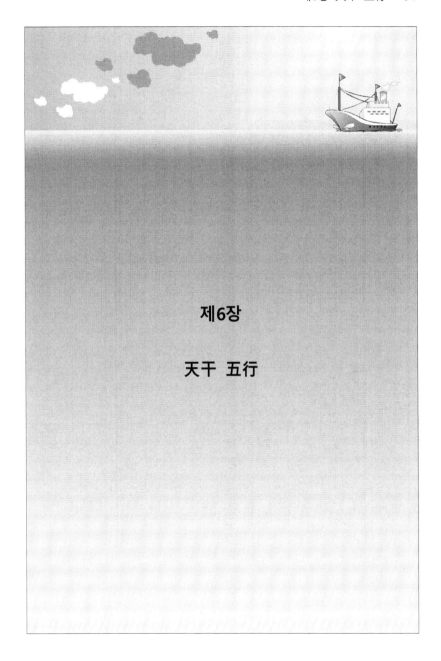

제6장

天干　五行

제6장 天干 五行

오행배속표

구분		木	火	土	金	水
天干	陽	甲	丙	戊	庚	壬
	陰	乙	丁	己	辛	癸
地支	陽	寅	午	辰, 戌	申	子
	陰	卯	巳	丑, 未	酉	亥
오색		청,녹	적,홍	황	백색,회색	검정,보라
오장 (음)		肝	心	脾	肺	腎
오장 (양)		담	소장	위장	대장	방광
오방		동	남	중앙	서	북
오계		봄	여름	환절기 장하	가을	겨울
오미		신맛	쓴맛	단맛	매운맛	짠맛
오상		仁	禮	信	義	智
성향		생산,추진	활동,선전	중개,화해	통치,수확	지략,저장
오기		風	熱	濕	燥	寒
오품		怒	喜	思	憂	恐
오관		눈	혀	몸	코	귀
운동		生	長	化	收	藏
신체		신경계	순환계	근육계	조직계	혈액계
입속		맛보기	혓바닥	입술	치아	침
오체		筋	血	肉	皮,毛	骨
오성		呼	笑	歌	哭	呻
오직		文官	藝術	農産	武官	水産
오취		시큼한내	불냄새	고신내	비린내	썩은내
오정		혼	신	의	백	지
오사		교육	사업	종교	혁명	법관
행음		ㄱㅋ	ㄴㄹㄷㅌ	ㅇㅎ	ㅅㅈㅊ	ㅁㅂㅍ

인생	소년기	청년기	중년기	장년기	노년기
오음	牙	舌	喉	齒	脣
동물	개,닭, 메추리	염소, 칠면조	소, 토끼	말 조개류	돼지,해삼 젓갈류
식품	콩,팥,밀 부추	수수,살구 ,도라지	호박,대추, 고구마	현미,파, 복숭아	미역,마
종교	유교	기독교	토속신앙	불교	도교
장소	교외/ 한적한곳	번화가/ 밝은 곳	중심가/ 사통팔달	공장가/ 소음	물가/ 어두운곳
수리	3.8	2.7	5.10	4.9	1.6

　사람은 그가 태어난 일간오행에 따라 그 성격과 운명의 많은 부분이 결정지어 진다고 볼 수 있다. 그러나 격국, 육친, 신살, 합형충파해 및 기타의 변수에 따라서 많이 달라진다. 서자평 이후로 일간오행을 중심으로 작용하는 법칙을 파악하여 운명적 특성을 추론하고 있다. 시대마다 수많은 사람들이 일간 중심의 간법을 연구하여 오늘에 이르렀다. 일간의 의미와 작용을 제대로 파악하는 것이 중요하다.

甲乙木

仁을 나타내며 온후하고 측은지심이 있으며 인자하고 소박하다. 인자함으로 인해 사람과의 관계가 원만하고 대체로 악을 미워하고 가식을 싫어하며 약자의 편에 선다.
자세가 수려하고 키가 크고 신맛을 좋아한다.

　太過하게 되면 성정이 집요하고, 고집이 강하고 편굴하며, 강직하여 타협을 모르고 충고를 잘 안 듣는 경향이 있으며 자신을 드러내기를 즐긴다.

不及하게 되면 의지가 약하거나 변덕이 많고 의타심, 질투심이 있으며 학자나, 종교인이나 예술인에게 많으며 은둔생활, 연구하는 것을 좋아한다.

火多하게 되면 총명하고 문장력이 있으며 비판력이 있고 허영심도 있다.

土多하게 되면 자기 자신을 과신하게 되고, 재물에 대한 집착이 강하며 인색하고 검소하며 인내력도 따른다.

金多하게 되면 시비판단을 잘 하고 결단력이 있으나 좌절을 쉽게 하고 위축된 생활을 한다.

水多하게 되면 실천력이 부족하고 움직이기를 싫어하며 생각만 많고 절도가 없다.

丙丁火

禮를 나타내며 밝고 화려하며 열정적이다. 공경심이 있고 웃는 모습에 낙천적 기질도 있다. 명랑하고 실천력이 좋으며, 활동적이며 성격이 급하고 앞에 나서기를 좋아한다.

太過하게 되면 과장이 심하고 허영심이 있으며 성급한 경우가 많다. 생각보다 행동이 앞서서 엎질러놓고 후회를 하는 경향이 많다. 즉흥적이고 질투가 많다. 뒤끝은 없다. 싸리나무가 불에 타오르는 것과 같다.

不及하게 되면 기교를 잘 부리고 질투심이 있다. 어두운 면과 밝은 면을 동시에 지녀서 때로는 밝은 성격이 되었다가

금새 침울에 빠지는 이중성을 지닌다.

木多하게 되면 세력을 빙자하여 자만심이 강하다.

土多하게 되면 비밀이 적고 언행이 일치하지 않는 경향이 있으며 경솔하고 참견을 잘하며 행동이 앞선다.

金多하게 되면 사람을 잘 다루고 남 시키기를 좋아해 미움을 종종 사게 된다.

水多하게 되면 조급하고 소심하며 졸렬하고 계획은 세밀하나 좋은 결과를 가져오지 못한다. 편협한 생각으로 고지식한 면이 많다.

戊己土

信을 나타내며 믿음이 있고 성실하며 언행이 신중하다. 전통적인 일에 관심이 많다. 대체로 뒷모습이 둥글넓적하고 코는 크고 입은 方하고 도량이 넓다.

太過하게 되면 집요하고 반성을 못하므로 막힘이 많고 우둔한 면이 있다.

不及하게 되면, 비굴하며 인색하고 자기위주의 저속한 사고방식을 지니게 될 수도 있다.

木多하게 되면 노력은 많이 해도 공이 적으며, 정에 약한 모습을 보인다. 남의 일은 잘 돕게 되나 자기 것은 잘 챙기지 못하는 경향이 있으며, 염세주의자가 되거나 삶에 비관적인 경향이 있다.

火多하게 되면 타인에게 의존하려는 경향이 강하다. 결단력, 실행력, 봉사심이 부족하며 자신을 과신하거나 이기심이 강하다.

金多하게 되면 남에게 잘 베풀고 간섭도 잘한다. 남의 일에 시시비비를 잘 가리려고 한다. 참견이 지나쳐 해가 되는 경우도 있다.

水多하게 되면 주위사람을 괴롭히고, 여색과 재물로 敗家亡身할 수도 있다.

庚辛金

義를 나타내며 義를 중시하고 재물을 소홀히 하는 豪傑氣像을 지니는 한편 재물에 대한 애착을 보이기도 하는 이중성을 지니고 시비를 잘 가리는 성향이 있다. 성격이 칼처럼 날카롭기도 하겠으나 의외로 단순한 면이 있다. 정의파이며 절도가 있고 결단력과 수치심이 있다.

太過하게 되면 지나치게 용감한 행동으로 인해 손실을 스스로 초래하는 경향이 있다. 시시비비를 가리는 것을 좋아하고 의협심이 강하여 화를 초래하거나 개혁심이 강하므로 인해 때때로 반역자로 오인되는 경향이 있다.

不及하게 되면 결단력과 의리는 있으나 실천력이 부족하고 남의 일에 참견을 잘 하여 뒷수습을 하느라 난감한 경우가 많고, 생각이 의외로 단순하여 실패가 따를 수도 있다.

木多하게 되면 금전에 대한 집착이 강하고 매우 타산적이 된다. 예의가 바르고 이해득실의 판단능력은 있지만 교활함이 흠이 된다.

火多하게 되면 조급하고 권력에 아부하여 권세를 취해보려고 한다. 七殺이 강하여 중중하면 관재를 당하거나 구설에 휘말릴 수가 있다.

土多하게 되면 이기적이고 자신을 과신하게 되며 남에게 베풀기를 좋아하지 않고, 허세나 과장으로 남을 이용한다.

水多하게 되면 총명하고 영리하나, 경솔하고 남의 일에 불필요한 간섭으로 미움을 사는 경우가 많다.

壬癸水

智를 나타내며 학문을 좋아하는 경향이 있어 박식하지만, 권모술수에 능한 경우가 있다. 깊이 파고 들 수 있는 철학적인 학문, 종교적인 학문에 관심이 많을 수도 있다. 지혜와 지식, 정보가 풍부한 사람이 많다.

太過하게 되면 의지가 약하고 방탕한 면이 있으며 잔꾀가 지나쳐서 항상 실패와 시비가 빈번하다. 음흉하고 겉과 속이 다르며 음모를 잘 꾸미고 음란한 성향이 있을 수도 있다.

不及하게 되면 온순하거나 지나치게 조용하다. 의심이 많으며 매사에 소극적이다.

木多하게 되면 잔꾀가 많고 졸렬하다. 속이 좁고 아는 체를 잘 하며 도와주고 생색내며 대가를 바란다.

火多하게 되면 일에 조급하고 성격이 초조하여 느긋하게 처신하지 못하고 매사에 불안하며 사람과 일에 갈등이 많다. 내세우기를 좋아하고 남 앞에 나서기를 좋아하며 허세를 부리는데 내면으로는 불안과 걱정이 많다.

土多하게 되면 매사가 지체되고 막힘이 많다. 자기주장이 강하고 고집이 세며 보는 시야가 좁다.

金多하게 되면 총명하고 야망이 크나 음흉한 경향도 보이며, 지혜는 있으나 표현하는 힘이 약하다.

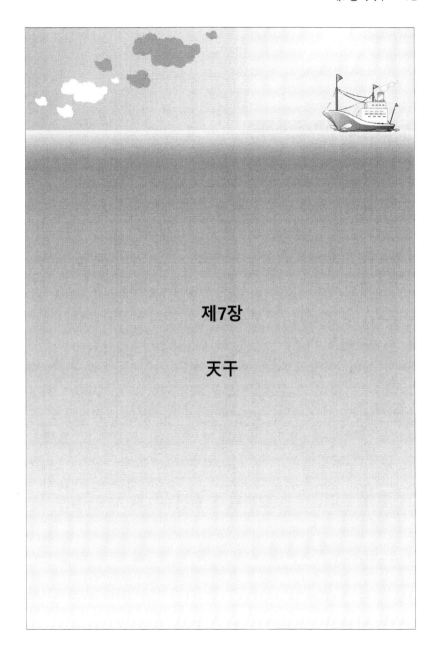

제7장

天干

제7장   天干

天干은 하늘에서 움직이는 氣, 생각 속에서 움직이는 氣를 10가지로 나누어 놓은 것이다.

甲	乙	丙	丁	戊	己	庚	辛	壬	癸
木		火		土		金		水	
陽					陰				
太極									

天垂象 地成形 하늘은 象을 드리우고 땅은 形體를 이룬다. 하늘에서 氣가 發하여 땅위로 드리우면 땅에서는 그 氣를 쫓아서 形體를 이루어낸다는 의미이다.

예를 들어, 하늘에서 오행 중에 木의 기운, 동방의 기운, 봄의 기운이 發하여 땅위로 드리우면 땅에서는 봄기운 따라 만물의 싹이 피어나고, 잎이 돋고, 꽃이 피고, 사람들은 파종준비로 분주하게 된다. 하늘에서 金기운, 가을기운, 秋霜氣運, 肅殺之氣가 발하여 땅에 드리우면 땅에서는 金의 이러한 기운에 따라서 열매는 영글어가고, 잎은 단풍들어 떨어지고 오곡은 여물어 추수하게 되고, 사람들은 열매를 수확해서 집으로 가져다가 저장하느라 분주하게 된다.

하늘에서 시작되어 움직이던 기운이 땅으로 내려오면, 땅위에서도 그 기운 따라 실제로 움직이게 된다. 이와 같이 天干은 하늘의 氣, 하늘의 뜻, 마음속에 품은 뜻, 추상적인 계획,

정신적인 뜻, 지향하는 방향을 나타낸다. 사람의 마음이 기쁘고 즐겁거나 일이 바라는 대로 잘 되어 흥성하게 되면 얼굴에 그 기색이 그대로 드러나게 된다. 그 기색을 감추기가 어렵다. 기쁘고 즐거운 마음이 氣라면 얼굴에 드러나는 것이 象이 되고, 이에 따라 나타나는 현실적인 행동이 形이 되는 것이다. 오장육부가 병이 들면 얼굴에 나타나는데 그 氣色을 살펴서 병을 진단하는 것을 望診이라 하고 이렇게 할 수 있는 의사를 神醫라고 했다. 인체 내에 병이 발생해서 깊어지기 전에 그 機微(기미)를 보고서 미리 치료를 하는 것이다. 마찬가지로 하늘의 뜻이 펼쳐지기 전에, 계획이 현실적으로 실행에 옮겨져서 나타나기 전에 그 기미를 보아서 현실적으로 실행, 진행되는 것을 미루어 알아보고자 하는 것이다.

하루에도 수많은 생각, 계획, 번뇌, 고민이 머릿속에서 生滅

한다. 어떤 생각이나 계획들 혹은 번민이나 고민이 현실적으로, 실제로 이루어지기도 하지만 대부분은 머리 속에서 생각으로만 生滅하기도 한다.

形이 있으면 반드시 形이 생기기 이전에 象이 있고 氣가 있지만 象이 있다고 해서 반드시 形이 있는 것은 아니다. 수많은 象이 氣에 따라서 生成되기도 하지만 현실화 되지 못하고 소멸되는 경우가 더 많을 것이다. 하늘에 태양이 매일 떠오르고 지고 밤낮이 바뀌고 구름이 끼었다가 비가 오다가 해도 지상에서 항상 하늘의 변화에 따라서 움직이는 것은 아니다, 봄비가 온다고 해서 매번 씨를 뿌리는 것이 아니고 눈이 온다고 해서 눈이 올 때마다 눈사람을 만들거나 스키를 타거나 하지는 않는다. 하늘의 모습이 자주 바뀌면 마음이 혼란스러워질 뿐이다.

天干은 사람에게 이와 같다. 머릿속에 생각이 많고 자주 바뀌면 변덕스러울 뿐이다. 天干은 가치관, 추구하는 방향성, 기질, 성향이다. 하늘에 바람이 있고, 구름이 있고, 태양이 있고, 비가 있고, 어둠이 있듯이 사람의 생각 속에도 10干의 모습이 항상 共存하고 있다. 다만, 어느 기운이 강하게 작용하느냐에 따라서 그 강한 기운의 특성이나 성향을 밖으로 나타내게 되는 것이다. 사람의 생각이 늘 변하고 복잡다단한 것이 이 때문이라고 할 수 있다. 수시로 변화하고 움직이고 갈등이 있다가도 조화를 이루는 것이 天干의 모습이다.

十天干의 모든 성향, 기질이 다 共存하는 것이기는 하지만 좀 더 깊이 들여다보면, 四柱의 여덟 글자가 나의 생각의 속성, 생각의 범위 혹은 한계라는 것을 알 수가 있다. 각 글자의 旺衰에 따라 맞이하게 되는 運의 환경에서 실제로 실행에 옮기는지 여부가 결정이 된다. 이 중에서도 天干은 보이는 것, 드러나는 것, 생각, 뜻, 계획, 명예위주라면 地支는 현실성, 실속위주의 행동을 의미한다. 이렇게 크게 분류를 하지만 여덟 글자는 모두가 다 실행에 옮겨지지 않는다 하더라도 내 머릿속에서 몇 차례, 혹은 지속적으로 生滅한다.

甲은 木氣로써 陽에 속하고 乙은 동일한 木氣로서 陰에 속한다.
甲이 머릿속에서 생각해내는 계획이라면 乙은 그 계획을 말로서 구체화시키는 것이다.

丙은 火氣로서 陽에 속하고 丁은 동일한 火氣로서 陰에 속한다. 丙火가 빛이라면 丁火는 열, 불이된다.
丙은 머릿속에 그려진 설계를 도면위에 펼쳐놓는 것이라면 丁火는 도면 위에 설계를 다 펼쳐 그려놓은 것이 된다.

戊는 土氣로서 陽에 속하고 己는 동일한 土氣로서 陰에 속한다.
戊는 설계 도면을 따라서 기초 토목 작업을 하는 것이다.
己는 토목작업이 마친 후에 바닥기초공사를 끝내는 것이다.

庚은 金氣로서 陽에 속하고 辛金은 동일한 金氣로서 陰에 속한다.
庚金은 바닥 기초위에 골조를 세우고 망치로 두드리고 용접을 하여 뼈대를 갖추는 것이다.

辛金은 벽을 쌓고 지붕을 덮는 것이다.

壬은 水氣로서 陽에 속하고 癸는 동일한 水氣로서 陰에 속한다.
壬水는 외형적 모습이 마무리된 건축물 내부를 완벽하게 마무리 하는 것이다.
癸水는 사람이 건축물을 용도대로 활용하는 것과 같다.

甲은 씨앗이 발아를 시작하는 시점, 이때의 氣,힘이 甲이다.
乙은 씨앗이 땅위로 나온 상태, 이때의 氣, 힘이 乙이다.
丙은 어느 정도 자라서 식물의 모습을 갖춘 상태이다.
丁은 꽃이 피어 수분(受粉)이 되고 꽃잎이 떨어지고 난 뒤에 조그마한 열매가 맺힌 상태이다.
戊는 잎이 무성해져서 광합성을 활발히 하는 단계, 열매가 커져 가는 단계이다.
己는 열매가 더 커져서 익으려는 단계이다.
庚은 열매가 익어가면서 색과 맛을 나타내는 단계이다.
辛은 열매가 굳어지면서 맛이 깊어져가고 잎은 단풍이 들어가고 또한 나무본체에서 분리되는 단계이다.
壬은 열매가 본체에서 분리되어 수확되고 저장이 되는 단계이다.
癸는 과육과 씨앗이 분리되어 저장되는 단계이다. 씨앗 껍질이 얼었다가 녹았다가 하면서 금이 가기 시작하는데, 물이 스며들어 얼면서 팽창하기 시작하고 열을 받아들이게 되면, 甲木의 성질을 띄면서 결국 발아를 하게 된다.

 이렇게 한 세대에서 다음 세대로 끊임없이 이어져 가는 것
이 대자연의 모습이다. 이런 대자연의 모습을 10가지 단계로
진행과정을 나누어놓은 것이 天干의 움직임의 모습이다.
 물호스로 하늘을 향해서 물을 분사하면 아래 그림의 모습
이 된다.

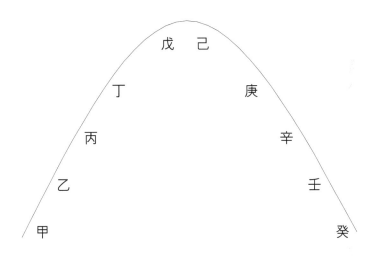

 이와 같은 단계의 호스에서 분사된 물운동의 모습, 양상인
데 이것이 10天干의 운동방향, 힘의 모습이다.

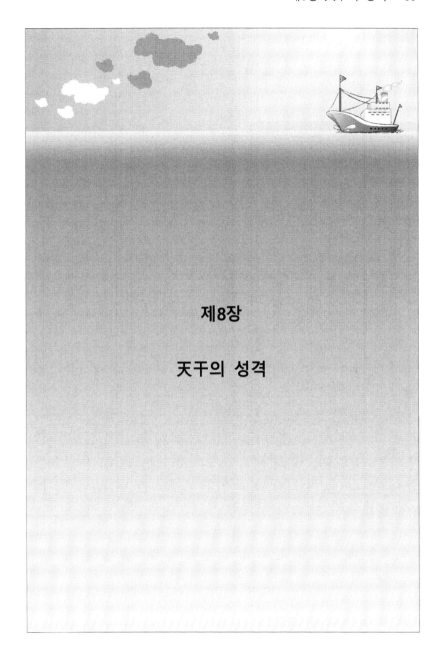

제8장

天宇의 성격

제8장 天干의 성격

甲木

甲木은 음양오행 중 陽에 속하며 十干 중 처음에 두고 天干의 시작으로 본다. 구분해서 편리하게 보자는 의미이지 甲木이 모든 것의 시작은 아니다. 세상은 순환하고 있다. 대류의 흐름이 순환하고, 사계절이 순환하고, 밤낮이 순환하고, 자연이 이렇게 끊어지지 않고 순환하고 있으니 처음이란 것이 있을 수 없지만 고요함과 蓄藏의 뜻을 지닌 壬水에서, 즉 蓄藏의 기운에서 처음으로 위로 솟구치는 기운을 뜻하는 甲木을 맨 처음에 놓고 시작이라고 뜻을 붙인 것에 불과하다. 사실 하루의 시작은 子時부터이다. 빛이 사물에 부딪혀서 눈으로 들어와야만 사물을 볼 수 있고 그 색상을 볼 수 있다. 우주는 허공뿐이라서 부딪히는 사물이 없으면 암흑뿐이다. 아무 것도 없는 無에서, 어둠에서 우주가 시작되었으니 子時부터 하루가 시작되는 것이다. 한해를 시작하는 시점에 대하여서는 시대마다 좀 달리한 부분이 있어서 異論들이 있지만 한해의 시작을 漢代와 現代에는 寅月로 보고 있다. 寅月로 시작하는 것이 맞는지 子月에서 시작하는 것이 맞는지에 대해서는 좀 더 깊이 연구해볼 일이다. 아무튼 시간은 순환하여 제자리에 돌아오지만 공간적으로는 다른 공간에 가 있을 뿐이다. 어제의 태양이 오늘도 비슷한 시간에 떠오른다. 그래서 시간적 개념의 흐름, 기후적 개념의 흐름에 따라서 壬

水에서 天干이 시작한다고 하는 것이 맞을테지만 당분간은 통념을 따르는 것이 좋을 듯하여 甲木에서 天干이 시작되어 순환한다는 것에서 배움을 시작해보기로 한다.

命理學은 자연을 관찰하여 관계를 밝히는 자연관찰학문이며, 기후의 변화가 인간의 삶에 미치는 영향을 살피는 氣象學이며, 사람의 性情과 사회적 관계를 밝히는 社會學이며, 인간의 本性을 궁구하는 哲學이며, 인체의 생리와 氣象과의 상관관계를 밝히는 病理學이며, 이를 토대로 미래의 나아갈 길을 예측하는 예측학문이다. 그러므로 명리학을 한다는 것은 사람을 포함하여 동물과 식물이 어떠한 기후의 영향을 받아서 어떤 모습으로 변해가는지를 자세히 살피는 것에서 시작해야한다. 옛날에 성인이 하늘의 氣象을 살피고 이것이 땅에서 어떻게 만물을 이루었는지를 자세히 살펴서 그 변화의 이치를 易으로 만들고 기운의 변화가 사람과 사회에 미치는 영향을 미리 파악하여 순리를 쫓아 吉한 것을 따르고, 凶한 것을 피하도록 하였다.

기상의 변화가 인간의 생활에 미치는 영향에 대하여 연구한 통계가 있어 참으로 흥미롭다. 여름에 기온이 1도 올라가면 신생아의 무게가 평균 17g정도 작아지고 성인병, 뇌경색, 심장질환 발병율이 증가한다는 연구결과가 발표되었다. 비가 오는 날이면 편의점 매출이 1인당 10,000원 정도 증가하고 날씨가 추울수록 모성애가 더 커져서 백화점 고객 중 주부들이 자식들의 옷을 더 많이 사게 된다는 통계가 연구발표되고 있다. 2009년부터 2011년까지 3년 동안 4월에 내린 12

번의 봄비 사례를 대상으로 연구한 결과 봄비 1mm가 수자
원으로 확보되는 경제적 가치가 7억 원에 이른다는 분석이
나왔다. 여기에 비가 오면서 대기가 깨끗해지는 효과비용
205.6억을 더하면 최소 212.6억 원의 가치를 갖는다. 만약
하루에 21mm의 비가 내리면 수자원 확보 측면에서만 하루
에 147억 원의 경제적 효과를 얻는 것이 된다. 휴가철에 잘
못 전해진 일기예보가 하루 동안 레저산업에 미치는 영향이
1조4천억원이라는 통계가 있고 보면 기상이 사회와 인체, 인
간의 삶, 인간의 성정, 자연에 미치는 영향이 얼마나 지대한
지를 알 수가 있다. 레저산업, 관광산업, 건설공사기간, 수자
원공사, 백화점 마켓팅 전략, 농산물생산, 항공, 선박, 물류
등 인간의 생활 전반에 걸쳐서 기후의 변화가 매우 중요하
다. 이 자연의 변화를 보고서 만들어진 것이 易學이니 동물
과 식물의 변화, 자연의 변화에 따라 동식물에 미치는 영향
을 자세히 살펴서 易의 이치, 命理學의 이치를 얻어야한다.

甲木은 솟아오르는 기운이라서 식물의 싹이 트는 것과 자
라는 모습에 비유되고, 아침에 일어나면 계획하고 준비하고,
꾸미고 하는 모습에 비유되기도 한다. 갑목이 나무라고만 이
해를 해서는 안 된다. 식물이 자라기 위해서는 물이 필요하
다. 甲木이 나무이니 가뭄의 시기에는 무조건 물이 필요하겠
지만 일을 계획하고 디자인하고, 설계하는 데에는 반드시 물
이 필요한 것이 아니다. 꾸밀 때에는 거울 같은 것이나 비쳐
볼 수 있는 것이 필요하니 庚金이 필요하고, 설계, 기획을
하기 위해서는 관련 지식정보가 필요하고 펼쳐내어야 하니
병화와 壬水가 필요한 것이다. 인간이 특별한 존재이기는 하

나 자연의 일부이니 자연의 법칙 안에서 자연의 영향을 받으면서 살아가는 존재일 뿐이다. 그러니 자연의 이치를 잘 관찰하여 연관을 지어보는 것이 천간을 이해하는 데 훨씬 더 빠르고 쉬울 것이다.

때마다 각각 필요한 오행이 달라지게 된다. 생명체가 살아감에 있어서 가장 중요한 것이 오행의 조화인데 오행 중에서 강하게 작용하는 것에 따라서 삶의 양상이 꼴이 지어진다. 같은 날 같은 시에 태어났어도 환경에 따라 운명이 바뀌게 되는데 부모와 주변사람들의 영향력으로 나의 삶이 결정되게 된다. 같은 날에 씨를 뿌렸다고 해도 어느 장소에 뿌려졌느냐에 따라서 삶의 질은 매우 달라지게 된다. 사주팔자는 씨앗이고 뿌리내린 땅은 주변 환경, 자라는 환경이다. 그 사람의 사회적 인간관계가 된다.

甲木의 개념은 번개, 우레와 같은 소란함이나 놀람과 강한 기운을 의미한다. 열매나무, 기둥, 대들보 같은 재목을 나타내고, 또 시작과 돌진, 비약과 같은 역동성을 가지며 책임자, 연장자, 두목을 의미한다.

甲木의 방향은 동쪽, 계절은 봄, 색은 청색을 상징하며 소리, 직선, 상승, 仁을 상징하고, 五音 중에서는 牙音, 오곡 중에서는 보리, 五聲 중에서는 角音을 상징한다.

甲木이 의미하는 신체부위로는 간장, 머리, 담낭, 얼굴, 수족, 동맥 등을 나타내며, 신체와 관련된 질병은 역시 甲木이 나타내는 신체부위의 질병을 말하는데 肝腸疾患, 쓸개질환, 신경계통의 질환, 정신병, 두통질환, 얼굴질환, 눈질환, 근육 질환 등을 의미한다.

甲木이 의미하는 관련 인물은 甲木을 日柱로 삼는 명조나 갑목이 왕한 명조로서 학문의 거두, 仁을 겸비한 정치인, 기업가를 나타내기도 한다. 정치집단의 長, 조직의 책임자, 기업의 사장 그리고 주자, 이황 같이 학문의 한파를 이루어낸 사람이 많다. 인물과 직업은 연관성이 있기는 하지만 동일시 하지말고 사고의 유연성을 가지는 의미의 확장이 필요하다.

甲木의 직업으로는 옷가게, 포목점, 디자이너, 전자제품이나 의약품을 다루는 사람이 많으나 학자, 법인체의 사장, 언론인, 문화예술인, 교육자 등의 직업과도 인연이 많으며 집단이나 단체모임의 長 또는 대표자, 책임자 등이 많으며 학업을 하는 경우에는 문과계열과 인연이 적절하다.

甲木의 성격은 상승하는 氣가 있어 강직하고 단호하며 한번 결정한 일은 좀처럼 바꾸지 않으려고 하며 고집이 강하다. 자기가 추구하는 것에 대한 일관성, 굽히지 않는 운동속성을 가지고 사회활동을 추구하게 된다. 자신에 대한 우월감이 많고 자존심이 강하며 남에게 굽히지 않고 지는 것도 싫어한다. 반면에 성실하고 창조적이며 활동적이고 적극적이긴 하나 자존심과 아집 때문에 조직 생활은 쉽지 않다.

甲木이 子, 丑, 寅, 卯, 辰, 巳月生이거나 寅卯辰이 四柱에

있으면 生木이고, 午, 未, 申, 酉, 戌, 亥月에 태어났으면 死木이다. 子, 丑, 寅, 卯, 辰, 巳月 生이면 生木이라서 농업, 그중에도 과수원, 교육, 학원, 사람을 상대하는 직업과 인연이 많고 午, 未, 申, 酉, 戌, 亥月에 태어났으면 死木이라서 출판, 인쇄, 방직, 섬유, 제지, 건축, 설계업과 인연이 많다.

乙木

乙木은 음양오행 중 陰에 속하며 十干 중 두 번째에 놓이는데 연한 풀잎, 화분에 피어 있는 꽃과 같은 花草木으로 종종 대변된다. 乙木은 조용하고 차분하며 아름다운 화초목이므로 눈에 잘 보이는 곳에서 그 아름다움을 펼쳐 보여주려는 기질이 강하다. 아침에 일어나서 세수하고 화장하고, 옷을 갈아입고 밖으로 나가면 하루 동안 만날 사람들에게 어떻게 보여질지 고심하는 것이다. 또한 乙木은 陰木이라서 부드럽고 유약하지만 내심 강하다.

적천수에 乙木에 대하여 다음과 같이 묘사했다.
乙木雖柔 刲羊解牛 懷丁抱丙 跨鳳乘猴,
虛濕之地 騎馬亦憂 藤蘿繫甲 可春可秋
(乙木이 비록 부드러우나 양(未土)을 가르고 소(丑土)를 해체시킨다. 丁火를 품고 丙火를 안으면 봉황(酉金)을 걸터앉고 원숭이(申金)를 타고 다닌다. 空亡된 濕土에 있으면 말(午火)을 타고 있어도 역시 근심이 되고 甲木을 타고 오르면 봄에도 좋고 가을에도 좋다)

乙木은 陰干이기 때문에 자신의 주장을 극단적으로 밀어붙이는 것이 아니라 상황에 따라서 더 강한 자에게 종속 즉 從勢를 쉽게 한다. 從勢를 하더라도 자신의 내면의 뜻, 즉 乙木이 갖는 속성은 변하지 않는다. 단독으로 무엇을 하기보다는 甲木에 즉 세력이 있는 타인에게 기대어 존재하려는 기질을 가지고 있다. 화초목이 높은 산에 들꽃처럼 피어있으면 찾아와 봐주는 사람이 없어 고독하며 쓸쓸하게 되고, 궂은 날 비를 많이 맞으면 꽃잎이 다 떨어져서 볼썽사나워진다. 이럴 때는 많은 사람이 찾아볼 수 있는 곳에서 무리지어 피어있는 것이 아름답다. 群舞, 舞踊手같은 것이 인연이 되고, 등나무 같은 넝쿨이면 세력이 있는 지도자 밑에서 2인자로서, 혹은 조직의 비서실장 같은 것과 인연이 많고 어울린다. 비슷한 세력이면 시기질투로 얽혀서 서로가 위로 자라는 것에 방해가 되니 승진이 어려워지고 삶이 어려워지게 된다. 乙木은 甲木과는 달리 굴신의 성질이 있다. 甲木이 획일적으로 한 방향으로 움직이려한다면 乙木은 직선운동이 약간 둔화되면서 옆으로 펼쳐지려는 운동과 함께 굴신을 한다. 陽干은 氣運적인 의미를 지니고 뜻을 세우는 것이라면 陰干은 質적인 의미를 지니고서 뜻을 현실에 펼쳐내는 의미를 지니기도 한다(자평진전 참조). 丙丁火는 화려한 것, 아름다운 것, 많은 사람이 오고가는 노출된 곳이라는 의미이니 乙木은 자신의 운동방향이 되기 때문에 화려한 것을 지향하게 된다.

乙木의 개념은 부드러운 봄바람과 화초, 아름다움을 의미하며 부드럽고 완만한 곡선을 나타낸다. 겉보기에는 연약한 것들을 연상하게 되지만 내심 강하다. 아름다움, 부드러움, 화사함, 사치스러움, 소식, 시샘, 여행, 언어의 의미를 내포하고 대체적으로 정적(靜的)이며 조용한 사람이 많다.

乙木이 상징하는 것은 甲木과 같이 방향은 동쪽, 계절은 봄, 색은 청색을 상징하며, 또 덩굴, 새, 붓, 털, 실을 나타내며 소리로는 오음으로 牙音, 오성으로 角音, 오곡으로는 보리를 상징하고, 화초, 묘목, 가구, 종이, 의복을 상징한다.

乙木이 갖는 신체부위는 쓸개, 신경, 목, 수족, 이마, 근육, 손가락, 발가락 등을 의미하며, 관련 질병부위는 신경계통이나 팔다리가 된다.

乙木이 의미하는 인물은 활동이 많고 독특한 사상을 가지거나 특이한 행동을 하는 사람이 많고, 또한 많은 사람들의 존경을 받는 사람들이 많다. 앙드레김, 한글디자이너 이상봉 등이 된다.

乙木과 관련된 직업은 출판, 언론, 건축, 사람을 상대하는 직업, 섬유, 방직, 패션, 재봉사, 미용사, 화가, 디자이너, 예술, 목공 같은 손재주를 쓰는 직업이 좋다.

乙木의 성격을 보면 돌아다니기를 좋아하며 만나는 사람이 많다. 만나는 사람이 많으니 자연히 헤어지는 경우도 많이 발생하게 된다. 성격이 깔끔하고 깨끗하며 꾸미기를 좋아한다. 을목 음간의 특성상 남성은 여성적인 성격을 지니고 있으며 가사에 충실한 경우도 있다. 여성은 사치스럽고 말이 많으며 고집이 세고 자존심이 강하다. 문제는 남녀 모두 의 타심이 많아 부모나 배우자에게 의지하려는 경향이 많다. 밝고 쾌활한 성격으로 어디를 가나 환대를 받고, 약한 듯하니 보호를 받게 된다.

丙火

丙火는 음양오행 중 陽에 속하며 十干 중에 세 번째 天干이다.

적천수에 나오는 구절이다.

五陽皆陽丙爲最 모든 양중에서 丙火가 대표적인 양인데 만물의 생육과 발전을 주관한다. 병화는 태양을 의미하는데 만물을 다 비춘다. 악인에게도, 선인에게도, 동물에게도 식물에게도, 사람에게도 짐승에게도, 아름다운 것에도 추한 것에도, 빈부귀천을 막론하고 골고루 공평하게 차별 없이 다 비춘다. 활엽수와 침엽수의 생존을 건 경쟁처럼 받는 자가 더 받으려는 욕심에 다툼이 일어나지만 그럴지라도 태양은 공평하게 차별이 없이 비춘다.

丙火는 또 만물이 그 형체를 나타내 보이는 데에는 없어서는 안 될 빛이며 우주에 존재하는 모든 생물체가 생장하도록 하는 氣를 가지고 있다. 그러므로 丙火는 甲木을 길러 훌륭한 재목으로 만들고 乙木을 길러 아름다운 꽃을 피우게 만들기도 한다. 丙火는 태양빛이라 하였으니 光明함이며, 사방으로 뻗어나가는 확산의 氣다. 자신을 드러내고자 하는 경향성이 강하기 때문에 자칫 허례허식에 스스로 매일 수도 있으며, 허세에 따른 사치가 심할 수도 있다. 아울러 자존감이 강하여 자칫 오만함으로 타인에게 내비칠 수도 있다.

丙火의 개념은 태양빛을 의미하니 光明함이며, 사방으로 뻗어나가는 확산의 氣가 있으니 넓고 크게 펼치려 하는 성향, 타인을 배려하고 이끌려하는 지도력, 회사나 단체를 경영하고자 하는 경영능력을 의미하기도 하며, 허례허식, 사치, 강한 자존감에서 비쳐지는 오만함을 의미하기도 한다. 크고, 강하고, 세력, 지도력, 경영능력, 공평, 법정, 치안, 정신적 지도자, 교주, 대통령을 의미한다.

丙火가 상징하는 것은 고층 건물과 같이 크고 높은 것을 상징하며, 방향은 남쪽, 계절은 여름, 색은 적색, 맛은 쓴맛, 성정은 표현하기를 좋아하고, 예의가 있으며 무례함을 싫어하며, 신체에서는 심장, 소장, 심포, 삼초를 상징한다. 五音 중에서는 舌音, 五聲 중에서는 徵音을 나타낸다.

丙火가 의미하는 신체부위는 심장, 소장, 심포, 삼초, 눈, 어깨, 치아, 혀 등을 의미하며, 병화와 관련이 많은 질병은 심장질환, 소장질환, 안질, 편도선염, 고혈압, 치통, 심근경색, 뇌졸증 등이다.

丙火가 의미하는 관련 인물은 한 시대에 존경을 받거나 대중을 이끌었던 정신적인 지도자, 종교인, 교주, 교육자, 법조인, 지도자, 법인대표가 될 수 있는데 문선명목사, 주기철목사, 김대중대통령, 정몽구회장, 김정일 등을 들 수가 있다.

丙火의 속성과 인연이 많은 관련된 직업으로서는 언론, 방송, 예술, 필설, 종교, 외교관, 사회운동가, 전기, 전자제품업계 등이다.

丙火의 성격은 확산의 氣가 있어 무슨 일이든 펼쳐내기를 좋아한다. 과장하기를 좋아하는 성향이 있고 항상 성격이 조급하고 분주한 면이 있어서 주변 사람들을 난처하게 만들기도 한다. 인내심이 강하지 못하여 참고 기다리는 것을 잘 하지 못하는 성향이 있다. 남자의 경우 팔방미인일 수도 있으며 주변 사람들의 부러움을 사기도 하고 특히 여자가 잘 따르는 편이다.

큰 산을 뜻하는 戊土가 天干에 있으면 태양이 큰 산에 가려져 있는 모습이므로 그늘에서 쉬려고 하고 천성이 게으르며, 己土가 원국에 있으면 태양빛이 땅으로 펼쳐지는 모습이므로 부지런히 만물을 비추는 듯도 하지만 성과가 크게 따르지 않는다.

丁火

丁火는 음양오행 중 陰에 속하며 十干 중 네 번째 天干이 된다.
丙火가 빛이라면 丁火는 나무를 태우고 쇠를 녹이는 불에 비유가 되는데 나무를 불태워 재로 만드는 살아있는 불이고 살아서 타 오르는 모습이니 그 형체가 분명하지만 모습이 항상 변하는 것이 특징이다. 丁火는 열을 주관하므로 임수와 더불어서 만물의 생육을 주관하고 계절을 주관하게 된다. 음간이라서 연약한 듯이 묘사되고 또 그렇게 보일지라도 丁火는 음간의 특성상 자신을 드러내려하지 않고 세력이 강한 자의 보호를 받으면서 자신의 뜻을 이루려고 하는 존재이다.

적천수에 丁火에 관한 이런 묘사의 글귀가 있다.
丁火柔中 內性昭融 抱乙而孝 合壬而忠,
旺而不烈 衰而不窮 如有嫡母 可秋可冬
(丁火가 비록 부드럽고 중립을 유지하는 듯하지만 내적 성정은 밝고 서로 융합하고, 乙木을 안아서 효도하고 壬水와 어우러지면 충성되고, 왕성해도 지나치지 않고 쇠퇴해도 궁해지지 않으며, 甲寅木이 있으면 가을에도 가능하고 겨울에도 가능하다)
丁火가 비록 음간으로서 부드러운 듯하지만 내적 의지는 강하여 절대로 굴하지 않고 자신의 뜻을 이루면서도 아무리 왕성할지라도 자만으로 패퇴하지 않고 아무리 쇠락할지라도 완전히 궁지에 몰리지 않고 살아남는 질긴 생명력을 지닌다. 외향적으로는 촛불처럼 작고 연약한 듯이 보이지만 때를 얻으면 천지를 삼킨다. 한 점의 불티가 능히 만마지기 짚을 다 태울 수도 있고 온 산을 다 태워 없앨 수도 있듯이 강한 추진력을 갖고 있다. 평소에는 축소지향적인 듯이 보이지만 靜的이며 조용하다.
丙火가 빛에 가까운 字象을 지닌다면 丁火는 열이나 불에 가까운 字象을 지닌다. 세력을 얻어 강해지면 산천을 다 태워버리는 무서운 불이되고 천하의 쇠를 다 녹여내는 용광로의 불이 되지만 세력을 얻지 못하면 들꽃이요 밤하늘의 별이 되고 촛불이 된다. 모든 陰干의 특성이 從勢를 하지만 丁火도 從勢를 심하게 한다. 산천을 태우는 불에서 촛불에 이르기까지 다양한 모습이 된다.

불쌍한 자들에게는 한없는 측은지심을 보이고 마음이 따뜻하지만 거들먹거리고 잘 난체하는 자들을 보면 해로움을 당하더라도 덤비는 이중적 성격을 지니고 있다. 온 천하를 다 덮고 있는 강한 壬水를 만나면 合을 이루어 생명을 탄생시키게 된다. 壬水와 세력적으로 밀고 당기면서 사계절을 만들어나간다.

丁火가 의미하는 개념은 燈燭火로서 촛불을 의미하기도 하지만 용광로의 뜨거운 불이나 산천을 태우는 불을 의미하기도 한다. 모든 것을 태워 없애는 소멸의 의미와 소멸 후에 다른 것을 만들어내는 재생의 의미를 동시에 지니고 있다. 丁火가 세력을 얻어 힘이 커지면 용광로(鎔鑛爐)나 마그마가 된다. 또한 촛불로 어둠을 밝혀놓고 깨어있음을 의미하니 기도하는 의미를 가지기도 하며, 측은지심, 인자, 자상함을 지니며, 어두운 곳에 불을 밝혀놓고 자세히 들여다보는 것을 의미하니 범죄조사, 세무조사 같은 조사의 의미도 있고, 따뜻한 불꽃이긴 하지만 시비를 다 밝혀놓는 불빛이기도 하여 냉정하고 냉철하며 비판적인 의미를 갖고 있기도 하다.

丁火가 상징하는 것은 병화와 마찬가지로 방향은 남쪽, 계절은 여름, 색은 적색을 뜻하고, 뜨거움과 쓴맛, 예의바름을 상징한다. 평소에는 축소 지향적인 모습을 지니는데 마치 작은 솔씨 하나에 낙락장송으로 자라나서 동량이 되는 미래의 모습을 담고 있는 것과 같다. 촛불, 성냥불이 작은 불꽃이지만 산을 태우고 들녘을 태운다. 무쇠를 녹인다. 성냥불, 촛불, 횃불, 주방의 가스불과 같은 것을 의미하기도 한다.

丁火가 의미하는 신체부위는 눈, 심장, 소장, 심포, 삼초 등이 되는데 신체의 중요한 부분들을 의미한다. 관련부위의 질병은 심장질환, 고혈압, 뇌졸중, 심근경색, 안질, 시력장애 등을 의미하고, 혀와 정신, 시력 등과 연관된 질병을 의미한다.

丁火와 관련된 인물은 인자함, 자상함, 헌신, 인내, 수도와 관련하여 자상한 기품과 훌륭한 인격을 갖춘 사람을 의미하는데 이율곡, 신사임당과 같은 분들이 될 것이다.

丁火와 관련된 직업은 대체로 유치원 선생, 아나운서, 디자이너, 무당, 역술가, 장군, 의사, 법관, 형사, 변호사, 정치인 또는 사회에 봉사하는 직종이 된다.

丁火의 성격은 차분하며 유달리 잔정이 많은 성격인데, 촛불에서 용광로까지의 변화폭처럼 작은 계기로 인한 변화의 폭이 커서 때때로는 행동의 방향과 결과를 예측하지 못하는 경우가 많다. 본인이 인정하는 조직 상사나 소속 단체에 대한 충성심이 강하고 자신을 희생하여 헌신하는 데 주저함 없이 솔선수범하는 경향이 있다.

戊土

戊土는 음양오행 중 陽에 속하며 다섯 번째 天干이 되는데 중앙을 의미하기 때문에 모든 오행의 기본이 된다.

적천수에 戊土에 관하여 묘사된 글귀를 보면 다음과 같다.
戊土固重 旣中且正 靜翕動闢 萬物司命,
水潤物生 火燥物病 如在艮坤 怕沖宜靜
(戊土는 견고하고 무거우며 가운데 있으면서 바른데 고요하면 오므라들고 움직이면 열리게 되어 만물의 命을 주관하고, 물로 윤택하면 만물을 생성하고 불로 조열하게 하면 만물이 병들게 되는데 寅申에 위치하면 沖을 두려워하고 고요함이 마땅하다)

또한 陽運動의 끝에서 방향을 아래로 바꾸어 하강운동을 시작하기 직전이니 丙火와 마찬가지로 자신을 자기중심적으로 드러내려는 성향이 강하다. 정제되지 않아 거칠고 강하며 중후하다. 큰 산에 자주 비교되기도 하고, 태양빛을 가리는 한여름 장마철의 먹구름에 비유되기도 한다. 강하기 때문에 모든 것을 막아내고 정지시키기도 하며 靜的이며 고요하나 그 안에서는 모든 변화가 이루어지고 생성된다고 봐야한다. 그 성품은 후덕하여 자애롭고 태산과 같은 믿음을 준다. 木과 金사이에서, 金과 火사이에서, 火와 水사이에서 반대성향의 운동을 가운데서 조절하여 균형을 잡아주는 매우 중요한 역할을 담당하고 있다. 하늘로 오르려는 上昇作用과 땅으로 내려오려는 下降作用에서 上昇의 힘이 0이 되는 것을 의미한다. 또한 戊土가 크고 높은 산을 의미하니 안하무인격이 되기 쉽고, 자기중심적으로 판단하고 남을 대하려고 하니 끊임없는 투쟁을 불러오기도 하여 戊土를 투쟁의 신이라고도 한다.

戊土의 작용은 나무를 비롯한 모든 생물에 자양을 공급하여 결실을 맺게 하는 것이다. 봄에는 희망과 포부를 가지고 만물을 잉태하고 길러내며, 여름에는 활발하게 나무를 키우고 장마비로 넘치는 강물을 막아내며, 가을에는 결실을 보고 휴식을 갖고, 겨울에는 찬바람을 막아 따뜻한 기운을 지켜주는 역할을 한다.

戊土의 개념을 살펴보면, 戊土는 크고 높으며 움직이지 않는 산이므로 믿음을 의미하며 모든 생물을 배태하고 생육하는 어머니와 같다. 上昇의 힘과 下降의 힘이 0이 되는 것을 의미하므로 조절, 중심, 균형, 신뢰, 공평을 뜻한다. 수용과 축적, 응집과 정지, 강인함과 투쟁의 신이 되는 것이다.

戊土가 상징하는 것은 하늘에서는 노을이 되기도 하고, 먹구름이 되기도 하고, 지상에서는 큰 산이 되기도 하고, 큰 들판이 되기도 하고, 高山의 질 좋은 양토(良土)가 되기도 하고, 결집력이 강한 조직이나 단체를 뜻하기도 한다. 투쟁성, 과묵, 고집, 아집, 손바닥, 주먹, 공격성을 상징하는데 때로는 性情上 막무가내가 되기도 한다. 방향으로 보아서는 중앙이 되기도 하지만 동서남북을 모두 가리킨다. 인묘와 사오 사이의 진은 동방을 가리키고 사오와 신유 사이의 미토는 남방을 가리키고, 신유와 해자 사이의 술토는 서방을 가리키고, 해자와 인묘 사이의 축토는 북방을 가리킨다. 엄밀히 구분하면 진술축미 방위는 間方이다. 계절로는 역시 진토 봄, 미토 여름, 술토 가을, 축토 겨울에 속하는데 진, 술, 축, 미는 사계절 모두를 상징하며 색은 황색이다. 맛은 단맛이며 성질은 믿음(信)이다.

戊土와 관련된 신체부위는 위장, 복부, 겨드랑이, 어깨 등이 되는데 인체의 가운데 위치하여 신체의 각 부위를 조절하고 영양을 공급해 주는 역할을 하며 四肢와 관련을 맺고 있다. 질병에는 위장 관련 질환, 위궤양, 위염, 위암, 위하수 등의 비위계통의 질병이 된다.

戊土와 관련된 인물은 中央土의 속성과 같이 잘 다스리고 중재를 잘 하고 포용력 있는 인물들을 의미하는데 삼성그룹의 이병철, 대우그룹의 김우중, 박근혜대통령, 노무현대통령 등이 무토 일주들이다.

戊土의 직업으로는 부동산 등의 중개업자, 분식업, 정육점, 운동선수, 토건업, 산림업, 농업 등이 있고 학업을 계속하는 경우 文科가 좋다.

戊土의 성격은 진중하고 중후하며 신뢰감도 깊고, 자기중심적이긴 하지만 포용력이 많고 털털하다. 특히 자신을 해롭게

하고 욕하는 사람에게도 관대하며 반대 의견에 대해서도 귀
담아 듣고 수용하는데 그릇이 큰 지도력을 보이기도 한다.
가끔씩 때에 따라서는 중립적인 태도를 지나치게 가지다보
면 우유부단하다는 평을 듣기도 하고 매사 지체되기도 한다.
사람간의 시비분쟁을 조정하는 역할이 탁월하여 부동산과
같은 중재자 역할을 하기도 하며 가정을 위하는 마음이 많
다. 戊土는 자기중심적이고 우두머리 기질 때문에 사주가 조
화롭지 못하면 포용력이 없고 난폭한 기질을 보이기도 하여
전쟁의 신이라고 불리게 되는 것이다.

己土

己土는 음양오행 중 陰土에 속하며 十干 중 여섯 번째이다.
戊土가 높은 산인 데 비하여 己土는 사람이 딛고 사는 땅이
며 언덕이며 田園之土가 되는데 농작물과 채소를 심는 농토
가 된다. 나무를 비롯한 만물이 생육할 수 있도록 하는 것은
戊土와 다름이 없으나 여리고 약하게 보인다. 작고 매우 정
적이므로 적극적이지 못하고 소극적인 양육을 하게 되는 것
이지만 근본 내적 뜻은 다른 陰干과 마찬가지로 결코 약하
지 않다. 己土는 만물을 수용하고 자양하는 자비로움을 지녔
다. 자신을 剋하는 木을 포용하여 길러낸다. 갑기합을 한다.
戊土는 건조하고 뜨거우나 己土는 濕이 많다.

己土의 개념을 살펴보면, 己土는 작고 고운 흙모래를 의미
하니 먼지와 같은 바람이 일고, 화분 속의 흙이 되며, 또한

비를 머금고 곧 뿌려질 것 같은 구름과 같다. 평탄하고 낮은 땅이니 논밭과 같고 길(道路)이며 운동장이 된다. 사람의 거주공간과 가장 가까이서 접하고 있으니 택지와 같고 정원과 같다. 땅위의 모든 것이 己土에 의존해야 존재가 가능하다.

己土가 상징하는 것은 법전, 기록, 중개자, 새출발, 논밭, 정원을 상징하며 하늘에서는 구름, 땅에서는 흙모래를 상징한다. 방향과 계절, 색, 맛, 성질은 戊土와 같이 각각 중앙, 사계절, 황색, 단맛, 믿음을 상징한다.

己土와 관련된 신체부위는 비장, 배, 입, 입술, 잇몸, 맹장, 췌장 등이며, 관련된 질병도 역시 비장, 맹장 등이다.

己土의 性情上 이 日主의 성격은 야합의 달인, 목적을 과정보다 중요시 하는 경향이 있으며 대표적인 인물로는 장개석 총통, 김영삼대통령 같은 사람이다.

己土와 관련이 있는 직업에는 속기사, 인쇄업자, 대서소, 문방구점, 도장업, 외교관, 부동산중개소, 하숙집, 서비스업, 직업소개소, 결혼중매업 등이 많다.

己土의 성격을 살펴보면 己土는 사교성이 좋고 친구가 많아 마당발이 많고, 사람들을 규합하여 파당을 잘 만들며 될 수 있는 한 적을 만들지 않는다. 주변에 아는 사람이 많으니 자연히 무리를 지어 파당을 만드는 일에 능수능란하고 소개나 중매를 잘 서게 된다. 또한 나설 곳, 나서지 말아야할 곳을 가리지 않고 잘 끼어드는 것이 많아 주위의 빈축을 사기도 하나 己土의 특성상 금방 친분을 만들게 된다. 글로 남기기를 좋아한다.

庚金

庚金은 음양오행 중 陽金에 속하며 十干 중 일곱 번째이다. 甲에서 솟아오르려는 힘은 戊에서 오르려는 힘을 멈추고 己에서 오르는 힘의 방향을 바꾸어서 하강을 시작하게 되는데 己가 하강준비를 마친 단계라면 庚金은 하강을 시작한 단계라고 볼 수 있다. 가을로 접어들었다는 것을 의미하고 열매의 모습이 수확의 시기가 거의 다 되었음을 보여준다. 나무의 모습은 자라는 것을 멈추고 열매를 매달고 있을 수 있도록 나뭇가지가 단단해지게 만들며, 맺은 열매가 익어가도록 하는데 마지막 집중을 하는 모습이다. 응축의 작용이 활발해지기 시작한 단계이며 숙살지기가 서서히 시작되는 단계이다. 응축, 분리, 이별, 시비판단, 이성적 판단, 합리적 판단의 모습을 지니게 된다.

적천수에 경금에 대하여 묘사된 글귀를 보면 다음과 같다.
庚金帶殺 剛健爲最
(경금은 살기를 늘 지니고 있으며 강건하기가 으뜸이다)

庚金은 숙살지기를 지니고 있어서 산천의 초목들을 죽이는 힘을 지니고 있다. 그 힘에 대적할 자가 없어보이므로 강건하기가 으뜸이라고 표현하였다. 가을이 깊어져서 숙살지기 또한 강해지면 나무들은 스스로 잎들과 분리를 하기 시작하고 열매만 남긴다. 잎이 무성한 채로 남겨져서 나무 안에 수분을 많이 저장하고 있으면서 겨울을 맞이하면 그 수분 때문에 나무가 얼어 죽을 것이다. 나무에게는 庚金의 숙살지기가 생존을 위해서는 고마운 것이 된다. 외형적으로 펼쳐졌던 乙木의 모습은 열매 안에 응축되어 모습을 변형해놓고 부드럽던 초목의 모습은 庚金의 기운에 의해 단단하게 변해져서 다음의 생을 준비하게 된다.

庚金의 개념을 살펴보면, 庚金은 강건하기가 으뜸이라고 표현하였듯이 가을의 肅殺之氣가 펼쳐지면 산천의 초목을 다 마르게 한다. 천지에 庚金의 기운으로 채우는 것이다. 흑백의 논리가 강해 시비판단을 잘하고, 결단력이 강할 뿐만 아니라 냉정할 만큼 분리를 잘하며 의리가 있고 옳고그름에 냉철하다. 강직함과 비정함의 모습이 있으나 한여름의 열기가 남아있는 것이라서 가슴은 따뜻한 면이 많다. 겉이 딱딱한 갑각류가 속살은 부드러운 것과 같다.

庚金이 상징하는 것을 살펴보면 강인함, 인내, 節度, 결단력, 살기, 천진함, 고집, 달, 서리, 우박, 원광석, 바위, 무쇠, 金剛石, 금고, 중장비, 농기구, 이별, 분리, 열매, 곡류, 통조림과 같은 것을 상징한다. 방향은 서쪽, 계절은 가을, 색은 흰색, 맛은 매운 맛, 五常으로서는 義를 상징한다.

庚金과 관련된 신체부위는 폐, 기관지, 호흡기, 코, 대장, 피

부 등이며 경금과 관련된 질병은 폐와 호흡순환기 계통의
질병, 대장과 피부 관련 질환이 많다.

庚金과 관련이 있는 인물은 외부와 분리, 차단하여 결실을
맺게 하는 역할을 하기 때문에 절도와 결단력이 있으며 公
私가 분명하다. 만물을 응축시키고 죽이는 기운인 肅殺之氣
를 가지고 있어 외양에 위엄이 있지만, 지나치면 만물을 해
치고 부족하면 비굴해지기가 쉽다. 지도력과 통솔력이 뛰어
나고 결단과 소신이 강해 한번 결정하면 강하게 밀어 붙이
는 추진력이 있다. 그래서 좀처럼 자신의 결정을 번복하거나
수정하는 일이 없어 자칫하면 자기중심적이고 외곬수라는
평을 듣게 된다. 의리가 있어 한번 믿거나, 사귄 사람에게는
충성을 하며 배반하는 일이 드문데, 너무 의리를 따지다 보
니 주변 평판은 좋으나 자기 실속이 약해진다. 남성은 우직
하거나 순박한 면이 있어서 낭만적인 요소도 갖추고 있으며
쉽게 정을 주거나 정을 받지 않는 반면에 일단 사랑을 하면
정에서 헤어나오지 못하는 경향이 있다. 동료의식이나 소속
감이 강하고 의리를 소중히 여기며 시간이 지나서 인정을
받는 경우가 많다. 庚金은 기회주의자들이 득세를 하면 무시
당하기가 쉽다.
대표적인 인물로는 박정희 대통령, 정주영회장, 정몽준회장,
이주일, 박철언 등을 들 수가 있을 것이다.

庚金과 관련이 있는 직업에는 경찰, 군인, 검사, 기업경영
인, 자동차정비, 중장비, 항공, 조선, 세무, 금융업 등이 많다.

辛金

辛金은 음양오행 중 陰에 속하며 十干 중 여덟 번째이다. 辛金은 陰운동이 한 단계 더 진행된 상태인데, 열매가 이제 무르익어 제 모습을 드러내고 나뭇잎과 곡식대는 단풍이 들어 땅위로 떨어지기도 하는 모습을 의미한다. 아침저녁으로 제법 쌀쌀하고 서리가 내리기 시작하며 하늘은 맑고 높고 건조해진다. 辛金은 庚金과 비슷한 의미를 지니지만 陰干의 특성대로 庚金보다 더 섬세하고 날카롭고 냉정하다. 응축의 기운이 더 진행되고 숙살의 기운이 더 강해지고 하늘은 더 건조해져간다. 이때쯤이면 곡식과 과일을 거두어들일 때가 되는 것이다. 분리가 불가피하고, 몸체와의 이별이 불가피해지는 특성을 지닌다. 시비를 잘 가리고 정밀하고 섬세해지는 이미지가 된다. 耳目口鼻가 뚜렷한 상모를 지니게 되며 혁신의 모습, 의협심의 모습을 드러낸다. 천지에 陽의 기운을 다 거두어들이면 겨울이 멀지않다. 인생의 매운맛, 예리한 아픔, 무리와 나뉘는 슬픔의 세월을 의미한다.

辛金의 개념을 살펴보면, 辛金은 작고 섬세하며, 무르익어 완성된 개체가 되면서 다음의 삶을 위한 씨앗이 된다. 辛金은 肅殺之氣가 강하고 응축의 기가 강해서 안으로 감추려고 하는 속성을 지닌다. 안으로 쌓아놓은 결정체를 의미한다. 그래서 辛金은 열매와 결과물을 의미하게 되는데 작은 공간에 가치 있는·것을 담아두는 돈, 금, 수표를 의미하기도 하고 모든 정보를 다 담아놓은 씨앗과 같다. 볍씨 하나에 벼의 모든 生長收藏의 정보를 다 담아놓는 것이 辛金이 하는 일이다.

 辛金이 보편적으로 작은 칼을 의미함은 辛金의 속성이 분리, 이별, 서리 같은 차가움, 유리조각, 수술용 칼, 정확한 눈금자를 의미하기 때문이다. 그래서 수술하는 직업, 금융업 같은 현실적 실력이 있는 모습을 지닌다. 땅에 내려오면 닭(酉金)이 된다. 닭은 무리를 지어놓으면 옆에 있는 닭을 뒤에서 쪼아대는데 창자가 나올 때까지 쪼아대기 때문에 이것을 방지하기 위해서 양계장에서는 닭의 부리를 다 잘라놓는다. 이처럼 辛金은 구멍을 내는 것이니 남의 가슴에 비수를 꽂는 말을 하여 상처를 주게 된다. 혹은 질병 중에 위궤양 같은 穿孔성 질병을 의미하거나 수술을 의미하기도 한다. 남에게 찌르는 아픔을 주는 것이기도 하지만 格을 갖추면 사회적 수준이 높은 것이 된다.
 하나의 개체로서 완성된 단계, 포장이 반듯하게 완료된 단계로서 보여주고 싶고 자랑하고 싶고, 인정받고 싶어 하는 속성을 기본적으로 지녀서 추구를 하게 되지만 노골적이지는 않다. 이는 辛金이 從勢를 하는 陰干의 속성과 응축의 기운 때문이다. 매사에 예민한 면이 많고 타인을 의식하여 행동하고 거푸집에 물건을 찍어 낸 것처럼 용모가 반듯하고 단정하며 언어가 유창하다. 항상 새로운 것을 추구하며 유행에 민감하여 멋을 추구한다. 감수성이 예민하고 섬세해서 약해 보이지만 내면적으로는 단단하고 실속이 있는 편이다. 분명하고, 정확한 것을 선호하고 때때로 비수 같은 독설로 사람들에게 상처를 남기기도 한다. 재색을 겸비한 미인이 많은 반면 신금이 갖는 성격상 외로움이나 쓸쓸함을 많이 느끼는데 辛金이 분리, 이별의 속성을 나타내기 때문이다. 가을의 계절적 감수성을 많이 느끼는 사람들은 외로움이나 쓸쓸함을 더 느끼게 되는 것이 이 때문이다.

辛金이 상징하는 것은 법, 심판, 칼, 보석, 현금, 가위, 유리, 열매, 과일, 씨앗, 통조림, 醬類, 발효식품, 서리, 맑은 하늘, 건조 등을 의미한다. 하늘에서는 肅殺之氣와 차갑고 건조한 기운을 상징한다. 방향은 서쪽, 계절은 늦가을, 색은 흰색, 맛은 매운맛, 성정은 義를 상징한다.

辛金과 관련된 신체부위는 폐, 호흡기, 대장, 피부 등이 되고 관련된 질병은 폐, 대장, 피부, 코 관련하여 질환이 많다.

辛金과 관련이 있는 인물은 辛金의 性情上 이 日柱의 성격은 냉정하고, 시비를 잘 분별하고, 공정하고 청렴을 숭상하며 의리가 있고 의지가 굳은 사람이다. 청렴한 군인, 기개가 곧은 선비다. 깨끗한 것을 좋아하고 혼탁한 것을 싫어하여 자신을 세속과 분리하려는 경향이 있어 독신자나 수도자의 길을 고고하게 가는 사람도 있을 수 있다. 대표적인 인물에는 박태준회장, 이명박대통령 같은 사람이다.

辛金과 관련이 있는 직업에는 군인, 경찰, 검사, 변호사, 간호사, 외과의사, 회계사, 금융업, 발효식품, 보석상, 디자이너, 정밀기계, 전자전기, 반도체, 요식업 등이 많다.

壬水

壬水는 음양오행 중 陽水이며 十干 중 아홉 번째에 해당한다. 壬水는 물인데 인간이 마실 수 있는 맑고 깨끗한 물이다. 속성이 차고 맑으며, 유동적이며 형체는 수시로 변한다. 보이는 모습은 아래로만 흘러가지만 응축하려는 힘과 하강의 힘이 강해서 땅이든 나무든 스며들어 자신을 감추기를 즐겨하는 속성이 강하다. 하늘에 편만한 氣가 壬水인데 물의 변형된 수증기의 모습이기도 하지만 하늘에서는 냉기를 의미한다. 위로 높이 올라갈수록 차가워지는데 丁火와 어우러져 있는 모습으로 寒暖의 消息을 주관하는 매우 중요한 역할을 한다. 사람뿐만 아니라 살아 있는 모든 만물이 그 생명을 유지하고 성장해 나가기 위해서는 반드시 필요한 것이 壬水다. 따라서 壬水는 辛金과 같은 보석을 더욱 빛나게 하며 壬水가 金의 생조를 받아서 나무를 길러낸다. 壬水는 하루 중에는 한밤중을 가리키고 어둠을 의미한다. 낮 동안에는 활동을 하다가 밤이 되면 휴식에 들어가니 壬水는 휴식, 잠, 새로운 하루, 새로운 삶을 위한 힘의 축적을 의미하기도 한다. 아침에 일어나기 위한 힘의 축적과 인내심, 그리고 봄을 기다리기 위한 힘의 축적과 인내심을 의미하기도 한다. 무엇이든지 다 끌어다 모으는 특성상 재물욕심이 많은 것을 의미하고 성공할 수 있는 인자, 혹은 대부를 이룰 수 있는 부자인자로 보기도 하나 음험한 성품을 지니는 것으로도 본다. 그래서 현실적으로 실속이 있는 것을 의미한다. 활동은 멈추고 이때부터 정신세계의 활동이 활발해진다. 학문을 하든,

꿈을 꾸든 정신활동이 활발해지고 비밀스런 일들이 행해지는 시간이 된다. 자식생산의 일들이 이루어지기도 하지만 어둠이 모든 것을 덮으니 선악의 구분이 모호해지기도 한다.

壬水가 가지는 개념은 모든 생물을 길러내고 성장시키는 의미를 가진다. 그 성질이 차고 유동적이며 아래로 흘러내리는데 자신이 차기 때문에 따뜻한 것과 어울리고자 하는 속성을 지니고 있다.

壬水가 상징하는 것은 오염을 씻어내는 물, 먹는 물, 만물을 길러내는 물을 상징하며 음료수, 어패류, 액체, 잉크, 땀, 피 등을 상징한다. 방향은 북쪽, 계절은 겨울, 맛은 짠맛, 性情은 지혜롭고 총명함을 나타내는데 仁義禮智信 중에서 智를 나타낸다.

壬水와 관련된 신체부위는 방광, 생식기, 전립선, 월경, 자궁, 종아리, 혈액 등이며 이러한 신체부위와 관련된 주요 질병은 방광염, 신장질환, 월경불순, 자궁암, 성병 등의 각종 생식기와 관련된 질환을 들 수 있다.

壬水와 관련된 인물은 대체로 정신세계가 축장, 저장의 힘을 지니고 있는 사람이다. 소유욕, 저장성, 욕망이 강하며 인내력이 많다. 木火의 욕심은 자신을 표현하고 나타내려는 의욕이라면 壬水의 욕심은 지식에 대한 욕심, 물질에 대한 욕심으로서, 지식욕, 私慾, 所有慾, 物慾이 된다. 대표적인 인물로는 흥선 대원군, 조병옥 박사를 들 수가 있다.

壬水와 관련된 직업으로는 선박, 해운업, 물장사, 요식업, 저장식품 가공업, 유통업, 저장업, 무역업, 중개업, 투기업 등이며 의사도 간혹 있으나 대체로 물과 관련된 부위의 산부인과, 치과의사가 많다.

壬水가 갖는 성격은 壬水의 속성과 같이 물처럼 온천하를 흘러다니는 유랑벽이 있다. 법이나 도덕규범을 무시하거나 초법성을 띄는 자유영혼의 성격을 지니고 있다. 즉 타인과 구분되는 성격으로서 성격은 차고 비정하며, 냉철한 이성을 소유하고 있으며, 자신이 정한 목표를 향해 무작정 돌진하려는 경향이 많다. 지혜롭고 지식에 대한 갈망이 강하며 가만히 앉아서 지식획득이든지 때를 기다리던지 할 수 있는 인내력이 대단한 사람이다. 성격이 음침하고 욕심을 부리며 이성에 대한 관심이 높다.

癸水

癸水는 음양오행 중 陰水이며 십간 중 마지막 열 번째에 해당된다. 음양오행의 흐름의 마지막이긴 하지만 다시 시작하는 준비단계를 의미한다. 壬水의 속성과는 많이 구별된다. 癸水도 물에 속하는 것이지만 조건과 환경에 따라서 다른 모습과 속성을 지니고 있다. 그래서 癸水를 물은 물이되, 물이 아닌 물이라 하였다. 그 형질이나 내용은 壬水와 같은 물이나 모양과 음양오행에서 의미하는 기질, 기능은 다르다는 것을 의미한다. 壬水가 물이기 때문에 사람이나 동물이 마실 수 있고, 식물이 흡수 할 수 있고, 만물이 그 壬水를 이용해 生長할 수 있는 것과 마찬가지로 癸水도 만물을 生長시킨다. 다 같은 물이지만 운동의 방향성에 따라서 기질이나 기능이 달라진다. 丁火의 열을 얼마나 더 지니고 있느냐에 따라서 운동 방향성이 정해진다. 壬水는 냉기를 품고 하늘에서 내려오는 비와 같다면 癸水는 땅위에서 열기를 품고 다시 하늘로 오르는 안개, 수증기와 같은 것이다. 癸水는 글자모양이 하늘로 피어 올라감을 뜻하기도 하고 天위에 다리처럼 놓여 있는 癶위를 걷는다는 의미를 지니니 구름 위를 걷는 모습, 구름과 구름을 연결 짓는 모습이다. 癸水는 수증기, 안개의 모습으로 위로 오르려고 하는 것이지만, 반면에 아래로 향하려하고, 응축하려하고, 응결핵이 있으면 달라붙는 引力을 강하게 지니고 있는 물의 기본 성질을 가지고 있으므로 스스로 모순된다. 그래서 生과 死의 기로에 서 있는 것이 되고, 가을에 맺은 열매, 씨가 새롭게 싹이 나서 새로운 한 삶을 시작하려는 것을 의미하기도 한다. 온도하강에 따른 응축을 하여 얼음이 얼게 되면 癸水는 도리어 팽창을 하게 되는데 이는 木의 기운을 열어서 生長을 시작하는 것을 의미한다.

따라서 癸水는 음양 중에서 陰을 대표하는 陰 중의 陰이다. 적천수에 묘사된 글귀를 보면 五陰皆陰癸爲至 (五陰 중에서 癸水가 가장 지극한 陰이다)

癸水가 가지는 개념을 살펴보면, 癸水는 壬水와 같은 물이기는 하지만 음양오행에서 기능하는 바와 그 기질이 많이 다른 점을 가지고 있다. 그 형체가 일정치 않고 응축의 힘이 강하며 유동적이다. 하늘에 떠 있으면 구름, 땅에 떠있으면 안개, 하늘로 오르면 아지랑이 혹은 수증기, 땅으로 내리면 비가 되기 때문에 성향이나 내면을 파악해내기가 어렵다. 일면 변화무쌍하다고 할 수가 있겠다. 혼자서 생각하기를 좋아하고 지식에 대한 갈구가 있어서 철학이나 역학에 관심이 많지만 속세와 단절하려는 응축의 기운 때문에 사회와 격리되는 외로움과 슬픔이 많다. 그리고 죽음을 의미하기도 한다. 보였다가 안보였다가 자유자재의 變化無雙한 존재, 하늘에서도 있을 수 있고, 땅위에서도 있을 수 있고, 만물에 스며들어 있을 수도 있다. 아래로만 흐르는 듯 하다가도 어느새 하늘에서 구름이 되어있고, 아래로 흐르는 듯 했는데 돌아보면 산중턱에 혹은 산꼭대기에 있고, 금방 사라진 듯 했는데 다시 나타나서 모습을 드러내는 존재, 땅위로만 흐르는 듯 한데 땅속으로 흘러 생수로 솟아오르는 존재, 아무리 분리를 시켜놓아도 다시 합쳐놓으면 처음처럼 구분할 수 없이 하나가 되어있는 존재, 늘 다른 물체를 끌어당기고 있는 존재, 變化無常, 무소부재의 모습이 계수의 신비스런 모습이다. 그래서 癸水를 지니고 있는 사람들 중에 예지력, 神氣, 영감, 예언력이 뛰어난 사람이 많다.

癸水가 상징하는 것은 비, 수증기, 안개, 눈물을 상징하며 고독감, 외로움, 슬픔, 폭군, 최후, 죽음과 같은 것을 상징한다. 방향은 북쪽, 계절은 겨울, 맛은 짠맛이며 性情은 지혜와 총명함을 나타내는 壬水와 같다.

癸水와 관련된 신체부위는 壬水와 큰 차이가 없으나 좀 더 작은 부위를 나타낸다. 신장, 생식기, 방광 등을 나타내며 계수와 관련이 있는 질병은 신장염, 방광염, 생리불순, 성병 등의 질환이 된다.

癸水와 관련된 인물은 조선 말기의 황제로 5백년 왕조를 마감한 高宗이 있다.

癸水와 관련된 직업에는 수산업, 목욕탕, 부동산 관련업, 요식업, 물장사, 유통업이 있고 속세를 떠난 승려나 역학인, 철학인, 저술가도 있다.

癸水의 성격은 냉정하고 계산이 빠르며 자존심이 강해 남에게 지는 것을 싫어한다. 자신과 자신의 가족을 위해서는 수단과 방법을 가리지 않고 목적을 달성하려 하는데, 이 때문에 종종 주변 평판이 좋지 않게 되는 경우도 있다. 아는 것이 많고 자존심도 은근히 강해서 모든 일을 자기 주관대로 처리하려 함으로 타협점을 찾기가 힘들다. 사주원국이 조화롭지 못하면 癸水는 사람이 냉정하고 잔혹한 면을 보일 때도 있다.

제9장

地支

제9장　地支

十干이 하늘에서 이루어지는 것이라면 12地支는 땅에서 형성되고 이루어지는 것을 의미한다. 12地支가 언제 누가 만들어서 사용해 왔는지는 명확하지 않으나 易을 만들어 사용하면서 발전 되었을 것으로 추정이 된다.

六壬의 역사는 5,000년 전으로 거슬러 올라간다. 자부선인에게서 『삼황내문경』을 전수 받은 黃帝가 六壬을 완성했다고 전해지고 있다. 晉왕조의 갈홍(葛洪)이 쓴 『포박자(抱朴子)』에 기록되어 있는 내용이다. 육임식반을 조식할 때, 즉 天地盤을 만들 때 사용되는 것이 12地支이고 보면 음양오행의 기원과 마찬가지로 十二地支의 기원 또한 오래되었다고 볼 수 있다.

하루를 12時辰으로 나누고, 일년을 사계절 12개월로 나누어서 오행의 작용을 좀 더 세분화하였다. 하늘에서 木氣는 음양으로 나누어지는데 甲乙이다. 甲乙 기운이 땅위에 펼쳐져서 실행되는 것이 寅卯인데 甲은 땅에서 寅이 되고, 乙은 땅에서 卯가 된다. 寅卯辰을 봄으로 나누어 배정하고 있는데 辰은 四隅, 접목운, 접목의 시기로 보아 木氣와 火氣를 이어주는 역할을 한다.

寅卯　辰	巳午　未	申酉　戌	亥子　丑
春	夏	秋	冬

하늘로 오르는 상승작용의 끝은 戊土가 되고 응축되어 내려오려는 하강작용의 시작은 己土가 되어 오름과 내림의 작용을 조화롭게 이어주듯이 四隅 접목운이 되는 辰戌丑未가 각 계절과 계절의 사이를 이어주고 있다.

하늘의 기운은 사람의 뜻, 생각, 지향하는 것, 추구하는 방향성이 되는 것이지만 땅으로 내려오면 天命이 되는데 이 天命에 의해 사람의 행위와 性情, 사건, 일, 질병 등이 발생하게 된다. 하늘의 氣가 땅으로 드리워지는 것이 命이요 이 命이 땅에서 실현되는 것이 形인데 하늘의 氣에 의하여 인간에게 命과 形이 생겨났다. 이것이 五行이다. 이 오행의 氣가 땅으로 드리워져서 나타난 것이 性이다. 중용에 天命之爲性이라 했다. 天命 즉, 하늘의 뜻, 하늘의 이치가 氣를 통해서 땅위에 펼쳐진 것이 形 즉 현실로 나타나 보여지는 것이다. 이때의 形은 인간의 본성, 기질, 사건, 인간사의 모든 것을 의미한다.

天垂象 地成形
하늘은 상으로써 그 뜻을 나타내면 땅은 비로소 그 형체를 이룬다

甲氣가 하늘에서 강해져 작용을 하면 땅에서는 寅卯辰이 작용을 하게 되는데, 지상에서는 새싹이 돋아나고, 꽃이 피고, 아지랑이가 피어오르며, 보리밭 위로 종달새가 지저귀게 된다. 사람은 겨우내 움츠렸던 몸을 펴고 기지개를 켜고, 농기구를 손질하며 들녘으로 씨를 뿌리러 나가게 된다. 봄처녀

들은 봄나물을 캐러 들로, 산으로 나간다. 하늘에서 甲氣가 움직여 작용을 하고 땅에서 寅卯辰이 작용을 하게 되면 나타나는 자연의 모습이요, 사람의 모습이요, 사회상이 된다. 하늘에서는 기가 작용을 하고 땅에서는 실제적으로 움직임이 일어나는 모습을 12가지 글자, 상응하는 뜻을 지니고 있는 동물에 대입하여 표현해놓은 것이 12地支이다.

天干은 甲에서 시작을 하고 地支는 子에서 시작을 한다. 시대마다 차이를 보이면서 통치 이념에 활용을 했지만 周나라 시대에는 子月 즉 冬至를 기준으로 해서 甲子월 甲子일 甲子시에 歲首가 시작되었다. 夏代, 漢代, 現代에는 寅月 立春 節入日을 기준으로 해서 한해의 시작으로 삼고 있다.

冬至가 지나면 음기가 가득하던 땅에서는 눈으로 볼 수는 없지만 一陽이 시작된다. 地雷復 卦象이다. 짧아지기만 하던 낮의 길이가 비로소 돌아서 길어지기 시작하는 시점이 동지가 된다. 동지를 지나면 음의 극점을 돌아서 양이 시작되어 봄을 향해 나아가는 것이다. 주역이 만들어졌던 주나라 시기에는 子月을 한해의 시작으로 보았다. 땅은 하늘을 쫓아 움직이고 사람도 하늘을 따르고 있기 때문에 동지를 전후로 甲子月, 甲子日, 甲子時에 한해가 시작되는 것으로 보는 것이 옳다고 본다. 지극히 옳다고 본다.

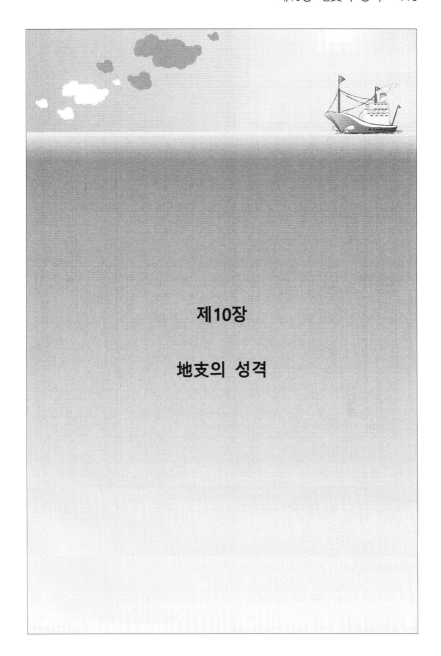

제10장

地支의 성격

제10장   地支의 성격

十二地支

 陰陽 두기운의 消息에 따라서 사계절이 정해지고 사계절이 각 계절마다 3달로 나뉘어지고 한 달은 다시 30일로 나뉘어 져서 일 년이 된다.

	火 夏(南)				
木 春 (東)	巳 重天乾	午 天風姤	未 天山遯	申 天地否	金 秋 (西)
	辰 澤天夬			酉 風地觀	
	卯 雷天大將			戌 山地剝	
	寅 地天泰	丑 地澤臨	子 地雷復	亥 重地坤	
	水 冬(北)				
	卦의 변화에 따른 地支와 계절의 변화				

이 일 년 동안 기후의 단계적 변화를 열둘로 나누고 나누어진 달의 기후와 대자연 속에서 살아가고 있는 동식물들의 삶과 생존 양식을 따라서 열두 가지 동물의 이름을 붙여 그 속성을 대변하도록 구분하여놓은 것이 12地支이다. 12地支의 변화는 기후의 변화에 따른 자연의 모습이다. 西漢의 상수역학자 맹희는 12月卦設을 제기하였는데 12벽괘로 일 년 12달을 대표하고 있다. 12벽괘는 24절기 72절후의 변화를 상징한다.

地支는 氣象의 변화, 氣候의 변화, 氣候와 氣象의 변화에 따른 생명체의 삶의 樣式의 변화를 가장 적절하게 표현한 것이다. 그러니 사유의 유연성을 가지고 이에 따른 의미의 적절한 확장이 필요하다.

하늘에도 五行이 있고 땅에도 五行이 있는데 하늘의 五行은 10개의 天干으로 표현하고 있고 땅의 五行은 12개의 地支로 표현하고 있다. 같은 속성의 五行이기는 하지만 땅의 五行과 하늘의 五行은 그 양상과 작용을 달리하고 있다. 하늘의 五行이 氣象이라면 땅의 五行은 形質이라고 볼 수 있다. 天干이 추구하는 뜻, 생각, 성향, 形而上學을 의미한다면 地支는 현실, 행동, 실행, 形而下學을 의미한다. 지상에서 현실로 펼쳐지고, 실행에 옮기는 것이 地支인데 뚜렷이 드러나는 성향을 12가지로 나누었다. 사주원국 내의 여덟 글자는 땅에서 일어나는 모든 백태의 양상을 나타내고, 당사자가 살아가면서 맞이하게 되는 상황, 환경, 일, 사람이다. 12地支 각 글자가 갖는 의미의 상황, 환경, 일, 사람을 나타내게 되는데 천간의 뜻이나 생각을 지니고 간지의 왕쇠의 모습, 합, 충, 형, 파, 해, 신살의 모습을 동시에 지니면서 운에서 들어오는 글자와도 이와 같은 작용의 관계를 맺으면서 살아가게 된다. 勢의 흐름이 다음 地支의 勢力의 흐름과 겹치면서 사계절이 흘러가고, 하루 12시진이 흘러간다.

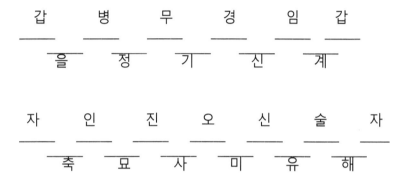

이와 같이 천간, 지지의 세력의 흐름은 끊어지는 것이 아니고 이어져 있다. 다만, 寅의 勢力이 가장 두드러질 때에는 봄이 되고 寅의 성향을 추구하고, 행동을 하고, 뜻을 펼친다. 寅의 시기가 되었다고 해서 丑의 기질이나 성향, 행동, 펼쳐진 뜻이 다 사라지는 것이 아니라 寅 속에 남아있고 卯의 기질이나 성향, 행동, 펼쳐진 뜻이 寅 속에서 시작되어 있는 것이다.

子

子月은 水를 나타내고 1월이다. 한 날의 시작으로 삼고 있다. 한해의 시작을 寅月로 보고 있는데 漢代 이후로 지금 시대에도 그대로 사용하고 있다.

子水는 본래 음이 강해서 음중의 陽이 되는데 하늘에서는 음이 강한 임수이지만, 땅으로 내려오면 임수의 음적 힘은 약해짐으로써 땅에 있는 자수는 음으로 취급을 하고 있다. 해수는 본래 하늘에서는 세력이 약해져서 계수 음간이 되고 땅에서는 세력이 강해져서 태음으로 취급된다.

寅月을 1월로 본다면 子月은 11월이 된다. 시간은 하루의 시작이면서 깊이 잠들어 있는 시간인 밤 11시 ~ 1시 사이, 방위는 북쪽, 오행은 수에 속한다. 신체부위는 방광, 신장, 비뇨기, 색은 검은색, 계절로는 겨울이 된다.

子는 쥐를 나타내는데 쥐의 속성은 생식능력이 뛰어나고 빛을 싫어한다. 어둠 속에서 일어나는 일들을 즐겨하게 된다. 만물이 잠들어 있는 밤에 주로 활동하는데 비밀이 많다. 적은 욕심 보다는 큰 욕심을 가진다. 입이 무겁고 신중한 면이 있다. 속을 내보이는 일이 거의 없다. 생명에 대한 애착심이 강하다. 의심이 많아 누구와도 타협을 꺼린다. 성격이 냉혹하고 잔꾀가 많으며 실리에는 밝으나 이로 인해 이웃의 비난을 사는 경우가 많다. 불륜을 저지르기 쉬운 환경에 자주 노출되며 흑심이 있다. 대범한 듯하지만 소심하다. 내일을 위한 휴식, 에너지 충전, 새로운 일을 준비하는 시기로도 볼 수 있다. 속박 없는 자유와 이기적 생활을 추구하는 경향이 있다. 논리적 사상이 있고, 처음에는 다정하나 끝에 가서는 냉정하다. 분망하고 민첩하며 일의 끝마무리가 약하다.

子水가 가지는 글자의 象意를 확장해보면 연관성 있는 것들을 다음과 같이 분류해볼 수가 있다.

기밀정보, 정보원, 비밀요원, 情報部, 경찰, 감찰관, 감사원, 計量器, 의약품, 腎臟, 귀(耳), 생식기, 精子, 생명공학, 유전자, 실험실, 연구실, 守門將, 파수군, 경비원, 도적, 鼠生員, 소화기, 물, 광천수, 정수기, 갈증해소 음료, 수평선, 導問, 聽覺, 우물, 수영장, 세면장, 목욕실, 화장실, 양식어장, 제반 해양수산물, 수산업류, 황천길, 암기력, 原子, 수소, 核, 睡眠, 種子, 발아, 幼蟲, 배양실(培養室) 등과 연관이 많다.

丑

丑月은 한겨울이 되고 음력 12월이 된다. 시간은 1시 ~ 3시 사이, 방위는 동북 간방위, 오행은 토에 속하나 토의 성질 보다는 해자수와 어우러져 水의 성질을 더 드러낸다. 느리거나 우직한 면, 성실한 면이 있다. 냉정하기도 하나 견실하고 생활력이 강하다. 본성은 천사와도 통하고 악마와도 통할 수 있는 인간성이며, 목표를 설정하고 나면 반드시 성취하고자 하는 비장한 각오와 열정이 대단하다. 절대 좌절하지 않는다. 세련되지 못하거나 미숙의 의미도 지니고 있으며 관용이 많아 때로는 지나친 관용으로 인한 실수를 저지르기도 한다. 외교술이 부족하다. 황소고집이 있어서 남과 타협이 잘 안 된다. 그래서 고독하지만 혼자서라도 성실한 실무가이다. 생명에 대한 애착이 많고 죽음에 대한 두려움이 많고 매사에 걱정근심이 많다. 부부관계에서 애정이 좋다. 잠을 통해서, 휴식을 통해서 에너지를 충전해야 한다. 개인 사업을 하게 되면 망하게 되는 경우가 많으니 남의 밑에서 있거나 월급장이 사장을 해야 한다. 丑時는 만물이 잠들어 있는 조용한 시간이다. 남을 방해하지 않는 조용한 사업을 하게 될 경우에 성공의 길이 열리게 된다. 안전사고가 나기가 쉬우니 주의가 필요하고 혼자 있기보다는 단체에 참여하여 활동을 하는 것이 좋다.

丑土가 가지는 글자의 象意를 확장해보면 연관성 있는 것들을 다음과 같이 분류해볼 수가 있다.
약물(中毒性;탕화살), 온천, 광산, 채석장, 석탄, 골재(모래, 자갈), 백사장, 콘크리트(시멘트), 金庫, 醫療院, 시체 영안실, 장의사, 공동묘지, 납골당, 화장터, 장의차, 풍수지리, 유리, 광석, 도자기, 농기계, 소, 牛馬車, 경운기, 정육점, 우유, 치즈, 영농, 파종, 터널, 동굴, 이불, 침구류, 속옷 종류, 방열기, 난로, 옷수선, 양복점, 숙박업, 전기사업소, 외과의사, 脾胃, 종교가, 은행, 금융계통, 문과 등과 연관이 많다. 하지만, 철물점, 철공소, 선반기계, 꽹과리, 대장간, 소란스런 사업과는 연관이 없다. 庚金이 입묘하기 때문이다.

寅

寅月은 음양이 균형을 이룬다. 이제 한해를 시작하고 농사를 시작하고 새싹이 돋아나려고 한다. 음력 1월이 되고, 시간은 3시 ~ 5시 사이, 방위는 동쪽, 오행은 木에 속한다. 동물로는 호랑이가 되는데 하루 혹은 한해의 시작을 의미하니 설계, 기획, 디자인, 건축, 학문, 교육과 관련이 많다. 계절이 시작되는 시기이므로 여러 가지로 변덕이 심하다. 봄기운이 따뜻해져서 꽃이 필만 하면 꽃샘추위가 들이닥치고 꽃눈이 얼어버려 열매를 맺지 못하는 경우도 있다. 변덕과 함께 많이 움직이기 때문에 역마살이나 지살의 의미를 가지기도 한다. 호랑이의 속성상 혼자 있기를 좋아하니 고독하고 새벽 해뜨기 전이니 야행성 동물이며 용기가 있고 잔인하고 냉혹한 면이 있다. 새벽에 불을 밝히고 산에서 기거하니 촛불을 켜놓고 기도하는 신앙인이 된다. 불교와 인연이 많다. 신중하여 무모한 투자를 하지 않고 용의주도한 면과 소심한 면을 가지고 있다. 돌다리도 두들겨보고 건너간다. 의외로 겁이 많다. 합리적이고 객관적인 성격에 추리력이 있고 과학적 지혜가 있다. 화술이 좋다. 재물을 활용하는 면에 있어서 혹은 재산증식에 천부적인 두뇌를 가지고 있는 사람이 많다. 사채놀이를 하거나 금융기관과 인연이 많고 돈에 대하여 집착과 잔인성을 보이는 경향이 있다. 의외로 인색한 면이 많지만 때로는 돈을 쓸 때에 큰돈을 쉽게 쓴다. 세금포탈, 탈루사건, 관재사건이 발생할 수가 있으니 매사에 주의 할 필요가 있다. 호랑이와 다투고 살았으니 대적할 요령이나 경륜이 있다. 호랑이와 함께 살고 있으니 호랑이에게 물리는 일도 있고 남에게도 동일한 일을 저질러 피해를 주기도 한다. 수술의 흔적이나 상처의 흔적을 몸에 지니고 살아가게 된다. 급성질환이나 세균성질환이나 불심검문, 가택수색, 압수와 같은 일을 당할 수가 있다.

　寅木이 가지는 글자의 象意를 확장해보면 연관성 있는 것들을 다음과 같이 분류해볼 수가 있다.

大林, 목재, 고원지대, 빌딩, 고층건물, 電柱, 塔, 학교, 농장, 고무나무, 고무제품, 모발, 手足, 대퇴부, 선박(水가 있을 경우), 천막, 등산장비, 演壇, 광고간판, 기념품, 동부, 사당, 장승, 피혁, 이불장사(寅中 丙火), 표구, 화랑, 여관, 호텔, 관광명소, 휴양지, 골프재료, 레저타운, 축구 등과 연관이 많다.

卯

卯月은 새싹이 돋아나서 펼쳐져가는 모습이 편만한 계절이 된다. 완연한 봄이다. 음력 2월이 되고, 시간은 5 ~ 7시 사이, 방위는 동쪽, 오행은 木에 속한다. 동물로는 토끼가 되는데 하루를 시작하는 아침이 되기 때문에 모든 일에서 바쁘고 분주하다. 꾸미고 치장할 일이 많다. 토끼처럼 돌아다닐 일이 많아 안식처를 가지기가 쉽지 않고 항상 분주하게 움직이므로 주변사람을 괴롭히는 경향이 있다. 비약적이고 몽상적이며 포용력이 있고 희생적 친절이 있는 반면에 자존심과 고집이 강하며 이원적 기질이 있다. 온화한 성격을 지니긴 했어도 때로는 차가운 면이 있다. 학구열이 대단하지만 학업중단의 경험이 있을 수도 있다. 오래 앉아 있지 못하고 돌아다니려고 한다. 부지런하고 살림을 잘 하고 게으름뱅이가 별로 없다. 집에 대한 근심이 항상 따르게 되고 본의 아니게 남에게 신세를 지거나 부채를 짊어지고 있는 경우가 있다. 지출이 심하고 금전에 인색치 못하다. 이사나 직장변동이 잦아진다. 무엇을 하게 되면 무엇이든지 부지런하게 열심히 그 일에 임한다. 아침 일찍 출근해서 내일처럼 일을 한다. 寅은 빠르게 움직이는 것과 관련이 있지만 卯는 왕지에 머무르는 것이라 순일한 木의 기질을 가지고 있다.

卯木이 가지는 글자의 象意를 확장해보면 연관성 있는 것들을 다음과 같이 분류해볼 수가 있다.
儒學, 붓(筆), 인장, 인쇄물, 문필, 증권, 지물(紙物), 畵具, 수지(樹脂;나무기름, 송진, 합성수지), 두어께, 머리털, 화장품, 이미용실, 의상, 목각, 비단, 포목, 잠사(蠶絲), 인삼, 약초재배, 벌꿀, 디자인, 활(弓), 전선, 설계, 토목, 대서소, 사진첩, 표구, 사람을 상대하는 직업 등과 관련이 많다.

辰

辰月은 만춘이 되고 강한 양기로 충만하다. 초목들이 무성해져 가는 단계이다. 음력 3월이 되고, 시간은 7시 ~ 9시 사이, 방위는 동남간이고, 오행은 토에 속하나 木으로 어울린다. 동물로는 용이 되는데 하늘로 오르지만 아무도 보지 못하니 감추는데 능숙하다. 감싸고 포장하는 데 띄어나다. 내면에는 양기가 충만하나 겉모습은 음적이다. 상상의 동물답게 겉과 속이 좀 다른 모습을 지닌다. 추상적인 지도자를 상징한다. 모임의 회장, 책임자 노릇을 잘 한다. 기발한 두뇌를 가지고 있어서 발명가 기질이 많다. 남의 물건을 조금 변형시켜서 크게 융성시키는 일을 잘 한다. 상품도용에 자질이 있어 표절시비가 늘 따라다닌다. 위변조를 잘 한다. 특허품 같은 것에 관심이 많다. 적극적이고 독단적 개척정신과 투쟁심은 강하나 실망할 때는 급히 타락하여 패퇴의 길을 간다. 의협심과 강한 통솔력이 장점이나 끝마무리가 약하다. 아랫사람을 잘 다루지만 매사에 침착함이 필요하다. 허풍을 잘 떤다. 욕심이 많고 야심이 크며 투기심이 잘 발동한다. 애정고갈을 의미하기도 한다. 일확천금을 바라는 마음을 지니고 있다. 우레소리와 일맥상통하는 것이니 매사에 놀랄 일이 있음을 암시한다. 여러 가지 소질이 있고 박식하다. 잡화를 한 곳에 모아놓은 것을 의미하기도 한다. 辰大運의 사업은 자금고갈이 되나 진대운이 끝나면 큰 재산을 일구게 된다.

 辰土가 가지는 글자의 象意를 확장해보면 연관성 있는 것들을 다음과 같이 분류해볼 수가 있다.
겉은 화려한 내화외빈, 辰辰은 부싯돌, 스파크, 龍床, 생토(生土), 野土, 潤土, 수렁(淵地), 火田, 胃, 어깨, 皮膚, 건축업, 지물공장(紙物工場), 부동산중개소, 파종, 농장, 페인트, 중국요리, 중국문화, 만두, 분식, 과자, 도예, 양어장(관상용), 짙은 안개(3월에 피는 짙은 안개), 구중궁궐, 청자, 폐수처리장, 선창, 부두 등과 관련이 많다.

巳

 巳月은 여름의 시작이요 열매가 생기는 시기라서 庚金이 장생하는 초여름이 된다. 음력 4월이 되고 시간은 9시 ~ 11시 사이, 방위는 동남쪽, 오행으로는 화에 속한다. 동물로는 뱀이 되는데 陽이 넘쳐나서 움직임을 좋아한다. 발없이도 움직이는 동물이 뱀이다. 질병으로는 치아나 소장에 병이 든다. 효자가 많으며 맏며느리감, 미인이 많다. 웃어른을 잘 모시는 사람이다. 시동생이든 시부모든 부양의무가 많이 따르게 된다. 겉은 화려하고 온화한 듯하지만 냉혈동물인 뱀처럼 냉정한 성격을 지니고 있어서 돌아서면 뒤돌아보지 않는다. 약간의 결백성이 있으며 맺고 끊는 것을 좋아한다. 초혼, 재혼 때에 낳은 자식이 있는 경우가 많다. 대중의 이목을 집중시키므로 통솔력도 지니고 소속 단체의 핵심원 역할을 하기도 한다. 농사일이 가장 바쁜 시기가 음력 4월이 된다. 부지런하고 노동을 귀하게 여기고 밝은 곳에 있으니 숨겨야하는 일은 하지 않고 정직하다. 다 드러내도 떳떳한 그런 일을 대체로 하고자 한다. 단체생활을 하는 것이 단체로부터 보호를 받으니 유리하지만 구설수가 따르게 되는 경우가 많다. 돈을 탕진하였거나 부모속을 썩인 일이 한두 차례 있어서 분골쇄신 부모형제 처자식을 위하여 일하기를 즐겨한다. 심성이 착하고 성실한 면이 많다. 윗사람을 잘 모시니 위로부터 사랑받는다. 巳大運에는 직장을 바꾸지 않고 한 곳에 있는 것이 좋으며 대기업, 국가조직 같은 큰 조직에 몸을 담는 것이 좋다. 꽃잎이 휘날리는 형으로 때로는 오락가락하여 지조가 없는 듯이 보일 때도 많다. 겉은 온순한 듯해도 변칙적 행동도 불사하는 경우가 있다. 평소 과학적 지혜가 있으며 타인의 지배를 받는 것을 편하게 생각하고 좋아한다. 부조리와는 타협치 않고 민감하다. 초여름이 시작되는 시점이라서 변덕이 있을 수도 있다. 寅申巳亥는 글자의 속성상 변덕이 있을 뿐만 아니라 驛馬性을 지니고 많이 움직인다. 항공, 무역, 자동차, 조선, 통신과도 관련이 많게 된다. 巳火는 터미널이나 버스종점을 의미하기도 한다.

巳火가 가지는 글자의 象意를 확장해보면 연관성 있는 것들을 다음과 같이 분류해볼 수가 있다.

전기·전자, 자동차, 차고, 역전, 석유, 화염, 화로, 극장가, 심장, 소장, 항문, 의약, 화학 및 화학제품, 플라스틱, 고무, 신발, 타이어, 굴렁쇠, 카메라, TV화면, 백화점, 예식장, 공항, 보도실, 대사관, 전산실, 언론, 방송, 예술, 통신, 교차로, 사통팔달, 시장, 전자기기 등과 관련이 많다고 볼 수 있다.

午

午月은 초목이 무성해진 한여름이다. 밝은 것을 의미한다. 음력 5월이 되고, 시간은 11시 ~ 1시 사이, 방위는 남쪽, 오행으로는 火에 속한다. 동물로는 말을 뜻하는데 권력성을 지니는 강한 동물은 아니다. 온순하다. 밝은 곳을 선호하고 역전이나 터미널과 같이 사통팔달 통하는 곳으로 사람의 왕래가 빈번한 곳을 선호한다. 양기가 충천하여 있으나 내부적으로 양기의 극을 지나고 음이 비로소 생하는 시기이다. 밝은 곳에서 드러낼 수 있는 언론, 방송, 예능, 의약 분야와 관련이 많다. 말은 순한 동물인 만큼 권력성 직업이나 폭력성 직업과 인연을 맺기보다는 종교, 간호, 연예 등과 인연을 맺게 된다. 종교적으로는 기독교를 의미한다. 질병으로는 심장병, 정신병, 인후병과 관련이 있다. 午火는 개방적이어서 비밀이 없다. 자기 자랑을 많이 하고 인내력이 부족하여 실패나 불이익을 당하는 경우가 많다. 지모와 지략이 좋고 이중성과 변덕은 심하나 순발력이 있어 임기응변에 능하다. 심성이 밝고 숨길 것이 없고 너무 화끈해서 가끔씩 이해할 수 없는 행동을 하게 되고, 잘 참지 못하여 화근이 되니 평온과 이성적 자제력이 필요하다. 싸리나무에 불붙듯 화르르 타오르고 나면 뒤끝이 없는 성격이 많다. 날씨가 더워서 일이 더디고 지연이 되는 것처럼 매사 지연 되는 경향이 있다. 남을 시켜서 무엇을 하게 되면 부도나기가 쉽고 경제적 손실이 따를 뿐만 아니라 일이 오히려 늦어지게 된다. 직장에서 승진도 늦고, 급한 성격에 빨리 결혼을 하기도 하나 이럴 때에는 결혼에 실패하기도 쉽고 오히려 만혼이 되기 쉽다. 오뉴월 한낮이니 날씨가 뜨거워서 일도 느리고 걸음걸이도 느리다. 빨리 하려 해도 능률이 오르지 않는 경향이 있다. 음력 오월이면 황하강이 범람하기 시작하는데 범람하게 되면 언제 논밭이 물에 잠기게 될지, 잘 있던 이웃이 언제 물에 떠내려 가버릴지 알 수가 없어서 易으로 점치는 일이 발달 할 수밖에 없었다. 자연의 재난에서 구원을 얻어 보고자 해서 신앙을 하게 되고, 재앙을 피해보고자 해서 기복적인 신앙과 함께 앞으로 닥칠 길흉사에 대하여 追吉避凶하고자 하는 목적으로 易을 만들고, 명리를 만들게 된 것으로 볼 수 있다. 그래서 午火가 하늘을 바라보게 하는 환경을 만든다는 것이다.

 午火가 가지는 글자의 象意를 확장해보면 연관성 있는 것들을 다음과 같이 분류해볼 수가 있다.
종교, 기도, 정신, 촛불, 등촉, 안목, 불빛, 안경점, 전구용품,

오락실, 주유소, 목로주점, 가로등, 여관, 홍등가, 주차장, 뜸 등과 관련이 많다고 볼 수 있다.

未

未月은 한여름을 지나서 무더운 여름이다. 長夏를 뜻하는데 장마철 비로 인해 후덥지근하고 불쾌한 면이 많다. 음력 6월이 되고, 시간은 오후 1시 ~ 3시 사이, 방위는 서남간, 오행으로는 土에 속한다. 동물로는 양이 된다. 질병으로는 중풍, 마비, 비위와 관련이 있게 된다. 미토에서 갑목이 入庫를 하면 초목들은 무성하게 성장하던 것을 멈추고 가을을 열고, 펼쳐질 대로 펼쳐진 잎들을 통해서 열매를 키운다. 가을의 결실을 위해서 나아가는 과정에 있다. 시간적으로 보면 점심 식사 직후라서 몸도 마음도 나른하여 일의 능률이 오르지 않는 시간이다. 대충대충 마무리 지으려고 하는 경향이 있다. 항상 未定, 未濟, 未熟, 未來가 되는 것이다. 여름에 소나기가 갑자기 쏟아지면 마당에 널어놓았던 곡식이나 빨래를 허둥지둥 거두어들이듯이 일을 하다가도 급히 피해야 되는 상황이 된다. 일에 있어서 끝을 보기가 어려운 경우가 있고, 경제활동이 원활하지 못한 경우가 많다. 무엇을 벌이게 되면 未熟으로 끝나기가 쉽다. 未大運에는 본업을 두고 취미생활에 빠지든지 다른 업을 하다가 본업도 제대로 안되는 일이 발생하게 되는데 未가 未濟, 未熟, 未來의 의미를 지니기 때문이다. 개인 사업보다는 무리 속에서 월급을 받는 조직생활을 하는 것이 낫다. 사람이 많은 곳에서 일을 하는 것이 좋다. 방어를 위한 투쟁력과 복수심이 있고 모성애가 강하며 순응력이 뛰어나다. 융통성은 좋으나 신경질적인 면이 있다. 돌아다니려는 마음, 남에게 의지하려는 마음이 많아 유혹에 약할 수가 있다. 부부인연이든 이성친구든 인연을 맺으면 헤어지지 않는 경향이 있다. 양은 기질적으로 온순하나 외고집이 있어서 앞으로만 나아가지만 무리를 지어 행동하는 것을 좋아하는데, 누가 인도를 하면 저항 없이 따른다. 그래서 양은 목자를 잘 따르는 것에 비유된다. 마음이 온순하고 선량하며 음식솜씨가 좋은 사람이 많다. 제과점, 식품, 요식업을 하면 잘 되는 경우가 많다.

未土가 가지는 글자의 象意를 확장해보면 연관성 있는 것들을 다음과 같이 분류해볼 수가 있다.
잔디밭, 인삼밭, 화원, 사막지대, 축구장, 야구장, 골프장, 비위, 팔, 손목, 어깨, 허리, 肝癌(木의 庫藏地라서) 등과 인연이 많다. 물과 관련된 사업은 인연이 약하다.

申

申月은 가을을 열어 제치는 계절이다. 무더위가 지나고 장마철도 끝나고 파아란 가을 하늘에 뭉게구름이 떠가는 건조한 날씨가 시작되면 햇볕이 강렬히 내리쬐고 밤낮 일교차가 커진다. 양기가 누그러지고 음기가 땅위에 세력을 드러낼 만큼 강해졌다. 열매도 제법 굵어져서 익기를 기다리고 있다. 음력 7월이 되고, 시간은 오후 3시 ~ 5시 사이, 방위는 서남쪽, 오행으로는 금에 속한다. 질병으로는 대장, 폐, 피부와 관련이 있다. 동물로는 원숭이가 된다. 권력성, 재능, 기술, 능력이 많다. 열매와 잎이 확연이 구분이 되고, 밖에서 어울리던 사람들도 집으로 돌아가고자 준비하는 현상이 나타난다. 申이 守庚申과 통하니 하늘과 교통하고 정신세계와 관련이 많다. 귀신도 탄복할 만큼의 잔꾀가 있어서 신비하게 여겨지기 까지 한다. 입산수도를 하거나 불교에 귀의한다. 요행심(僥倖心)을 갖기도 하고 구두쇠 소리를 들을 만큼 자기의 물건을 지나치게 아끼고 잘 챙긴다. 마음에 들면 모든 것을 다 주려고 하지만, 눈 밖에 나면 잔인하게 증오한다. 혁명적 사상이 많아 개혁을 하려한다. 통솔력이 있고 냉철하지만 의외로 성급하고 변덕이 심하며 고독한 사람이 많다. 냉철한 이성을 지니기도 하지만 가을이 되면 우울해져 憂愁에 빠지게 된다. 가을의 숙살지기가 발동을 하게 되면 추풍낙엽이 되니 정의를 세우고 재판을 벌이고 사형수를 처형하는 것이 秋霜이 내리면 진행된다. 송사를 많이 당하기도 하고 송사를 하기도 한다. 인간미가 사라지면 냉철한 성격만 남아서 잔인해진다. 도의를 저버릴 만큼 잔혹해지기도 한다. 申金의 현상은 落果를 햇과일로 팔아먹는 농부의 심보, 큰 과일을 나누어 먹어야하는 분배의 인심작용도 따른다. 가을은 본시 풍성한 계절이지만 신금이 작용하는 시기에는 아직 수확시기가 아니기 때문에 나누어줄 것도 많지 않고 수확해서 쌓아놓을 것도 없어서 자연히 인색해진다. 사업체는 긴축경영, 감원을 하게 되는 것인데, 申大運에 퇴직한 사람은 스스로 사직한 것이 아니라 감원감축 경영에 강퇴 당한 경우가 많다. 곧 상황이 바뀌면 다시 풍성해지는 자연의 이치가 따른다. 어디에서 일을 하든지 일을 하고나서 집으로 돌아갈 때가 되면 먹을 것을 한보따리씩 가져갈 수 있다. 옛날에는 논 한 귀퉁이에 벼를 다 베어가지 않고 좀 남겨두어서 가난한 사람들이 이삭을 주우러 가면 조금이라도 수확해서 갈 수 있도록 인심을 베풀던 시절이 있었다. 감나무의 감을 모두 다 따지 않고 까치밥이라 해서 짐승도 먹고 사람도 따 먹을 수 있도록 남겨주는 계절이 申金이 끝 나갈 무렵이 되는 것이다. 象意에 대한 사고의 유연성을 가지고 의미를 확장해 보아야할 필요가 있다.

申金이 가지는 글자의 象意를 확장해보면 연관성 있는 것들을 다음과 같이 분류해볼 수가 있다.
큰칼, 불기(佛器), 사원, 修道, 화물차, 양조장, 술독, 대장, 폐, 기관지, 피부, 탱크, 전차, 공격용 무기, 열차, 철강, 고철, 자동차, 중장비, 버스, 정비공장 등과 관련이 많다.

酉

酉月은 陰氣가 바야흐로 강해져서 응축 운동이 활발히 진행되고 申金의 시기보다 가을의 현상이 실제적으로 더 뚜렷하게 나타나는 시기이다. 열매가 익어가고 잎들이 분리되기 위해 단풍이 들어 온 산천이 울긋불긋해지면 사람들은 들녘으로 산으로 간다. 추수하러 가는 사람도 있고 단풍놀이 가는 사람도 있다. 음력 8월이 되고, 시간은 오후 5시 ~ 7시 사이, 방위는 서쪽, 오행으로는 金에 속한다. 동물로는 닭이다. 질병으로는 폐, 대장, 호흡기, 피부와 밀접한 관련이 있다. 입이 가벼워서 말썽을 불러일으키는 경우가 있으나 주도면밀하고 비판적이다. 예지력이나 靈感이 뛰어나다. 성정이 청순하고 치밀하며 결백성과 순박성이 있고 고지식하며 날카로움이 있으며 완벽주의자로서 아주 세밀하고 남다른 고집이 있다. 직장상사에 대하여, 농사지은 결과에 대하여 정신적으로 스트레스가 많은 사람이 많다. 봄에는 씨를 뿌리고 김을 메주는 것이 밭에서 하는 일의 전부다. 하지만 가을에는 할 일이 너무 많다. 수확거리가 많은 것은 분명히 기뻐할 일이지만 일이 너무 많다. 옆집과 일손 품앗이 하고, 수확하고, 저장하고, 시장에 내다 팔고, 손익계산도 하고, 일 때문에 옆집과 시비송사도 벌어지고 해서 무척 바쁜 시간을 보낸다. 본인의 희생이 가족 중에서 혹은 조직 중에서 제일 크다고 생각을 하여 스트레스를 받고 불만불평이 있다. 말을 함부로 해서, 남의 가슴을 비수로 찌르는 듯한 말을 해서 원수가 되어 이별하는 경우가 많다. 공연히 남의 송사나 다툼에 참관하여 시비를 하다가 구설에 휘말리기도 한다. 직장상사를 헐뜯다가 시비가 되어 한직으로 좌천되거나 한다. 이런 구설수가 의도해서 생겨나는 것이라기보다는 본의 아니게 참견이 되어서 던진 몇 마디의 말이 시비로 발전이 되어 어려움을 겪는 경우가 많다.

酉金은 가치 있는 것들을 작은 것에 넣어 놓는 것을 의미한다. 보석, 수표, 부동산 문서, 지폐 등을 의미하기도 한다. 과일들을 가만히 놓아두면 시간이 지남에 따라서 발효가 일어나서 술이 되고 식초가 된다. 곡식도 과일도 발효가 일어나서 술이 된다. 그래서 酉金은 발효식품과 관련이 있다.

酉金이 가지는 글자의 象意를 확장해보면 연관성 있는 것들을 다음과 같이 분류해볼 수가 있다.

칼, 낫, 입(卯酉冲, 巳酉丑), 유리그릇, 정밀기기, 보석, 귀금속, 주정(酒精), 술, 술잔, 트로피, 금메달, 시계, 목탁, 佛像, 절, 방사선, 외과수술, 침, 메스, 주사기, 바늘, 전화기, 가전제품, 승용차, 면도칼, 알루미늄, 공구, 마이크(食神에 임하면), 금융(官에 임하면), 유가증권, 반도체, 복사기, 통닭, 분쇄기, 수갑, 검찰, 경찰, 서리, 과일, 오곡백과, 歸家, 제사, 하늘에 드리는 추수감사제 등과 관련이 많다.

戌

戌月은 늦가을에 해당하는데 하늘은 건조하여 높고 파랗다. 戌의 모습이 뻥튀기처럼, 혹은 냉동건조 되어있는 식물이나 과일처럼 겉은 화려한 듯하지만 속은 텅 비어있다. 음력 9월이 되고, 시간은 오후 7시 ~ 9시 사이, 방위는 서북간, 오행으로는 土에 속한다. 동물로는 개다. 질병으로는 위장, 위하수, 가슴, 가슴앓이와 밀접한 관련이 있다. 戌은 天門을 열어주는 글자인데 亥와 함께 天羅에 속한다. 辰土와 반대의 모습과 기능을 한다. 비세속적인 환경과 인연이 많고 정신세계에도 잘 빠져든다. 외형적인 일보다는 내면적인 일, 혹은 종교적인 것에 더 관심이 많다. 재물이 있으나 항시 부업에 손을 대려고 한다. 이성에 대한 비밀이나 일에 대한 비밀을 지키기 위하여 이중생활을 하게 되지만 실속을 채우려고 애를 쓴다. 일이든지 사람이든지, 친구든지 하나에 만족하지 못하는 경향이 있다. 戌은 낡고 오래된 물건이나 사람을 뜻하는데 보수성향의 기질을 의미하기도 한다. 예술적 재능이 있고 보은정신이 있으며, 이해심과 공정심이 있다. 보수적인 면과 人情과 함께 냉정하면서도 조화를 존중하는 이지적인 인간이 많다. 가족을 위해서는 주변의 비난을 개의치 않고 비난받을 짓을 서슴없이 할 수도 있다. 戌이 刑殺과 天羅地網에 속하는데 수술이나 관재, 세무조정 같은 일을 당할 수도 있고 일이 순탄하게 풀리지 않을 때도 많다.

戌土가 가지는 글자의 象意를 확장해보면 연관성 있는 것들을 다음과 같이 분류해볼 수가 있다.
天門, 대웅전, 天書, 백사장, 고령토, 시민광장, 시멘트, 벽돌, 금속, 철산, 연탄, 활인, 종교, 발(足), 위암, 의료원, 사료, 보신탕, 무대, 운동장, 주차장, 화공약품, 活人業, 건조한 가을하늘과 관련이 많다.

亥

亥月은 초겨울이 되는데 가을을 지나면서 추수한 먹거리들이 방에도 있고, 곳간에도 있고 마루 밑에도 있고 헛간에도 있고, 처마 밑에도 있고 지붕위에도 있어서 풍족하다. 어디를 보나 집집마다 먹을거리가 넘쳐난다. 음력 10월이 되고, 시간은 오후 9시 ~ 11시 사이, 방위는 서북간, 오행으로는 수에 속한다. 동물로는 돼지가 된다. 질병으로는 신장, 방광,

전립선, 뇌수, 자궁과 관련이 있다. 욕심이 많다. 먹을 것이 지천으로 깔려있으니 일을 할 필요가 없고 관리를 할 필요가 없다. 경제관리가 소홀하고 수출입에 대한 기록이나 계획이 없는 사람이 많다. 잠자는 시간이거나 잠이 오는 시간이라서 정신이 혼미하고 몽롱한 상태이다. 꿈나라로 가야할 시간이 되는 것이다. 하늘에 마음을 두고 있다. 집을 팔아서 종교단체에 갖다바치는 사람도 많다. 금은보화가 필요한 것이 아니라 하나님의 말씀 한구절을 듣고자 한다.

명심보감에 黃金千兩未爲貴, 得人一語勝千金이라고 했다.

세상의 부귀영화도 버리고 王座도 버리고 산속으로 들어가서 수도하던 부처님도 깨달음의 한구절을 듣기위해서 목숨을 걸었다. 욕심을 지나치게 부려서 지저분하게 쌓아놓는 사람도 있고, 금은보화도 마다하고 산속으로 입산수도하러 가는 사람도 있다. 亥의 속성이 그러하다. 사람을 끄는 이상한 매력이 있다. 예민한 투시력과 영민한 통찰력이 있고 인정에는 약하나 눈 밖에 나면 오래 증오한다. 의문에 도전, 조사, 탐구에 특수한 재능이 있다.

  亥水가 가지는 글자의 象意를 확장해보면 연관성 있는 것들을 다음과 같이 분류해볼 수가 있다.

돼지, 곱창(공망일 때), 맥주, 발효식품(酉金과 함께 있을 때), 물류창고, 禪房, 道學, 색채(물감), 파도, 수평선, 海水, 호수, 선창, 해변, 먹구름, 신장, 다리, 선박, 무역, 요식업, 식품, 식용유, 축산, 저장, 저온창고, 냉장고 등과 관련이 많다.

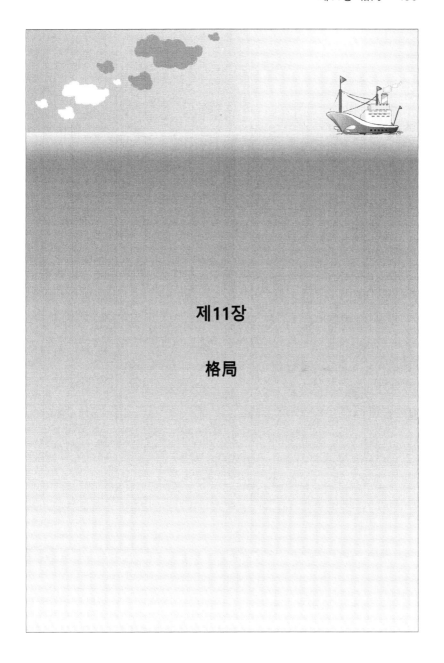

제11장

格局

제11장 格局

月令에 있는 글자에 따라서 格局을 정하는데 食神, 傷官, 偏財, 正財, 偏官, 正官, 偏印, 正印으로 나누고 八正格이라고도 하고 羊刃과 建祿格을 포함해서 十正格이라고도 하는데, 十正格 혹은 八正格을 정하기 위해서는 먼저 月令이 무엇인지 알아야한다.

格局을 갖춘다는 것은 사주의 그릇이 淸하고 크다는 것을 의미하며 일생이 순탄하게 흘러가게 되는 것으로 이해되어 왔다. 명리학은 기후의 변화를 관찰하고 예측하는 데서부터 시작되었다. 사계절 동안에 많은 기후변화가 일어난다. 춘하추동 사계절이 변해가는 동안에 사람들의 옷입는 모습도 달라진다. 추우면 옷을 두껍게 껴입고 더우면 옷을 얇게 입는다. 산천초목의 모습이 변해간다. 더우면 잎이 돋아나고 꽃이 피고 추우면 잎이 진다. 각 계절마다 사람들이 하는 일들이 달라지고, 생각하는 바도 변해간다. 심지어 하루 동안에도 많은 변화가 일어난다. 밤이 있고 낮이 있고, 비가 오기도 하고 맑기도 하고, 바람이 불기도 하고 잔잔하기도 하는 것이 자연의 이치이다. 命理學은 기후와 밀접하고, 기후의 변화와 밀접하고, 기후가 인체에 미치는 영향이 지대하고 기후의 변화에 따라 생명체의 삶의 양상과 밀접한 관계가 있다. 易은 자연의 이치를 깨닫는 데서부터 시작된다. 기후와 삶의 양상과 질병과의 관계를 살펴보는 것이 한의학이다. 기후와 삶의 양상과 변화의 방향을 살펴보는 것이 命理學이라고 할 수 있다. 그러나 格局을 이루었다고 해서 순탄하기만 하다는 것은 있을 수 없다. 왕정시대 유교문화 아래에서 사대부들이 벼슬길로 나아가서 사는 삶이 비교적 순탄하다는 의미였을 것으로 이해를 해야 한다. 벼슬에 오른 이후에 당파싸움, 권모술수에 수많은 권신, 학자들이 사라졌다.

 과거와 현대의 사회가 바라보는 직업에 대한 귀천의 판단이 극명한 차이를 보인다. 그중에서 의사, 역관(통역관), 연예인, 기술직 장인을 바라보는 현대인들의 시각이다. 또 하나 과거에서 현대로 이어지면서 발전해온 문명과 문명이기에 따라서 다양하게 분화된 직종이다. 이런 부분은 현대의 명리학에서 좀 더 폭넓은 인간사를 아우를 수 있도록 격을 세분할 필요가 있다.

 月令은 태어난 달, 月支의 글자를 의미한다. 月令은 태어난 해의 기후를 결정하게 되고 기후는 사주의 격을 결정하게 되고 앞으로 흘러가게 되는 삶의 방향을 결정하게 되기 때문에 중요하다. 月令은 태어난 달인데 그래서 태어난 달이 어느 계절에 속하는지가 중요하다. 사주와 명운을 가장 두드러지게 나타내고 삶의 꼴을 결정짓고 특정하는 것이기 때문에 사주의 조후를 결정짓는 태어난 달, 월령에서 사주의 특성을 찾아내는 것이 바람직하다. 그래서 格局을 판단할 때에는 月令을 살펴서 판단해야 한다. 그 다음에 月令과 日刊과의 관계에 따라서 六親을 살펴보아야 한다. 月令이나 月支의 지장간이 天干에 투출되어 있는 것을 格으로 삼는다.(이하 심효첨의 『子平眞詮』 참조)

 食神, 正財, 偏財, 正官, 正印을 길신이라 하고 冲, 刑, 破, 害, 空亡이 되지 않으면 成格이 되고, 傷官, 偏官, 梟神, 陽刃

을 凶神이라고 하는데 合去 시키거나 引化하거나, 克制하면 成格이 된다.

月支가 三合이나 方合을 이루고 있으면서 透干이 되어 있지 않아도 局을 이루어 강해지니 格을 이룬 것으로 본다.

	甲		壬
	申	辰	子

甲일간에서 地支에 申子辰으로 水局을 이루고 天干에 壬癸 水가 투간 되어 있으면 인수격이 된다.

月支에 辰戌丑未 네 가지 墓庫가 있고 墓庫內의 지장간이 투간 하면 格으로 삼는데 잡기격으로 본다. 잡기격은 외격에 서 많이 보이는 것이지만, 建祿, 陽刃을 포함해서 格은 열가 지로 나누고 十正格이라고 부른다.

月支는 청년기를 의미한다. 학문의 시기이며 인생설계, 인 생정립을 위해서 배우고 익혀야 하는 시기이다. 月令의 地支 를 취해서 格을 취한다는 것은 이 시기의 준비과정이 인생 전반에 미치고 그 사람의 기질, 性情, 가치관, 추구하는 방 향, 기능, 기술 형성에 지대한 영향을 미친다고 보기 때문이 다. 地支를 중심으로 전반적인 꼴을 이룬다. 물론 여덟 글자 전체가 어우러져 한 인격체가 이루어지는 것이긴 하지만 月 令의 영향이 지대하다.

建祿格

日干이 月支에 祿이나 비견을 얻으면 建祿格이 된다.

	甲	
	寅	

	乙	
	卯	

	丙	
	巳	

	丁	
	午	

	戊	
	巳	

	己	
	午	

	庚	
	申	

	辛	
	酉	

	壬	
	亥	

	癸	
	子	

建祿格은 건강을 의미하고 官印과 조화를 이루면 祿俸이 크다. 偏財를 보면 독립성 인자가 강하여 개인 사업을 하려 하고 매사에 자신감과 의욕이 넘친다.

부모의 덕을 형제와 나누어야 하니 부모덕이 빈약하지만 自手成家 할 수 있는 별이기도 하다. 自手成家 할 만큼 재능과 정신력을 근본적으로 타고났다.

女命에게는 자수성가의 별이 되지만 남편 덕이 좀 부족하고 스스로 일을 이루어 나가야한다. 현대에서 나쁘다고만 판단할 수 없는 것이기도 하다. 財星을 극하여 갈라놓는 것이니 부모덕이 빈약하고 부모재산 상속에 불리하다. 官의 根이되는 財星을 克制하니 남편의 활동력이나 건강이 약해질 수도 있다.

乙	甲	庚	辛
亥	辰	寅	丑

(재상직무대행 정2품 벼슬 平章의 命造, 자평진전)

壬	丁	壬	庚
寅	卯	午	寅

(巨富의 명조, 자평진전)

陽刃格

陽刃으로도 쓰고 羊刃으로도 쓴다.
日干의 旺地에 해당하는 地支가 月支에 있으면 陽刃格이 된다.

	甲	
	卯	

	乙	
	寅	

	丙	
	午	

	丁	
	巳	

	戊	
	午	

	己	
	巳	

	庚	
	酉	

	辛	
	申	

	壬	
	子	

	癸	
	亥	

陽日干일 때는 月令이 旺支에 임하면 이것을 양인으로 쓰지만 陰日干일 경우 陽刃에 대하여 논란이 분분하다. 지나치게 세력이 자기중심적으로 강해졌기 때문에 남에게 상처를 줄 수 있다하여 陽刃, 羊刃이 되었으니 陽日干에게 子午卯酉 月支가 양인이 되고, 陰日干에게는 寅申巳亥가 旺支가 되어 陽刃이 된다.

祿前一位를 羊刃이라 한다하여 陽日干 일때는 祿前一位는

順방향으로 흐르니 旺支가 된다. 甲日干일 경우에 祿支인 寅의 一位앞은 卯가 되니 卯가 陽刃이 된다.

陰日干일 경우 예를 들어, 乙日干일 경우 祿支는 卯가 되는데 祿前一位를 辰이라고 보는 경우도 있다. 이것은 陽干 陰干의 12胞胎 順逆을 고려하지 않고 시간의 흐름대로 보았기 때문이다. 陰干은 逆으로 움직이니 乙日干의 祿前一位는 당연히 寅이 된다. 旺支가 祿前一位가 되니 陽日干에는 子午卯酉가 陽刃이 되고 陰日干에는 寅申巳亥가 陽刃이 된다. 甲木은 亥水에서 長生을 하지만 乙木은 死한다. 이를 두고 몇몇 고전에서나 현대의 命學家들의 의견이 분분하다.

자연의 이치를 주의 깊게 들여다보면 왜 선현들이 陰陽干의 順逆行으로 胞胎法을 만들었는지 알 수가 있다.

甲은 亥에서 長生한다. 甲木은 이른 봄에 솟아오르는 힘이다. 겨울을 깨뜨리고 차가운 땅을 뚫고 올라오는 힘이지만 하루아침에 갑자기 전환되는 것은 아니다. 땅속에서 오랜 날 동안 서서히 점진적으로 준비되어 오던 것이 땅을 뚫고 혹은 딱딱한 나무껍질을 뚫고 싹이 나온다. 얼은 땅에서 싹이 나는 것이 아니다. 亥月에 준비된 양기가 子月이 되면 비로소 一陽이 시작된다. 하늘에서는 이미 子月에 봄이 되고 땅에서는 丑月에 봄이 되고 사람에게는 寅月에 봄이 된다. 하늘기운이 먼저 봄의 기운을 하늘에 뿌리는데 天鏡作用을 통해서 땅 위에 도달하기까지는 시일이 걸린다.(우주변화의 원리 참조)

丑月에는 땅속의 연근 싹이 한 뼘은 자란다. 하늘에서 뿌려진 봄의 기운이 땅속에서부터 일어나기 시작하는 것이다. 寅

月이 되면 비로소 양기가 땅위로 올라온다. 寅月의 卦象은
地天泰 괘상의 모습이다.

　지구가 기울어져서 공전, 자전 하는 것과 태양과 지구간의
거리로 인해 빛이 도달하는 시차, 오존층, 대류권, 대기권,
하늘의 얼음가루에 의해 지면의 복사열의 왕쇠가 발생하고
땅위의 기후가 변하고 온도의 강약이 바뀌는 것이다.

　陽刃은 칼을 의미하고 권력, 권세를 의미한다. 일을 이루어
내는 힘, 몰두하는 힘, 그릇의 格을 크게 만드는 힘이다. 자
격증, 사법, 조폭을 의미한다. 日干의 祿이 月슈이 되기 때문
에 큰 힘을 발휘한다.

　청년기, 학문기의 劫財에 해당함으로써 세력이 커진다. 그
래서 좋은 의미로든 나쁜 의미로든 규모가 커질 뿐 본래 劫
財가 갖는 역할은 한다. 건설, 건축, 도박, 스포츠 등 大財를
꿈꾸고 힘자랑, 勢자랑을 벌이지만 大財를 잃을 때도 많다.
칼을 품었으니 잔인성, 폭력, 용맹, 용기와 같은 성정을 갖는
다. 양인이 偏官을 제어하여 조화를 이루면 재상이 되거나
무인이 되기도 하지만 양인이 조화를 이루지 못하면 흉폭한
성질이나 잔인한 성질을 드러낸다. 조폭이나 불량배가 된다.
힘을 제어하지 못해서 호랑이와 싸우다가 물려죽었다는 고
전 예화가 있다.

　女命에게는 학창시절 깡패가 되기 쉽고 혼자 살아가는 수
가 많다. 克制의 의미가 되니 남녀 공히 재물 손실이 크게
발생하기도 한다. 男命은 妻財를 극하니 부부인연이 원활하
지 못할 수도 있다.

丙	庚	丁	辛
子	午	酉	卯

(청, 건륭제 명조, 자평진전)

丙	壬	丙	己
午	寅	子	酉

(승상 명조, 자평진전)

乙	庚	丁	辛
酉	申	酉	亥

(羊刃, 身旺四柱, 破妻破財)

食神格

月令이 食神이되고 천간에 透干을 하면 食神格이 된다.
月令을 포함하여 三合을 이루거나 方合을 이루어서 食神이
되어도 食神格이 된다.
食神은 손발을 부지런히 움직여서 결과물을 만들어 내려고
한다. 財星이 결과물을 의미하는데 財星이 없으면 결과물이
잘 나타나지 않는다. 財星이 없으면, 온 동네방네 소문내느
라 바쁘고 돼지, 소 잡느라 바쁜데 막상 잔치에 가보면 잔치

국수 한 그릇에 간장 한 종지 나오는 것과 같다. 부엌에서 하루 종일 요리하는 소리는 들리는데 밥상위에 올라오는 것은 칼국수 한 그릇과 김치 겉절이 뿐이다.

	甲	
	巳	

	乙	
	午	

	丙	
	辰戌	

	丁	
	丑未	

	戊	
	申	

	己	
	酉	

	庚	
	亥	

	辛	
	子	

	壬	
	寅	

	癸	
	卯	

甲이 月支에서 巳를 만나고 天干에 丙이 투출해 있고 冲, 刑, 破, 害, 空亡으로 格을 깨뜨리지 않으면 食神格이다. 陽干이 寅申巳亥를 만나면 食神格이 되고 陰干이 子午卯酉를

만나면 食神格이다. 丙日干이 辰戌을 만나고 丁日干이 丑未를 만나면 食神格이 되는데 같은 食神格이라 하더라도 글자에 따라서 커다란 의미의 차이를 보인다. 어떤 글자, 즉 어떤 오행으로 식신격이 되느냐에 따라서 그 해석이 달라질 수 있으니 유의하여 보아야 한다.

고전에는 食神을 吉神으로 분류해 놓고 좋게 해석하고 있다. 글자 자체가 갖는 의미와는 크게 상관없이 다루고 있다. 하지만 해석에서 많은 차이를 보이고 있으니 좀 더 정확하게 命理를 터득하고 명조를 판단하려면 格의 모양과 格을 구성하고 있는 글자의 의미를 함께 볼 수 있어야 한다. 이 부분의 해석의 차이점은 점진적으로 배우고 익혀 나가면 될 것이다.

食神이 格을 갖추면 식록이 풍부하고 부모로부터 받을 것이 많음을 의미한다. 부모덕이 커서 집안이 풍족하고 여유로워 청소년기에 자라면서는 풍족함으로부터 오는 정신적 여유로움도 지닌다. 늘 먹을 것이 따라다닌다. 운이 좋을 때에는 느긋함과 여유로움 때문에 오히려 사업, 일 등이 안정적이고 번영이 오래 지속된다. 운이 제대로 따르지 않으면 食神의 특성상 먹을거리가 없어도 느긋하니 옆에서 보면 답답해진다.

필설, 교육, 인문행정, 일반 공직, 육영사업, 농림축산업, 단순 제조분야와 인연이 많다. 자신을 표현하는 능력도 되지만 傷官만큼 화려하거나 뛰어나지 못하다. 타인과 대립각을 세우지 않고 대체로 원만하며 처세술이 좋다. 정관과 짝을 이루게 되면 학교에서도 직장에서도 모범생이 된다. 특히 공직자와 같은 철밥통 직장에 어울리는 격이다. 혁명성, 개척정신, 지도력이 떨어지므로 儒教 사회에서는 파란을 겪지 않고 적절히 어울리는 격이 되기 때문에 식신을 吉神으로 분류를 했다. 과거에 급제하여 벼슬길에 나아갔으나 政爭에 휩쓸리지 않고 특별히 두각을 나타내거나 잘난 척하지도 않으며 때가 되면 승진하는 공무원, 공인기관이나 그러한 사회나 조직에 어울리는 格이다. 모든 것이 갖추어져 풍족하고 여유로워 수명이 길다는 의미로 壽星이라고 불리기도 하고, 벼슬길에 나아가 祿을 받는다고 해서 爵星이라고 불리기도 한다. 형충파해를 당하지 않아서 격을 이루고 있을 때에 그렇다. 형충파해를 당하면 순탄한 운명의 길에서 파란곡절을 겪기도 한다.

丙日干은 辰戌丑未를 食傷으로 쓰는데 辰戌丑未는 지장간이 투출하면 그것으로 格을 잡기도 해서 보통 이중格, 다중格이 된다. 雜格이 된다.

癸	癸	癸	丁
丑	亥	卯	未

(梁丞相의 命造, 자평진전)

庚	戊	壬	己
申	子	申	未

(翰林學士 射閣老의 명조, 자평진전)

壬	庚	丁	庚
午	午	亥	辰

(故 이주일 명조)

丙	戊	丙	丙
辰	寅	申	戌

(노무현 대통령 명조)

傷官

月令이 傷官이 되고 天干에 透官이 되면 傷官格이 되는데, 天干에 투출되지 않더라도 地支에 거듭하여 있으면 이 格이 된다. 傷官格은 고전에서는 흉신으로 분류를 해놓았는데 上命下伏의 시대에는 즉, 技藝가 인문학, 정치, 공직 보다 못하게 분류되었던 유교적 사회에서는 凶神格이 되기 때문에 克制를 하던지 引化하던지 合去를 시키던지 해서 격을 純化시키면 成格이 되는 것으로 여겼다. 하지만 의술이 기술로 분류되고 工人과 商人을 하찮게 여기던 시대와는 달리 지금 시대에는 개인이 갖는 특별한 재능이 삶의 노선을 뚜렷하게 하기 때문에 格을 갖추었다고 봐야한다. 傷官의 특성상 조직에 어울리지 않고 개인사업, 혹은 개인 재능 중심의 일과 인연이 많다. 노래하고 춤을 추느라 앉아서 수학문제 풀거나 문학작품을 읽을 시간이 없다. 정장을 하고 책상에 앉아서 같은 서류를 며칠씩 읽고 또 읽고, 검토하고 또 검토하는 것은 체질에 맞지 않는다.

	甲	
	午	

	乙	
	巳	

	丙	
	丑未	

	丁	
	辰戌	

	戊	
	酉	

	己	
	申	

	庚	
	子	

	辛	
	亥	

	壬	
	卯	

	癸	
	寅	

傷官이 득세하였으니 필설, 교육, 예능, 스포츠에 재능을 가지고 한 길로 밀고 나갈 힘은 지니는 것이라서 이 방면으로 格을 이루게 된다. 현대에는 방송인, 미술가, 가수, 작곡가,

스포츠인, 문학작가, 사교댄스 분야에 탁월한 재능을 펼쳐도 사회적으로 인정을 받을 수가 있게 된다. 工, 商, 藝가 천시 받던 시대에서 財를 최고의 가치로 두는 시대가 되었으니 得財를 잘 하는 분야가 인정받고 인기를 끌고 있지만, 사람의 가치도 財의 유무에 따라서 평가되는 현실이 씁쓸하다. 모든 것이 財를 크게 득하는지 여부로 귀결되니 孔子가 지하에서 통곡할 일이다. 경찰 1명을 더 늘이고 쇠창살을 두텁게 하는 것보다도 사람 되는 공부, 財物보다 더 고귀한 인성공부가 있음을 가르치는 학교제도나, 사회시각이 아쉽다.

傷官은 官을 깨뜨리는 별이라서 기존의 틀을 깨고 새로운 일을 도모하거나 사회규범에 대한 항거나 범법인자가 되기도 한다. 학창시절에 책상 앞에 앉아 있지 않고 학교 그만두고 연예인 한다고 춤추러 다니거나 머리 염색하고 가죽잠바 입고 도로를 폭주하는 부류들이다.

格이 좋아서 印綬와, 혹은 官과 조화를 이루면 의료, 정치, 공학, 농축업, 육영, 연예계로 진출하여 성공을 하게 되는데 조화를 이루지 못하면 도둑, 불법, 탈세, 밀수, 마약과 인연이 많게 된다. 범법인자가 있기 때문이다. 폭발적인 인기로 큰 재물도 얻고 성공가도를 달리던 가수나 배우가 대마초나 마약과 같은 범법인자로 인해서 하루아침에 구속되고 나락으로 떨어지는 例도 종종 보게 된다.

戊	辛	乙	甲
子	未	亥	子

(羅壯元의 명조, 자평진전)

甲	癸	庚	辛
寅	酉	寅	亥

(연예인 사업가 신동엽 명조)

癸	己	丙	丙
酉	酉	申	午

(연예인 강수연 명조)

壬	乙	乙	壬
午	卯	巳	戌

(유흥업소, 女命)

己	己	壬	己
巳	未	申	巳

(유흥업소, 女命)

正財格

月令에 正財를 얻고 天干에 透干하거나 地支에 三合, 方合을 이루면 正財格이 된다. 刑, 冲, 破, 害, 空亡이 없어야 한다. 이런 것들이 있으면 格이 많이 탁해진다.

	甲	
	丑未	

	乙	
	辰戌	

	丙	
	酉	

	丁	
	申	

	戊	
	子	

	己	
	亥	

	庚	
	卯	

	辛	
	寅	

	壬	
	午	

	癸	
	巳	

正財는 일확천금을 꿈꾸지 않고 벼슬을 통한 고정적인 수입, 財利에 대한 합리적이고 건전한 사고방식을 의미한다. 손발, 일의 역할을 하는 食/傷의 결과물을 의미한다. 財가 없으면 결과물이 잘 만들어지지 않는다. 그래서 결과가 확실히 보이지 않으면 투자를 하지 않는다. 결과론 주의자, 안전제일 주의자이다. 月은 父母 자리의 고정적, 안정적, 합리적인

財物을 나타내는데, 부모의 재력, 부모로부터 얻는 금전적 혜택을 의미한다. 日支와 연결성이 좋으면 내 재물이 되고 나쁘면 상속으로 받기가 쉽지 않다. 보통사람은 日支와 月令이 서로 冲이 되는 경우인데 冲이 되고 있으면 부모가 가산을 탕진한 경우이거나, 가난을 대물림 받은 경우가 많다. 또한 청년기, 학문 정립기에 印綬를 강하게 克制 하는 것이라서 공부에 방해가 올 수도 있으나 正財格의 속성상 格을 이룰 만큼의 공부는 최소한 하게 된다. 官과 조화를 이루면 경영학과, 印綬와 조화를 이루면 경제학과, 섬세한 것을 의미하는 飛刃이나 羊刃과 무리를 지으면 회계학과, 상관과 조화를 이루면 마케팅, 역마와 관계가 있으면 무역학과로 진학하게 되는 인연이다.

庚	丙	癸	己
寅	寅	酉	巳

(名利兩全, 자평진전)

偏財格

月令에 偏財가 있고 천간에 투출하면 편재격이 되는데 冲, 刑, 破, 害, 空亡으로 格이 탁해지지 않으면 成格이 된다. 正財와 함께 財星으로 묶기도 하지만 偏財는 大財를 다루려하고, 독립적으로 財를 다루어 보고자 하는 금전융통, 투기적 성향이 많아서 正財와 많이 다르다. 陰陽이 치우쳐 있어서 안정적이지를 못 하고 성쇠 기복이 많다.

	甲				乙	
	辰戌				丑未	

	丙				丁	
	申				酉	

	戊				己	
	亥				子	

	庚				辛	
	寅				卯	

	壬				癸	
	巳				午	

　청년기, 학문 정립기에 편재가 있음은 학문을 자꾸만 방해
하는 것을 의미한다. 책을 펼쳐 놓았는데 여자 친구가 책갈
피 사이에 어른거리고 열심히 글을 쓰고 있는데 보면 연애
편지를 쓰고 있다. 음양이 조화를 못 이루고 있으니 부모덕
이 빈약하다. 한 때에는 덕이 있었으나 亡失되는 경우이다.

편재가 강하니 父집안의 세력이 강한 경우가 많다. 학문은 주로 상과계열과 인연이 많다. 정재와 약간의 차이를 둔다면 正財가 경제학, 경영학 등 고정적 월급이 되는 미래의 직업을 준비하는 학문이라면 편재는 주로 남의 재물을 다루는 분야 가끔씩 왕창 잃어버리고 욕먹는 분야의 직업과 관련된 학문 즉 증권, 보험, 펀드, 감정평가, 자산관리, 특허관련학문과 인연이 많다.

다루는 재물이 正財는 주로 자기 재물로 사업을 하거나 일을 펼친다면 偏財는 내 돈과 남의 돈이 섞인 사업을 한다.

戊	甲	庚	乙
辰	午	辰	酉

(毛壯元의 命造, 자평진전)

丙	癸	丙	丁
辰	酉	午	酉

(회계, 행정, 乾命)

正官格

月令에 正官이 있고 天干에 透出하면 正官格이 되는데 刑, 冲, 破, 害, 空亡이 되지 않아야 成格을 한다. 방해를 받으면 格이 많이 탁해진다.

	甲	
	酉	

	乙	
	申	

	丙	
	子	

	丁	
	亥	

	戊	
	卯	

	己	
	寅	

	庚	
	午	

	辛	
	巳	

	壬	
	丑未	

	癸	
	辰戌	

正官은 선비의 별이다. 법과 질서, 사회규범을 잘 따르고 예의 바르다. 上命下伏의 사회였던 유교시대에는 잘 어울리는 별이다. 강제성이 없어도 서로가 자발적으로 지켜나가는 사회적 약속, 윤리규범, 사회질서다. 거리에 교통경찰이 없어도 지키는 신호등과 같은 도로 위의 약속이다. 보수성향이 강하고 대중을 크게 의식한다. 자존감, 명예, 자부심이 강하

다. 혁명과 같은 갑작스런 변화를 피하고 안정된 삶, 계획된 삶, 일과표를 그려놓은 대로 어제도, 오늘도, 내일도 살아가는 것을 선호한다. 官印의 소통에 따라 그릇의 크기가 결정되기는 하지만 공직에 어울리는 별이다. 관인이 소통하여 어울리게 되면 공무원, 대기업 행정에 적합하고, 印綬가 강하면 결재권도 강해진다. 상관과 어울리면 기술관련 조직, 특수직, 전문기술직과 인연이 많고 財와 무리 지으면 경영직, 혹은 대기업 납품업, 프랜차이즈, 은행조직, 기획재정부 등과 인연이 많다. 官이 比劫과 어울리면 스포츠 관련조직, 선관위, 증권사와 인연이 많다. 관인소통이 조화로우면 공기업차관, 대기업행정의 임원으로 승진이 된다. 교수직과도 관련이 많다. 官이 많으면 동사무소 직원, 대민봉사, 미관말직이다.

庚	丁	丁	乙
戌	未	亥	卯

(金 壯元의 命造, 자평진전)

偏官格

月令이 偏官이고 天干에 투출하면 偏官格이 되는데 偏官은 古典에서 七殺이라 하여 맹폭성을 지니기 때문에 凶神으로 보았다. 吉格으로 成格 하려면 羊刃으로 조화를 이루거나 食神으로 克制를 하거나 인수로 引化하거나 合으로 세력을 순화 시켜야 한다. 正官이 많아서 신약하면 正官은 七殺과 같은 역할을 하고 偏官, 七殺이 약하고 비겁이 많아 신강하면 七殺은 正官의 역할을 하게 된다.

	甲	
	申	

	乙	
	酉	

	丙	
	亥	

	丁	
	子	

	戊	
	寅	

	己	
	卯	

	庚	
	巳	

	辛	
	午	

	壬	
	辰戌	

	癸	
	丑未	

偏官의 凶暴性, 잔인성으로 인해 호랑이에 비유를 하기도 하는데, 日干, 양인, 비겁과 陰陽조화를 이루면 凶暴性을 띤 강한 역동성과 강제성이 긍정적인 작용을 하게 된다. 군인, 경찰, 법관, 조폭, 정치, 금융과 같은 권력성 직업과 인연이

많다. 正官이 임명직이라면 偏官은 선출직으로 볼 수 있다. 正官이 제도권 내의 명예 추구라면 偏官은 비제도권의 명예를 추구한다. 偏官이 많으면 正官이 많을 때처럼 미관말직, 대민업무, 동사무소 직원이다.

官星이 없으면 자기중심적인 사람이 되어 조직에 맞지 않는다. 관이 식신이나 비겁으로 조화를 이루어야 한다. 부모 자리에 득세한 偏官이라서 엄격한 부모를 뜻하기도 하고 부모에게 닥치는 횡액, 사고, 질병이 발생하는 것을 의미 할 수도 있고 청년기에 생기는 어깨 상처가 될 수도 있다.

偏官이 양인을 만나 조화로우면 현달한다고 했다. 지위가 왕후장상이라 했다.

偏官이 비겁을 만나면 선관위, 정치, 깡패, 증권회사, 스포츠관련 조직과 인연이 많다.

偏官이 식상을 만나면 의료조직, 교육, 전문기술직, 특수직과 인연이 많다.

偏官이 재성을 만나면 경영직, 대리점, 관납사업, 프랜차이즈와 인연이 많다.

偏官이 인성을 만나면 법무, 공학, 女命에게는 陰陽이 조화롭지 못해 남편 덕이 부족할 수가 있다. 다 채워지지 않는 남편의 애정, 건강, 경제력, 동거를 의미한다. 반면에 正官은 음양이 조화로워서 다 채워지는 남편이 된다.

辛	壬	戊	丙
丑	戌	戌	寅

(何參政의 命造, 자평진전)

正印格

　月令이 正印이고 天干에 투출하여 있으면 正印格이다. 이때
沖, 刑, 破, 害, 空亡이 되면 格이 탁해진다.

	甲		
	子		

	乙		
	亥		

	丙		
	卯		

	丁		
	寅		

	戊		
	午		

	己		
	巳		

	庚		
	丑未		

	辛		
	辰戌		

	壬		
	申		

	癸		
	酉		

正印이 格을 이루면 평생 학문을 떠나지 않는다. 광산 개발권, 인허가권과 같은 유형, 무형의 이권, 자격증을 의미한다. 正印은 陰陽이 잘 짝지어져 있으므로 부모의 덕도 원만하고 여유롭다. 官印소통이 잘 되어 있으면 청소년기에 학업 성취가 원활하고 승진에 무리가 없다. 청년기, 학문 정립기에 학문성이 강하게 임해 있으니 학문성취가 순조로운데 인문학, 행정학에 관심이 많다. 인성은 식상을 묶는 역할을 하는 것이니 인성이 格을 이루면 손발을 움직이지 않고서도 財物을 얻을 수 있는 직종과 인연이 많다. 부동산 임대업, 자격증 대여, 컨설팅, 인문학 교수직 등과 인연이 많다. 인성이 많으면 인내력, 지구력도 있어서 책상 앞에 앉아서 오래 버티는 힘, 한 가지 일에 몰두하여 연구하는 힘이 되지만 지나치게 많으면 생각만 많이 하고 손발을 움직이려 하지 않으니 게으르게 된다.

인성이 비겁을 만나면 주식, 증권교육, 이공학문, 기술교육, 전문직교육 등에 종사하게 된다.

인성이 식상을 만나면 필설, 작가, 교육, 전문기술자격과 관련이 많다.

인성이 재성을 만나면 경제학, 상과교수 등 상업계열의 학문과 인연이 많다.

인성이 관성을 만나면 법무, 행정과 인연이 많다.

인성이 刑이 되면 법무, 공학, 가공과 관련된 공부를 하고 인성이 冲을 당하거나 역마와 어울리면 무역, 조선, 항공, 통신, 자동차 관련 학문을 하고 인성이 空亡이 되면 종교, 철학, 외국어, 천체학과 관련이 많다.

壬	辛	戊	丙
辰	未	戌	戌

(朱 尙書의 명조, 자평진전)

丁	庚	丁	己
丑	申	丑	亥

(종교인, 坤命)

庚	癸	壬	甲
申	亥	申	申

(서울법대, 역술인)

偏印

月支가 偏印이 되고 冲, 刑, 破, 害, 空亡이 없으면 偏印格이다. 冲, 刑, 破, 害, 空亡이 되면 格이 탁해진다. 현대는 유교중심의 사회가 아니라 다양한 학문, 직업분야가 있어서 四柱原局이 조화를 이루면 그 자체로 格을 크게 한다.

偏印은 음양이 짝지어지지 않는 것이기 때문에 같은 印星이라도 正印이 의미하는 것과는 많이 다르다. 고전에는 偏印이나 정인을 분리해서 보지 않고 하나의 格으로 보았는데, 봉건사회에서는 무난할 수도 있으나 오늘날에는 正印과 偏印을 구분 할 필요가 있다. 정인이 원칙적이고, 일반적이고,

전통적이고, 보수성을 지닌다면 偏印은 남들이 생각지 못한 특별한 분야, 전문분야에 대한 공부를 한다. 正印이 인문학, 행정에 관한 학문이라면 偏印은 이공계열, 의료, 종교, 철학과 같은 학문에 인연이 많다.

	甲	
	亥	

	乙	
	子	

	丙	
	寅	

	丁	
	卯	

	戊	
	巳	

	己	
	午	

	庚	
	辰戌	

	辛	
	丑未	

	壬	
	申	

	癸	
	酉	

偏印이 陽에 속하고 四柱原局이 주로 陽의 속성을 가진다

면 이공계열, 전문기술, 공학 등 현실적인 학문에 인연을 맺고 偏印이 陰에 속하고 四柱原局이 주로 陰의 속성을 가진다면 종교, 철학, 우주천체학에 관심을 갖거나 산중에서 도를 닦는다. 육임, 기문둔갑과 같은 분야에 관심을 가지고 공부한다. 偏印이 무리지어 있는 글자와 조화를 잘 이루고 있으면 철학자, 종교인, 대학교수, 공학자로 성공할 수 있지만 格을 이루지 못하면 백수건달이 된다. 남에게 의존하려고 하는 게으르고 무능력한 사람이 된다. 청년기의 학업 정립기에 偏印이 강하게 자리하고 있으므로 학문의 깊이가 깊고, 원활하다고 할 수 있다.

偏印이 비겁과 무리 지으면 이공학문, 주식, 증권, 스포츠공학과 관련된 학문에 인연이 많다.

偏印이 식상과 어울리며 격을 이루면 전문기술, 교육, 육영, 인허가 사업과 인연이 많다. 偏印이 食神과 함께 있으면 梟神 혹은 倒食이라고도 하는데 밥그릇을 엎는 것이 되니 직장이나 개인 사업에 기복이 따르게 된다.

偏印이 재성과 무리 지어 있으면 경제학, 대학교수 등과 인연이 많다.

偏印이 관성과 무리 지어 있으면 법무, 행정, 공학과 인연이 많게 된다.

丁	庚	戊	辛
丑	寅	戌	卯

(정몽준회장, 서울대경제학과)

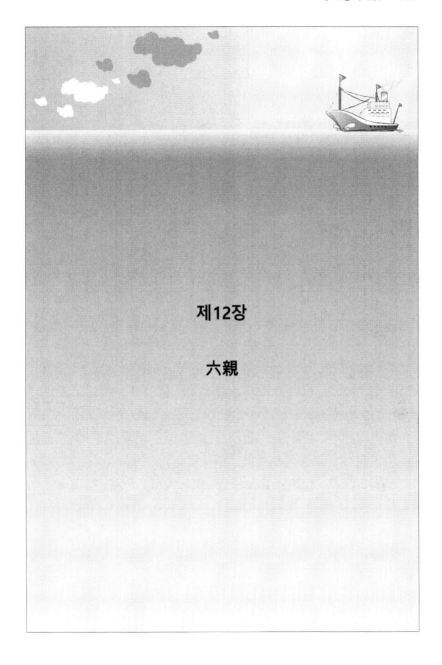

제12장

六親

제12장   六親

日干을 나로 보고, 일간중심으로 원국에 있는 글자와의 관계를 정해놓은 것이 육친이다. 원국의 각 글자와 일간과의 관계를 먼저 설정하고 이를 통해서 그 사람의 성정, 타고난 환경, 앞으로 살아가면서 맞이하게 될 삶의 양식, 관계의 변화와 조화, 쉽게 발병하게 되는 病因 등을 알아보고자 하는 것이다. 이 육친의 분류를 통해서 인간의 삶에서 이미 정해진 변개할 수 없는 숙명적인 부분과 변개 가능한 운명적인 부분의 선택 범위를 알고자하는 것이다. 사람이 태어나면 부모형제가 숙명적으로 정해짐으로 인해서 살아가면서 맞이하게 되는 많은 삶의 양식이 정해지게 되고, 선택의 범위도 정해지게 된다. 부모는 바꿀 수가 없다. 부모의 빈부귀천, 학식, 성정, 사는 지역에 따라서 내가 선택할 수 있는 범위가 많이 정해지게 된다는 말이다. 내가 태어날 시점의 부모의 부귀빈천과 학식, 사는 지역은 순간에 바꿀 수는 없다. 하지만 살아가면서 이것들은 변개될 수가 있다. 이것들이 변개됨에 따라서 나의 성장환경이 많이 달라질 수도 있다. 입는 옷이 달라지고, 다니는 유치원이 달라지고, 만나는 또래들이 달라지고, 사는 집이 달라지고, 삶의 양식이 달라질 수가 있다. 부모는 바뀔 수가 없지만 부귀빈천은 일정 범위 안에서 바뀔 수가 있다. 여기서 바뀔 수 없는 부모와 일정 범위 안에서 바뀔 수 있는 환경, 선택할 수 있는 범위, 타고난 성정이 만들어낼 수 있는 나의 노력과 선택으로 말미암아서 바꿀 수 있는 것들을 알아보고자 하는 것이다.

甲을 예로 들면,

비견	겁재	식신	상관	편재	정재	편관	정관	편인	정인
甲	乙	丙	丁	戊	己	庚	辛	壬	癸

비견	겁재	식신	상관	편재	정재	편관	정관	편인	정인
寅	卯	巳	午	辰戌	丑未	申	酉	亥	子

比肩

비견이란 일간과 같은 천간, 음양이 같은 地支를 일컫는다. 甲 일간을 예로 들면, 甲 일간이 사주원국에서 또는 운에서 만나는 甲이나 寅이 비견이 된다. 비견은 육친으로서는 동성 형제자매를 지칭한다. 친구를 의미하기도 한다. 甲日干이 甲이나 寅을 만날 때, 乙日干이 乙이나 卯를 만날 때, 丙日干이 丙이나 巳를 볼 때 모두가 비견이라고 일컫지만 그 의미는 모두가 다르다. 육친의 보편적 의미는 동일하나 세부적인 해석을 위해서는 육친과 함께 각각의 十干, 十二支의 字意가 갖는 의미와 상황을 달리보아야 한다.

비견은 동일한 오행이니 나와 지향하는 방향성이 같고 同

色이다. 天干의 비견은 정신적 지향성, 사상, 사고, 추구하는 경향성, 취향이 같을 것이고 地支의 비견은 내가 참견하고 있는 상황이나 양태의 현실적인 모습이 같을 것이다. 우의, 상부상조, 협동, 공동분배, 동업, 협력자, 친구, 형제를 의미하고 財星을 克하기 때문에 금전적 소비를 의미하기도 한다. 劫財가 대체로 타의적인 소비, 즉 강탈의 의미를 지닌다면 比肩은 자의적인 소비를 뜻한다. 또한 경쟁심, 투쟁심, 소유욕심을 뜻하기도 한다.

天干의 비견은 동업자의 존재로 인해 발생하는 정신적인 번거로움이 발생하고 일이 지연되기도 하며 정신적인 갈등을 겪기도 한다. 지지에 비견을 만나면 祿이라고 일컫는다. 건강이나 수명을 상징한다. 일간의 뿌리가 되기 때문이다.

劫財

劫財는 일간과 동일한 오행에 속하지만 음양이 다른 天干이나 음양이 다른 地支를 일컫는다. 甲日干을 예로 들면, 甲일간이 사주원국에서나 운에서 乙과 卯를 만날 때이다. 겁재는 형제자매를 칭하는데 주로 이성형제자매를 칭한다. 친구도 된다.

겁재가 일간과 동일한 오행이기는 하나 음양이 다르므로 인해 힘의 방향성이 반대가 된다. 비견이 순방향의 경쟁자, 선의의 경쟁자, 자의의 분배라면 겁재는 반대방향의 경쟁자, 반드시 이겨야만 하는 경쟁자, 타의에 의한 강압적 분배, 강탈, 차압, 부도, 우환, 파란, 동요, 폭력, 변덕, 克妻, 克父의 의미를 뜻하기도 한다. 적자생존의 자연의 논리와도 같이 살아남기 위한 배신, 경쟁, 강탈, 전투를 하게 된다. 겁재는 남의 재물을 취하는데 합법적인지 불법적인지를 구분하지 않고 목적을 달성하고자하는 경향이 강하기 때문에 강탈의 별이라고 하며 그래서 大財의 별이라고도 한다.

天干의 겁재는 실제 행동면에서는 그리 강하지 않으나 정신적인 잔인성을 동반하기도 하여 고전에는 紫暗星이라고도 일컫는데 인간사의 형벌을 주관한다고 했다. 지지의 겁재를 羊刃이라고 일컫는데 지지의 겁재는 적자생존을 위해서는 타인을 해치기도 하며 스스로 정당화하기도 한다. 양인은 하늘에서는 흉한 별이고 인간에게는 凶殺이다. 原局에 羊刃이 있으면 傷妻, 傷身, 災殃의 가능성이 배태된 것으로 보지만 七殺(偏官)과 조화를 이루면 大財를 이루기도 하며 사법관, 군인 등 권력성 기관으로 진출하는 사람이 많고 스포츠 등에 두각을 나타내기도 한다.

食神

식신은 甲일간에서 보면 丙과 巳가 된다. 여명에서는 아들이 된다. 남명에게는 처를 낳아주는 육친이니 장모가 된다. 조모가 되기도 한다. 일간의 건전한 배설처로서 재능이나 자신을 표현하는데 뛰어나며 지혜를 관장하기 때문에 文昌貴人이라고도 하고, 수명을 관장하기 때문에 壽星, 벼슬을 관장하기 때문에 爵星이라고도 한다. 자신의 타고난 능력으로 재물을 구하는데 인위적이질 않고 자연스럽게 이루어지는 별이다. 식록이 풍부하고 풍족하고 안락한 삶을 펼침으로 인해 긍정적이고 낙천적이다. 상식적인 방법으로 조화를 모색할 수 있는 수단이기도하고 표현력, 창의력, 전문기술, 활동이기도 하다. 교육, 기술, 의료, 예능, 필설을 의미하기도 한다. 상관과 대비하여 상관이 인위적이라면 식신은 자연적인 것이다. 상관이 온실의 꽃을 기르는 것이라면 식신은 야생화를 산야에 기르는 것과 같다. 상관이 양계장 케이지에서 닭을 기르는 것이라면 식신은 자연방사하는 것과 같다. 굳이 머리를 많이 쓰고 근심을 하고 피땀을 흘리는 특별한 노력을 하지 않아도 의식주가 풍부하고 자연스럽게 할 일이 생기고 재물이 생기기 때문에 모든 면에서 느긋하다. 오랫동안 지지 않고 피어있는 무궁화와 같은 연속성을 지닌다. 편관을 극제하기 때문에 흉폭한 칠살을 다스려 재상이나 변방의 장군이 되기도 하지만 식신이 지나치게 많으면 게으르고 일이 지연되고, 잔꾀가 많아지며 官을 剋制하기 때문에 무법자가 되기도 한다. 女命일 경우에는 剋夫하기 때문에 좋지 못한 경향이 있다.

傷官

 상관은 甲일간에서 보면 丁과 午가 된다. 육친으로서는 여명에게 딸이 되고 남명에게는 조모, 조부가 된다. 식신과 마찬가지로 배설처이기도 하지만, 官星을 깨뜨리기 때문에 불법, 편법, 기존의 틀을 깨는 행위를 많이 한다. 자기표현이나 화술, 속임수, 연기가 탁월하다. 보통사람이 생각해내지 못하는 기발한 수단을 동원하여 자신의 목적을 이루어낸다. 언론, 방송, 예능, 필설, 스포츠, 의료, 교육, 육영, 기술 분야에 특별한 능력을 타고나며 천재성을 지니고 있다. 기존의 제도에 늘 저항할 논리와 방법을 창안하며 규칙, 사회조직에 구속되는 것을 거부하고 독자적인 자유로운 정신으로 살아가고자한다. 인위적인 노력과 정성을 기울이며 육영하기를 선호하고 다재다능하고 민첩하고 약삭빠른 면이 있으나 자신이 해놓은 능력이나 업적에 대하여 의외의 자존심과 의협심을 갖고 있다.

상관의 직업적 특성이나 종류는 너무 다양하지만 정부조직, 대기업, 공기업 등과 같은 기존의 조직, 정형화되어 있는 조직사회에 소속되는 것을 원치 않는다. 규범, 조직을 나타내는 관성을 깨뜨리는 별이기 때문이기도 하다. 천재적인 예술성, 기발한 아이디어, 필설, 기술에 탁월한 만큼 틀에 매이지 않아서 직업분류도 다양하다.

偏財

편재는 甲일간에서 보면 戊, 辰, 戌이 된다. 육친으로서는 남명에게는 부친, 첩이나 후처가 되고 여명에게는 친가부친, 시부모가 된다. 편재는 일간과 음양이 치우친 상태로 맺어진 관계이므로 온전하지 못하다. 식신, 상관의 사회적 활동으로 얻어지는 결과물을 의미하기는 하지만 정재와는 대조적이다. 편재는 대체로 사업성, 투기성을 의미하고 타인의 재물을 융통하거나 남의 소유물, 타인의 생산 수단을 빌려서 재물활동, 사회활동을 하는 것이다. 호탕, 횡재, 허욕, 과시하고자 하는 성향을 지니고 있으며 내 것과 남의 것을 구분하지 않으므로 낭비성향이 있다. 유동적이고 투기적인 자본 활용을 잘 하며, 이해관계에 무척 타산적이며 실리적이다. 내 것이 없기 때문에 더 많은 노력을 하게 되지만 근본적으로 술수에 능한 총명의 별이기도 하다. 편재가 술수위주의 총명함을 지닌다면 정재는 노력을 통한 총명함을 얻는다고 볼 수 있다. 남의 자본을 활용을 하기 때문에 극빈, 극부를 오고갈 수 있는 것도 편재의 한 특성이다.

正財

 정재는 甲일간에서 보면 己, 丑, 未가 된다. 육친으로서는 妻가된다. 정재는 식신, 상관의 사회적 활동으로 얻어지는 결과물을 의미하기 때문에 주로 노동의 대가로 얻어지는 재물로 본다. 시장, 현금화의 통로, 현금재산을 의미하는데 재산 중에서도 월급과 같은 고정적인 재산을 의미하며 보수적이고 근검절약, 인색함, 총명함, 성실과 근면성을 의미하기도 한다. 정재는 음양의 짝을 이룬 것이기 때문에 재물활동에는 늘 안정적이며, 자연스럽게 재물의 문이 열리고 때가 되면 월급통장에 재물이 쌓이는 것과 같이 재물이 정기적으로, 고정적으로 쌓이는 것이다. 편재와 같은 대범함이나 낭비, 투기성을 지니고 있지 않으며 헛된 꿈을 꾸지 않는다. 줄 것과 받을 것은 인색하리만큼 철저하게 계산을 하는 경향이 있기도 하다. 단기적 투자보다는 장기적 안목으로 투자를 하되 결과가 확실하게 예측이 되는 안정적인 분야에 투자를 한다. 재물에 인색하지만 사회적 책임은 언제나 완수하고자 하며 공과 사를 늘 구분한다.

일간에서 보면 식신, 상관은 손발이 되고 재성은 내가 부릴 수 있는 수하인, 종업원, 제자가 된다. 내가 다스릴 수 있는 존재, 제어할 수 있는 존재이다. 자신의 손발인 식신, 상관을 활용하기보다 수하인, 종업원을 다스리고 경영하는 것에 능력이 있다. 財運의 시기를 지나오면 나와 반대의 기를 소모하여 그 결과물로 재산을 이루었기 때문에 그만큼 건강을 잃고 수명이 단축되기도 하지만 음양이 조화로우니 기쁨으로 감수한다.

偏官

편관은 甲일간에서 보면 庚, 申이 된다. 육친으로서는 아들이 되고 여명에게는 기둥서방, 애인이 되기도 한다. 편관은 나를 극하는 별인데 나에게서 일곱 번째의 별이라서 七殺이라고 부른다. 정관이 문관이고 행정이라면 편관은 무관이며 사법에 해당된다. 나를 총칼로 강제적으로 극제하고 통제하는 것으로서 군인, 경찰, 검찰, 권력형 특수기관, 정치권력조직과 같이 나를 강압적으로 얽어맬 수 있는 힘있는 조직을 의미한다. 편관을 호랑이에 비유하는데 남을 물어죽일 수 있는 포악성, 투쟁성, 권력욕, 권모술수, 폭력, 용맹함, 만인 위에 군림하고자하는 영웅심, 우월감, 정의감, 책임감을 의미하기도 한다. 편관의 기세가 심하게 기울어져 있으면 사고, 질병, 세균성 질환, 傷身을 부르기도 하며 년월주에 있으면 어릴 적 입은 傷身의 흔적을 지닐 수도 있다. 食神과 陽刃과 조화를 이루면 재상의 지위를 얻을 수가 있다고 했다. 정관은 부여되는 초등학교 줄반장, 임명직, 월급사장, 공무원, 승진이 순조로운 사회조직의 직원을 의미한다면 편관은 학생회장, 로타리 클럽회장, 국회의원 같은 선출직을 의미한다.

正官

정관은 甲일간에서 보면 辛,酉가 된다. 육친으로서는 딸이 되고 여명에게는 남편이 된다. 정관은 음양이 조화를 이루고 있으므로 편관과 비교할 때 완벽하게 채워줄 수 있는 것이므로 남편이 된다. 혼인을 함으로써 법적 신고가 되어있고, 사랑을 하고, 자식을 낳아서 가정을 정립하고, 경제력을 지닌 남편이 된다. 조직의 속성은 행정, 공무, 무사안일, 사회질서, 보수성을 지니며 정치적 색채를 갖지 않는다. 이미 정해진 법, 사회규범, 조직의 규칙이 있어서 쉽게 바꿀 수 없는 것이다. 원리원칙, 공공의 안녕을 중시하며, 편안한 사회생활을 위해서 모든 사람이 자연스럽게 자발적으로 지켜나가는 공통적 법규, 생활질서를 의미한다. 강제성, 폭력을 휘두르지 않더라도 모두가 지켜나가는 도덕, 관습이 되며 나보다는 타인, 공공의 목적을 먼저 생각하는 마음, 사리사욕을 배제하고 공익을 먼저 생각하는 마음이다. 도로에 나타나서 수시로 멈추게 하는 도로경찰이 편관이라면 보든지 안보든지 지키게 만드는 교통신호등은 정관이 된다.

偏印

편인은 甲일간에서 보면 壬과 亥가 된다. 육친으로서는 계모가 된다. 정인과 마찬가지로 학문의 별이다. 편인이 나를 생해주는 별이긴 하지만 음양이 조화를 이루지 못하고 기울어있기 때문에 엄마와 같은 사랑을 받고 자라는 것이 아니라 계모 밑에서 구박을 받으며 눈치를 보며 자라는 신데렐라와 같다. 계모 밑에서 구박을 받으며 자라니 눈치가 빠르고 재치가 있고 행동이 민첩하다. 살아남기 위해서는 지혜로워야하고 눈치가 빠르고 재치가 있어야하며 행동이 아주 민첩하여야 한다. 모든 것을 스스로 해결해야하기 때문이다. 식신이나 상관은 여러 가지 생활 수단, 방편이 되는 것이지만 편인은 그렇지 못하니 하늘을 바라다보고 도움을 요청해야 한다. 그래서 편인의 별을 가지면 종교, 철학, 심리학, 발명에 관심을 가지게 되고 이공계, 공학, 의학, 과학 분야에 재능을 가지게 된다. 남들이 생각지 못하는 기발한 방법으로 일을 해결하고자 하기 때문에 특별한 기술이나 기능, 예술적 재능을 가지게 된다. 전문분야의 자격증을 취득하기도 하나 손발이 없으므로 일이 더디고 지연이 된다. 손발 없이, 수단이나 방편 없이 목적을 달성하여야하기 때문에 임기응변에 능하게 된다.

편인이 식신을 보면 엄마를 잡아먹는 올빼미와 같아서 梟神이라고도 하고 밥그릇을 엎어버린다고 해서 倒食이라고 하기도 한다. 편인이 수명, 장수의 별인 식신을 극제하기 때문에 건강장애의 별이기도 하다. 세속적이기 보다는 하늘을 많이 생각하고 움직이질 않고 사고에 몰두하는 경향 때문에 세상에 대하여 비판적 사고를 가지게 된다. 하지만 행동을 위해 나서게 되면 엄청난 잠재력과 반발력을 폭발시킨다. 몇 년간 팔리지 않아서 묵혀두었던 땅이나 건물이 갑자기 몇 배로 값이 오르기도 하는 것이 또한 편인의 특성이다.

印綬는 결재를 의미하는데 官과 어우러져서 높은 지위를 나타내기도 하고, 도장이 찍힌 문서를 의미하기도 한다. 편인은 일간과 음양이 짝을 지우지 못해 기울어져 있는 모습이라서 부동산이라 하더라도 산간지방, 시골, 건물사이에 기형적으로 생긴 땅, 잘 팔리지 않는 부동산, 허름한 건물을 의미하기도 한다. 재산집약의 형태인 문서, 기술집약의 형태인 자격증, 소유권의 집약을 나타내는 등기권, 행위를 할 수 있는 모든 권한을 나타내는 인,허가권과 같은 무형의 권리를 뜻하기도 한다. 재성이 금전형태의 재산을 의미한다면 인성은 수표, 집문서(건물등기등본), 인,허가증을 의미한다.
사물이나 사람의 외관을 보기 보다는 내면의 심성, 학식을 더 중요시하는 경향이 있으며 이성을 볼 때는 외모를 보기보다 내면의 가치를 더 중요시하고 높고 깊은 학식, 정신세계를 소유한 이성에 매력을 느낀다.

正印

정인은 甲일간에서 보면 癸와 子가 된다. 육친으로서는 엄마가 된다. 엄마의 보살핌과 교육을 안정되게 받았기 때문에 생각이나 삶이 늘 안정되고 걱정이 없다. 사려가 매우 깊고 질서 없이 망동을 부리지 않고 서두르다가 일을 그르치거나 하지 않는다. 설령 일을 그르치더라도 그렇게 걱정을 하지 않아도 될 엄마의 보살핌이 늘 등 뒤에 있다. 계모인 편인과는 달리 음양의 조화를 이루고 있기 때문에 엄마의 사려가 깊은 보살핌으로 인해 안정된 삶 속에서 좋은 교육을 받고 열심히 공부할 수가 있게 되는 별이다. 적절한 통제와 조절력으로 도덕성을 지니고 학문을 하는 선비적 기질을 지닌다. 보수적 성향, 책임감, 의무감, 학위, 국가에 속하는 인허가, 문서재산, 자격증, 바른 양심, 관대함, 사회규범, 질서, 예절을 지니게 된다. 편인이 이공계라면 정인은 인문학 관련 글공부를 하게 된다.

정인은 바른 생각으로 정로를 걷는 별이기 때문에 일이 더디 진행되고 이루어지는 답답함은 있으나 오래도록 변하지 않는 장점도 지니고 있다. 미래지향적인 별이다.

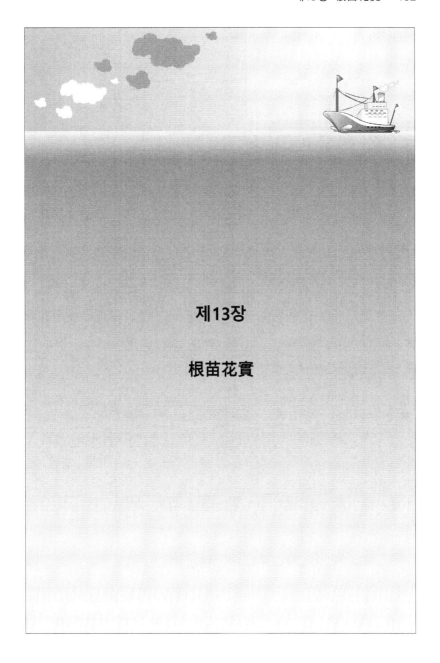

제13장

根苗花實

제13장 根苗花實

年月日時 四柱의 특성을 年月日時 공간적, 시간적 흐름으로 이해를 하고 運命을 파악하고자 하는 것이 根苗花實이다. 육친, 음양오행, 각종 신살, 글자간의 관계와 작용, 천간과 지지의 조화를 살펴보고 사주의 특성, 운명의 행로를 이해하고 그 변화를 읽어내는 것이다.

年은 뿌리요, 시작, 출발에 해당하며, 月은 싹에 해당하며, 日은 과정 時는 그 결말, 열매를 뜻한다. 四柱 여덟 글자가 어우러져 하나의 인격체가 형성되고 운의 흐름이 결정되는 것이지만 시간의 흐름에 따라 年月日時 순서대로 특성, 직업, 환경 등이 변화한다. 이 변화를 읽어내기 위해서 根苗花實 이론을 사용하는 것이다.

年은 태어난 해이다. 근본적으로 태어나면서 부여되는 환경, 즉 부모조상과 나와의 관계, 태어난 장소, 부모의 직업적 특성이라고 볼 수 있는데 바꿀 수 없는 환경이라고 보면 된다. 祖父母가 결정되어 있고 父母가 어떤 사람인지 직업적 특성이 무엇인지 부귀빈천이 어떠한지가 결정이 된다. 年은 나의 뿌리가 되므로 조상으로부터 이어져 내려오는 유전적 기질, 습성적 성향이 된다. 어제 하던 일을 오늘 아침에 자고 일어나 계속해서 하는 것과 같다.

어제 밭에서 파종을 하고 있었다면 오늘 아침에 일어나면 어제 입었던 같은 類의 옷을 입고 어제와 비슷한 생각을 가지고 동일한 농기구를 가지고서 동일한 밭에 나가서 어제 하던 일을 이어서 하려는 행위적 환경이 年月日時柱 즉, 四柱의 흐름인데 그중에서도 年이다. 뿌리가 어떠하면 거기서 나는 싹도 어떠할지를 아는 것과 같이 뿌리가 놓여지는 것이 중요하다. 사람의 전반적인 기질, 가치관, 정신적 지향성에 지대한 영향을 미치는 터전이기 때문이다.

月은 年에서 시작된 환경이 이어져 나가는 것과 같은데 부모, 형제, 친구와 같이 태어나서 어우러질 수 있는 환경을 의미한다. 月柱가 年柱의 글자와 조화를 잘 이루고 있으면 부모의 유산, 부모의 유업, 부모의 家風을 잘 이어받을 수도 있고 자라는 환경이 조화롭게 갖추어질 수 있다. 부모가 뿌린 씨앗을 내가 어떻게 가꾸어 나갈지 그런 환경이 만들어진다고 볼 수 있다. 年에서 만들어진 환경이 月에서 잘 이어나갈 수도 있고 그렇지 않을 수도 있다. 태어난 고향에서 떠날 수도 있고, 조상의 가업이나 빈부귀천이 부모 대에서 바뀌어 질 수도 있다. 유교시대에는 고향을 떠나서 벼슬을 하다가도 나이가 들면 고향으로 돌아가서 여생을 보냈다. 자손 대대로 살아갈 터전을 마련하여 타지로 갔다가도 돌아갈 고향으로, 죽어서라도 돌아가려고 했던 시절이 있었다. 錦衣還鄉하는 것을 인생의 최고의 德目 중의 하나가 되던 시절이다. 立身行道 揚名於後世 以顯父母 孝之終也(입신하고 도를 행하여 이름을 후세에 떨치고 그리함으로써 부모를 나타내는 것이 효도의 마침이라). 당시에는 고향을 떠나서 타향살이 하는 것을 죄짓는 것으로 여겼을 뿐 아니라 죽어서 고향에 묻히지 못하고 客死하는 것을 凶한 일로 여겼다. 지금은 환경이 많이 변한 것이지만...

어제 파종하던 일을 아침에 일어나서 다시 이어서 하다가 낮이 되면서 파종을 그만두고 다른 일을 할 수도 있다. 다른 곳에 볼일 보러 갈 수도 있다. 시장에 물건을 팔러 갈 수도 있고 산에 나무하러 갈 수도 있다. 갑자기 여행을 떠날 수도 있는 것이 月의 환경, 年과 이어진 환경이다.

싹은 분명히 뿌리에서 올라왔지만 가지는 줄기와 같은 방향으로 뻗을 수도 있고 다른 방향으로 뻗을 수도 있다. 그러나 근본이 되는 뿌리의 환경, 상황에서 완전히 벗어날 수 있는 경우는 없다. 한국 아이가 미국으로 입양을 가서 미국시민권을 가지고 미국사람으로 살아간다고 할지라도 부모, 조상, 동양인, 대한민국에 태어났었다는 근본적인 상황에서 완전히 벗어날 수가 없다. 열매는 결국 그 뿌리의 영향력 아래에서 맺는 것이다. 아침에 눈을 뜨면서 맞이한 모든 상황에서 점차 낮이 되면서 하루의 일에 대한 계획과 방향성이 서서히 윤곽을 잡아 나가는 단계라 볼 수 있다.

1세부터 15세에 이르는 과정을 보면 태어나면서 하는 행동은 모든 아기가 비슷하다. 자라면서 좋아하는 것도 생기고 싫어하는 것도 생기고 가정교육, 유치원교육, 또래와의 어울림, 여러 가지 조건을 통해서 자라게 된다. 중학교에 들어갈 때쯤이면 서서히 삶의 진로의 방향성에 대한 윤곽이 희미하게 잡힌다. 3년을 공부하고 나면 實業高를 가서 기술직으로 갈 것인지 人文高를 가서 대학교에 진학해서 경영직, 전문기술직으로 갈 것인지 좀 더 뚜렷하게 구분이 된다. 이때까지도 미래의 삶에 대한 선택이 매우 유동적이다.

　대학교에 진학할 시기가 되면 미래의 갈 길이 좀 더 분명하게 구분이 된다. 인문학, 이공계 등이 결정되고 그 안에서 수많은 학과가 있어 미래의 되고자 하는 사람, 얻고자 하는 직종을 위해서 학과를 선택한다. 이때에 선택한 학과가 미래의 직업으로 반드시 연결되는 것만은 아니다.

　대학교에 진학하지 않은 사람은 직업 전선으로 곧바로 뛰어든다. 대학교를 졸업하고 나면 진로의 선택에 따라서 큰 변화를 가져오지만 그 동안 배우고 익힌 것에 따라서 진로가 결정되기도 하고 그렇지 않는 경우도 많다.

　15세 전후로 선천적으로 주어진 환경, 후천적으로 교육되어지는 것에 따라서 싹의 모습을 결정짓게 된다. 15세에서 30세까지 배우고 익히는 것에 따라서 중장년의 삶의 모습이 꼴 지어지는 것이다. 중장년을 어떻게 보내느냐에 따라서 노년기의 삶의 모습이 결정된다. 물론 과정 중에 획기적으로 또는 혁명적으로 바뀌어지는 경우도 없지 않아 있지만 대부분은 어제에 이어진 오늘, 오늘에 이어진 내일을 살아가게 되어 있다. 처마 끝에서 물이 떨어지면 어디로 떨어질지 어디로 흘러갈지는 특별히 개입해서 물의 흐름을 바꾸지 않는 한 짐작을 할 수 있게 되는 것이다. 자기 자신의 삶의 특성, 삶의 양상을 만들어 가는 가장 직접적인 인자가 된다. 물가에서 자란 사람은 배를 타던지, 양식업을 하던지, 물과 친할 수밖에 없고, 붓을 들고 책을 들고 자란 사람은 선비가 되고 총 칼을 들고 자란 사람은 군인이 되는 것이다.

　月의 모습은 이와 같다. 뿌리에서 올라온 싹이 어떠한 양상으로 자라게 될지가 결정이 된다. 뿌리에 따라서 호박인지, 수박인지, 소나무인지, 잣나무인지, 목련인지, 모란인지는 이미 결정이 되는 것처럼 싹과 줄기가 어떠한 양상으로 자라나게 될지는 月의 환경에 따라서 결정이 된다. 싹과 줄기의 양상에 따라서 피어나게 되는 꽃의 모습을 月을 근거해서 읽어 내는 것이다. 꽃이 피는 시기에 많은 현실적 일들이 있지만 환경이 크게 바뀔 수 있다. 年月에서 이루어 놓은 것에 따라서 日의 환경이 대부분 결정이 된다. 혁신적으로 바뀌어지는 경우는 극히 드물다. 직업 환경, 배우자의 환경, 가정환경, 삶의 환경이 한순간에 바뀌어지는 것은 쉽지 않다. 일확천금을 꿈꾸기도 하고 신데렐라를 꿈꾸기도 하지만 그런 경우는 거의 없다. 설령 그런 일이 있다치더라도 적응하기가 힘이 든다. 본래의 삶으로 회귀하기가 쉽다. 땅값이 갑자기 올라서 부자가 된 사람들이 그 富를 유지하기가 쉽지 않다. 신데렐라가 왕자님과 결혼을 하여 하루아침에 왕궁에 가서 살 수는 있지만 왕궁에서 살아보면 자기가 자라온 환경과 너무 다르기 때문에 살던 곳으로 돌아가고 싶어 할 것이다. 왕자도 마찬가지로 신데렐라와 살아가는 것이 쉽지만은 않을 것이다. 생활방식, 사고방식이 너무 달라서 일 것이다. 삶의 양식이 한순간에 달라지게되면 적응하기까지는 상당한 희생이 따르게 된다. 일확천금을 누구나 꿈꾸게 되지만 일확천금을 다룰 수 있는 사람은 많지 않다. 年月에 준비가 된 사람이 귀한 그릇이 되거나, 大財를 마음대로 주무를 수 있는 능력을 가지게 되는 것이다.

자신이 처해 있는 환경, 상황에 따라서 삶의 대부분이 결정이 되는 것인데, 비슷한 部類의 사람들이 만나고 헤어지면서 직업 환경, 가정환경을 만들어 간다. 이때에 어떠한 사람과 환경을 만나는가에 따라서 관계가 오래토록 지속되기도 하고 금방 끝나기도 하면서 또 다른 환경(직업환경, 가정환경, 사회환경)을 만들어 가게 된다.

만나고 헤어지는 과정 중에 행할 수 있는 선택의 범위 안에서 가장 적합한, 가장 적절한 선택으로 인해 日의 환경과 時의 환경이 바뀌어 질수 있는 것이다. 다시 말하면 어떤 동료직원을 만나느냐에 따라서 직업 환경에 큰 변화가 일어날 수 있고, 어떤 배우자를 만나느냐에 따라서 가정환경에 큰 변화가 일어날 수 있다. 이 변화에 따라 결과가 크게 달라질 수도 있는 것이다.

日은 현재 하고 있는 나의 상황, 삶의 양상, 삶의 공간을 나타내 보여주고 있다. 직업의 모습, 배우자의 모습, 나의 모습, 나의 삶의 모습의 많은 부분이 담겨 있다. 글자는 日干, 日支 두 글자이지만 많은 것을 담고 있는 것에 주목할 필요가 있다. 일간과 일지가 타 글자와 씨줄날줄처럼 어우러져서 하나의 모습을 만들어내는데 그 모습이 바로 현재의 나의 모습이기도 하고 나의 정체성이기도 하다. 대운과 조화를 이루어서 세운을 만나 현재의 상황을 드러내 보이는 것이다.

時는 결실을 의미한다. 내 삶의 결과물, 내가 살아온 여정의 결과물이요 결과적 樣態이다. 꽃이 떨어지고 나서 맞이하게 되는 아픔과 추함이다. 영광과 화려함을 지나가면 남는 것이 열매이다. 다음 세대를 준비하는 모습이다. 한 삶을 마무리 짓는 노후의 모습이다. 노인이 되면서 만들어 놓는 열매, 자식의 모습이다. 내일 내가 이어가야할 환경이다. 새로이 시작해야하는 모습이다.

적천수 마지막 장, 마지막 구절이다.

貞元

造化起於元 亦止於貞, 再肇貞元之會 胚胎嗣續之機

(삶의 調和, 生의 調和는 元에서 시작해서 貞에서 그치는데, 貞元의 회합에서 다시 시작되니 세대가 이어짐의 요람이 되는 것이다)

오랜 세월을 두고 조상의 습성, 기질, 성향이 유전자를 통해서 부모로부터 내게로 이어져 내려와서 결과가 되었고 또 내게로 이어져 내려온 것이 앞으로 이어나가야 할 시작이 되는 것이 바로 時柱이다.

根苗花實과 六親

時	日	月	年
타향, 직장	집	학교	고향
자녀	나, 배우자	부모, 형제	조상
노년	중장년	청년	소년
집밖	안방	기둥, 주춧돌	집터
직업, 사회친구	현재친구	학교친구	고향친구
부하직원	동료	직장상사	사장
미래	현재	과거	과거완료
결과	과정	시행	기획,구상
結	轉	承	起
貞	利	亨	元
46-60	31-45	16-30	0-15
61-80	41-60	21-40	0-20

干支가 한 몸이기는 하지만 天干은 정신적인 뜻, 생각, 경향성, 지향성을 의미하고 地支는 현실적 상황을 의미한다.

丙日柱에 癸卯년생이라면,

	丙		癸
			卯

癸水는 天干에 있으니 年干에 있는 正官이 된다.
이 사람은 바르게 살려는 마음, 합법 추구성을 가지고 있으며, 實利보다 名을 추구하는 기질, 지식추구, 측은지심이 일평생 삶의 내면에 깔려 있다. 강약의 정도 차이는 있을지라도 이 사람의 삶전체에 이러한 기질이나 경향성이 스며있다.
卯는 六親으로 正印이 된다.
이 사람은 빈부귀천과 관계없이 어머니의 사랑 속에서 올바르게 자라게 된다. 어머니의 지극한 사랑에 곁길로 가지 않고 열심히 공부를 하게 되는 모범생이다. 평생토록 책을 손에서 놓지 않고 살아가게 된다. 어머니의 情을 늘 思慕하는 지극한 효자로 살아가게 된다.
癸卯를 한 몸으로 보고 읽을 때에는,
卯에서 長生의 힘을 얻는 癸와
癸에서 病의 힘의 정도를 지니고 있는 卯로서 힘의 강약을 먼저 본다. 다음에 살펴야 할 것이 官은 長生의 힘을 얻어 삶에 펼쳐지게 되고 학문, 어머니, 자격증, 기술력 등은 病의 힘이니 상당한 힘을 지니고는 있으나 내부적으로 걱정, 근심, 스트레스 속에서 이루어진다고 보는 것이다.

比肩

比肩은 六親으로 형제, 협동, 배분, 선의의 경쟁을 뜻한다.
比肩이 年柱에 있으면 二天이 되는데 부모의 이복형제가 될 수도 있다. 祖父母의 덕이나 사랑을 부모와 부모의 형제들간에 나누어 가지는 것을 의미 할 수도 있고 祖父母의 재산이 나누어지는 것을 의미 할 수도 있다. 협동심, 자의적 분배, 선의의 경쟁심을 뜻한다. 年支에 비견이 있으면 조상과의 인연이 깊은 것을 의미 하는데 장손이거나 장손의 일을 하게 된다. 年支의 比肩은 祿이 되는데 어릴 때의 건강을 의미하기도 하며, 독립사업, 사업주도를 의미한다. 소년기의 성장 환경이 좋고 또래들과 잘 어울려서 교우관계가 활발하다. 친구가 좋아서 놀러 다니느라 공부를 못하게 될 수도 있다.

比肩이 月干에 있으면 부모의 二天을 의미 하여 내가 두 아버지, 두 어머니를 모실 수도 있다. 형제가 있어서 부모덕을 나누어야 하는 상황이 된다. 재물을 나누어 줘야 하는 상황이 청년기에 발생한다. 財星을 破克하므로 금전희생이 따르게 되는 수도 있다. 학과선택, 인생진로계획에 협동, 공동사회, 이익분배, 협력을 고려하여 결정하게 된다. 月支에 있는 比肩은 祿에 해당한다. 청년기의 건강을 의미하기도 한다. 부모의 덕을 형제와 나누어야 하니 재물의 손실, 부모덕 소모가 일어날 수 있다.

日支에 있는 比肩은 태어난 날, 배우자 궁위에 있는 비견이다. 건강 불안이 올수 있고 배필인연을 불안하게 할 수 있다. 여자인 경우에 후처 인연으로 보기도 한다.

時干에 比肩이 있으면 손아래 사람들과 협력, 협동하려는 경향을 가지고 있다. 時支의 比肩은 말년에 재물 손실, 자식의 재물 손실이 따른다. 사회 활동에서 재물 손실이 따르기는 하지만 말년에 교우 관계는 원활하고 건강에 긍정적이다.

劫財

劫財는 강제적 탈취, 분탈, 호승심, 투쟁심, 큰 야망, 편향적인 이권탈취를 의미하며 동류들과 성장환경이 원활한 것을 의미하기도 하나 때때로 지나친 경쟁심, 탈취 등이 분쟁을 야기하기도 한다.

年干에 劫財가 있으면 大財를 꿈꾼다. 단번에 끌어오려는 욕심을 지니다 보니 주로 도박성, 경매입찰, 스포츠와 같은 편향적인 이권다툼을 갖는다. 호승심이 강하다 보니 또래의 우두머리 역할을 잘하게 된다. 또래의 우두머리가 되어서 또래를 규합한다. 年支의 劫財는 陽刃(羊刃)이 된다. 칼을 품고 다닐 만큼 호전적이고 잔인성을 지니며 난폭한 호랑이와도 같지만 偏官 七殺의 제어를 받으면 顯達 하기를 宰相에 이를 수도 있다 했다. 財星을 克制하니 조부모 때에 재산 분탈 과정이 생길 수도 있다.

月干의 劫財는 부모의 재산에 대하여 형제간의 분쟁, 분탈 과정이 올 수도 있다. 빼앗길 수도 있고, 내가 칼을 차고 다니는 것이니 빼앗아 오려고 호시탐탐 노리고 있게 된다. 劫財가 月干에 있으면 호전적인 마음으로 大富, 大貴의 야망을 갖는다. 月支의 劫財는 양인格을 이룬다. 月支 劫財가 陽刃格을 이루면 큰일을 도모 할 수 있다. 偏官 七殺과 조화를 이루면 宰相의 벼슬에 오르기도 하고 정치권력, 전문기술인, 의료인이 될 수도 있다. 학창시절 골목대장, 또래의 우두머리가 되기도 한다. 양인의 조화를 이루어 학문을 배우고 익혀서 미래를 준비하면 큰 그릇이 되고 큰 역할을 감당할 힘과 능력을 갖추게 된다. 月支에 있으면 야망을 실행에 옮긴

다. 겁재의 특성상 수단방법을 가리지 않고 야망을 이루려고
할 수도 있다.

日支에 劫財가 있으면 배우자의 건강을 불안하게 하거나
배우자와의 인연을 어렵게 만들 수 있다. 중장년 시기의 직
업적 특성이 권력, 의료, 전문기술, 공학 분야로 흐를 수도
있다. 강하고 무섭고 위험한 것을 실제로 다루게 되는 것이
地支劫財 陽刃의 특성이다.

時柱에 劫財가 있으면 자식이 내 재물을 損耗한다는 것을
의미한다. 말년에 자식을 위한 금전소모, 출혈이 되고, 자신
에게는 傷身, 시비구설이 되지만 건강에는 긍정적이다. 기부
활동, 봉사활동을 많이 하는 것이 이롭다.

食神

食神은 선천적으로 타고난 재능, 소유물, 수단을 의미 하는
데 건강, 수명, 장수의 별이기도 하다. 年에 있으면 祖父母代
에 재물이 풍성해서 성장기에 느긋한 마음을 지니게 된다.
타인에게 관대하고 즐겨 베풀고 활동성이 있고 건강하다. 지
나치면 너무 활동적인 반면에 학문의 시기에 학문에 정진하
지 않는 경향이 있다. 표현력, 활동력, 학문이 발달되어 있고
의식이 풍부하여 성장환경이 좋다.

月에 食神이 있으면 父母代에 재물이 풍성하고 학창시절에
편안하게 성장을 하게 된다. 걱정, 근심이 없고 느긋하다. 자
기표현을 잘하여 연애사, 유흥성, 풍류성이 발동하기도 하지
만 교육, 필설, 예능, 스포츠 등에 소질을 나타낸다.

食神이 財의 根이 됨으로 月에 食神이 있으면 부모로부터 물려받을 것이 많다. 다만 冲, 刑, 破, 害, 空亡 등으로 格을 탁하게 하지 말아야 한다.

日支에 食神이 있으면 배우자의 혜택이 있음을 의미한다. 日支는 배우자의 궁이 되고, 배우자의 환경이 되고, 현재의 삶의 환경이 되고, 재물 생산능력과 樣相(직업의 양상, 업태)이 되고 財의 根으로서 배우자와의 관계가 有情하게 된다. 배우자의 덕이 많다고 볼 수 있다.

女命에게는 食神이 자식이 되는데 배우자궁에 있다하면 배우자와 자식 간의 인연을 어렵게 만들 수도 있다. 食神이 官을 克制하기 때문이다. 자식이 장성해져서 勢力을 가지게 되면 배우자와 떨어져 사는 날이 있게 된다.

時에 食神이 있으면 말년까지 食祿이 풍부함을 의미한다. 당연히 長壽, 건강을 의미하기도 한다. 자식의 봉양, 자식 덕이 많다고 볼 수 있다. 봉사활동과 같은 사회활동을 활발하게 한다.

傷官

傷官도 食神과 마찬가지로 자기표현이 뛰어나다. 예능, 필설, 교육, 스포츠 등의 분야에서 多才多能하다. 법, 질서, 통제를 뜻하는 官을 깨뜨리기 때문에 범법의 인자로 보기도 하지만, 기존의 질서, 기존의 습성을 깨뜨리는 기발한 생각을 해내기도 한다. 범법, 기존 질서파괴의 인자이므로 시비, 구설을 늘 동반하게 된다. 食神이 새것을 추구한다면 傷官은 낡고 오래 된 것, 부서진 것, 경매로 나온 것을 더 추구하게 된다. 傷官이 있다는 것은 기발한 생각을 해내고 남들이 하지 못하는 정성, 기술을 가지고서 育英, 교육, 영농 등을 즐겨 한다. 또한 傷官은 放牧, 太平農法과 같은 방식으로 농사 짓는 食神과는 다르다.

年에 傷官이 있으면, 祖父母와의 인연이 없어 祖父母 봉양이나 제사와는 거리가 멀 수도 있다. 傷官이 得勢하면 혹은 傷官이 得勢한 이런 자식이 태어나면, 혹은 태어나기 전에 祖父母가 세상을 떠나기도 한다.

月에 傷官이 있으면 사춘기의 반항, 청년기의 반항, 가출을 의미하기도 한다. 부모와 불화하기가 쉽고 어릴 적부터 오락, 풍류에 관심이 더 많다. 인문학에는 관심을 두지 않지만 특수한 오락성 技藝, 演藝, 기술 등에는 탁월함을 나타낸다. 부모자리에 傷官이 있어서 부모의 몰락으로 보기도 한다.

日支에 傷官이 있으면 결혼 후 因緣을 이어가기가 힘이 든다. 특히 女命에게는 日支의 傷官이 배우자를 克制한다. 다만 傷官은 자식의 별이니 자식은 나와 한자리에 있어서 有情하나 자식이 자라나면서 세력을 얻으면 부부가 별거 하거나 이혼을 하거나 해서 가정형태를 온전하게 유지하기 어렵게 된다.

時에 傷官이 있으면 말년에 오락성 풍유, 예능활동이 있을 수 있고 자식의 자리의 질서를 깨뜨리니 자식과의 인연이 無情으로 흘러 고독하기가 쉽다. 말년에 법규를 깨뜨리고 활동하면서 스스로 먹을 것을 구해야 하니 힘든 삶을 살 수도 있다. 자식 복이 빈약하다. 女命에게는 時柱에 있는 傷官이 官을 깨뜨리니 남편과 無情, 외로운 삶을 뜻하기도 한다.

偏財

正財와 마찬가지로 偏財도 利財에 밝고 관심이 많으나 정재가 고정적 수입이라면 偏財는 大財의 꿈을 꾸거나 사업을 통해서 大財를 얻고자 다양한 수단을 활용한다. 사업적 재능, 금전융통 능력이 탁월하다.

年에 있는 偏財는 조상대에 큰 재물을 다루었거나 관련이 있었다는 것을 의미한다. 어릴 적부터 사장을 꿈꾸고 소꿉장난도 사장놀이나 장사놀이를 한다. 아이스크림이 먹고 싶으면 친구에게 돈을 빌려줘서 아이스크림을 사게 하고 한입 얻어먹고서는 빌려준 돈은 갚으라고 한다. 빌려준 돈은 나중에 꼭 받는다. 학년이 끝나면 친구들을 설득해서 교과서를 고물상에 팔게 해서 그 돈으로 초코파이를 사서 나눠 먹는다. 어릴 때부터 財利를 잘 따지고 일확천금을 꿈꾸는 경향이 있다. 학문에 대한 관심 보다는 사회참여나, 아르바이트라도 해서 용돈을 벌어 모으려 하고 이성에 일찍 눈을 뜨게된다. 당연히 공부에 방해를 겪게 된다.

月에 偏財가 있으면 父母代에 큰 재물을 다루었거나 관련이 있었다는 것을 의미한다. 또한 偏財의 특성상 나와 온전한 슴이 되지 못하므로 재물의 기복이 있을 수도 있다. 미래를 위해 자신을 준비하는 시기, 배우고 익히는 시기이지만 공부에는 특히 인문학 계열에는 관심이 적어 학업성취가 잘 안될 수도 있다. 공부에 뜻을 두는 경우에는 상과계열로 진학하게 되는 경우가 많다. 偏財는 기울어진 짝이 되니 배우자 인연이 원활하지 않을 수 있다. 남녀를 불문하고 재물을 지나치게 추구하다가 도덕심을 버릴 수도 있다.

日支의 偏財는 본인의 금전 활동을 의미 한다. 집안에 짝이 원활치 않은 배우자가 들어와 있음을 의미하기도 한다. 他柱에 正財가 있으면 부부간의 인연에 문제가 많게 된다. 배우자의 경제력, 사업성, 경제활동의 旺衰를 나타내기도 한다. 女命에게는 시부와의 동거 인연이 많고 남편을 대체로 잘 섬긴다. 偏財의 특성상 가끔씩 기복이 있기도 하다.

時에 있는 偏財는 노후의 재물활동, 재물에 대한 老慾, 사회 활동 등을 의미한다. 대문 밖의 대재욕심이니 일확천금을 노리는 투자, 기획부동산이나 주식에 투자하기도 한다. 말년의 애인이 되기도 하는데 다른 곳에 재성이 없으면 晚婚의 인자가 된다. 자식에게 물려줄 재산상속, 자식사업에 하는 투자를 의미하기도 한다. 대문 밖의 편재는 情婦가 된다.

正財

正財는 합리적, 합법적 蓄財, 得財를 의미한다. 안정된 得財, 고정적인 수입, 재물과 삶에 대하여 안정되고 반듯한 사고, 가치관을 의미한다.

年에 正財가 있으면 조상대의 財力을 의미하니 대를 이은 부자, 안정적인 번영, 금전, 삶에 대하여 특히 재물에 대하여 합리적, 합법적인 가치관을 확고히 가지고 있음을 의미한다. 소년시절에 財物이 가까이 있는 환경에서 자라나니 재정의 어려움 없이 공부에 전념할 수 있음에도 財에 대한 공부, 財

를 얻는 방법에 관심을 두고 있어서 실제로는 공부에 방해가 되기도 한다. 財星이 學魔가 되기도 한다. 年에 正財가 있으면 일찍 결혼을 하게 된다. 특히 부모들이 적극적으로 나선 중매결혼이 되거나 고향사람과 결혼하기도 한다.

月에 正財가 있으면 부모가 부자라는 의미이기도 하다. 부모가 재산이 많아 내가 물려받을 것이 많다는 의미이다. 별 노력의 필요성을 못 느껴서 공부를 열심히 하지 않는 경향이 있으나 재성이 조화로우면 가업을 이어받고자 열심히 공부를 하기도 한다. 官과 조화를 이루면 경영학, 印綬와 조화를 이루면 경제학, 食傷과 조화를 이루면 마케팅, 유통을 전공하려는 경향이 있다. 月柱 父母 자리에 있는 正財는 印星을 克制하므로 어머니와의 인연이 빈약할 수 있으나 현처를 얻는 것을 의미하기도 한다. 친가로부터 상속이 없으면 처가로부터 상속의 혜택을 얻기도 한다. 다만 財星이 刑, 沖, 破, 害, 空亡 등으로 格이 떨어지지 않아야 한다.

日에 정재가 있으면 배우자궁에 배우자가 앉아 있는 것이라서 좋은 배필을 맞이하는 것을 의미 한다. 妻德이 원만하고 처가 내 몸처럼 움직여준다.

時에 있는 正財는 말년의 財産을 의미하는데 고정적인 수익이 있음을 의미하며, 또한 다른 곳에 財星이 없고 時柱에만 있으면 晩婚을 의미하기도 한다.

말년의 금전 활동으로 보기도 하지만 재복이 말년까지 원만하여 있음을 의미한다. 他地에도 재성이 있으면서 時支에도 있으면 대문밖에도 처첩을 두고 보는 것을 의미하게 되는데, 가정불화의 원인이 될 수도 있다.

偏官

偏官은 무서운 권력, 힘을 의미한다. 나를 克制 하는 별이기 때문에 내가 주도하면 나의 권력이 되고 내가 끌려가면 傷身, 사고, 질병, 관재를 당하게 된다.

年에 偏官이 있으면 권위, 권세를 휘둘렀던 조상을 의미한다. 권력, 권세와 폭압, 학정에는 늘 선악이 共存한다. 정치인, 검사, 군인, 경찰이 법과 질서, 정의를 수호하는 기관이기도 하지만 정치깡패, 뇌물수수검사, 조폭과 연류된 검사, 경찰, 군부의 독재에 대한 보도가 끊이지 않는다. 경제계에서 벌어들인 재물은 권력성 官조직으로 들어가게 된다. 나의 재물은 납속공명을 사는데 사용하던지 권력의 보호를 받기 위해서 재물을 권력에 바치던지 하게 된다. 이것이 五行의 理治가 된다는 것이 씁쓸하긴 하지만 자연의 生存樣態가 이러하다. 그래서 권력을 지닌 사람이 청렴하고 仁德을 동시에 갖추기는 어렵다.

異路功名莫設輕　日干得氣遇財星
적천수에 있는 글귀이다.
재물이 있어야 官을, 명예를 살수 있다는 말이다. 오늘날에도 기부입학이라는 제도가 있다. 학교에 돈을 많이 내면 입학 시켜 주는 제도다. 재물로 異路功名을 얻을 수 있고, 학문도 살 수 있는 것을 보면 대자연은 그저 無情 할 뿐이다. 대자연 안에는 그저 생존의 法則만 存在한다.

홀로 살아남아야 하는 無情한 자연의 법칙만이 존재하는

것이지만, 혼자 살아남기가 너무 어려워 생겨나게 된 생존의 법칙이 종족보존, 공동체의식이다. 가족, 종족, 민족, 국가라는 이름으로 힘을 모아서 생존에 힘을 쓴다. 안간힘을 쓴다. 힘이 필요하다. 활동력, 재력, 지식, 정보력, 학력, 체력 등 힘이 있어야 하니 모든 것이 힘으로 대변되는 세상이 된다. 無情한 자연 안에서 생존해 남기위해 주어진 것이 種族保存의 法則, 가족의 법칙인데 요즘 세상은 형제간에도 싸우고 부자지간에도 재물을 놓고 싸우는 것을 보면 自滅의 길을 걷고 있는 인간의 群像을 보는 듯하다. 형제간에 싸워서 노획한 재물이나 부모와 다투어서 노획한 재물을 자기 자식들에게 물려주면 그 자식들은 사이좋게 나누어 가지기를 바라고 주는 것인지 궁금해진다. 命理學은 어떻게 보면 인간생존의 법칙에 관한 연구 학문이다.

月에 偏官이 있다는 의미는 부모가 엄한 부모이거나 權力, 武力을 추구하는 기질, 성향이 있음을 의미한다. 힘으로 대변되는 권력성 직업, 법무, 세무, 군인, 경찰, 조직폭력배, 독재를 의미하기도 한다. 내가 이런 일을 행하기도 하고 내가 당할 수도 있다.

청년시기의 官이니 이것을 전투적으로 쟁취하기 위해서 전문기술 관련 공부, 고시공부를 필사적으로 한다. 법학, 공학, 건설, 토목과 같은 직종을 선호한다. 여명에게는 애정이 채워질 것 같으나 다 채워지지 않는 것이 편관이다.

日支에 偏官이 있으면 힘든 직장생활, 힘든 부부의 인연을 의미하기도 한다. 부인에게 맞고 사는 남편이 의외로 많다고 한다. 호랑이는 암컷이라도 시시한 짐승들을 다 잡아먹는 힘이 있다. 나를 힘들게 하는 까다로운 배우자를 의미 한다.

중년에 발생하는 횡액, 권력, 권세, 속 썩이는 자식을 의미하며, 女命에게는 온전한 짝을 이루지 못하고 기울었으니 남편의 덕이 원만하지 못함을 의미한다.

時에 偏官이 있으면 말년의 명예를 의미하는데, 특히 정치인, 시의원 같은 선출직 명예를 의미하기도 한다. 말년에 명예를 얻기도 하지만 질병, 사고, 관재, 횡액을 얻을 수도 있고 자식이 顯達할 수도 있다. 간혹 대문 밖의 자식을 의미하니 밖에서 자식을 낳아서 데려오거나 타인의 자식을 입양할 수도 있다. 女命에게는 대문 밖의 남자, 기울어진 짝이 되니 情夫를 의미하기도 한다.

正官

正官은 정도를 걷는 청렴한 공무원이다.

年에 正官이 있으면 조상대에 벼슬을 한 명문가의 후손을 의미한다. 사회규범, 질서에 자신을 순응시키고 소년기의 모범생을 의미한다. 명문가의 후손, 가권의 승계를 의미하고 소년기에 학생회장을 한다. 女命에게는 早婚이 되기도 한다.

月에 正官이 있으면 부모의 가치관이나 교육이념이 바르다. 부모의 직장이 공직이거나 盛衰가 크지 않는 조직과 인연이 많을 수도 있다. 학창시절에 모범생이니 공부도 반듯하게 하고 차근차근 미래의 꿈을 위해서 차근히 공부를 한다. 평생 직업이 공직, 명예와 관련이 크다고 볼 수 있다. 女命에게는 부모가 짝을 지어주는 배필이 되기도 한다. 여성의 사회 활동, 조직생활을 의미하기도 한다.

日支에 正官이 있으면 현재의 환경을 의미하니 직장, 배우자의 모습이기도 하다. 중년에 얻게 되는 사회적 명예, 중년에 세우는 사회조직을 의미한다. 자식인연, 배우자 인연이 안정적이다. 女命에게는 남편의 도움을 얻어서 사회조직활동에 참여 할 수도 있다.

時에 있는 正官은 자식의 顯達을 의미한다. 말년의 벼슬 혹은 명예이다. 女命에게는 다른 곳에 官이 없고 時에 官이 있으면 晩婚인자가 되기도 한다.

偏印

正印이 누구나 다 생각할 수 있는 평범한 생각이나 행동이라면 偏印은 누구도 생각해내기가 힘든 기발한 발상이다. 빛의 속도를 측정하기 위해서 燈을 들고 산꼭대기로 올라가는 갈릴레오의 발상이고 『새의 비행에 관하여』라는 책을 쓰고 16세기 초엽에 비행기 모형을 그리고 하늘을 날아오르려는 레오나르도 다빈치의 발상이 偏印의 발상이다. 자연의 이치를 보고 易을 만들어 낸 복희씨의 발상이다. 종교인, 철학자, 발명가에게 주로 나타나는 偏印星의 특징이다. 조화로우면 순기능을 하지만 조화롭지 못하면 逆기능을 한다. 싸이코 패스처럼 엽기적인 행동을 저지른다.

年에 偏印이 있으면 조상의 혜택이 부족하고 조상 때부터 내려온 팔기 힘든 부동산이나 도심 골목 안에 위치한 기묘하게 생긴 땅을 의미하기도 한다. 梟神, 倒食이 되어 食神을 깨뜨리기도 한다. 지나치면 소년기의 성장에 방해가 되고 행동이 鈍化되거나, 눈치가 발달하는 것을 의미하기도 한다. 식상을 제어하는 것이라서 지나치면 성장에 장애가 될 수도 있다. 이과성향의 학문을 의미하니 전문기술, 종교, 철학, 의술을 의미한다.

月에 偏印이 있으면 부모의 활동 장애로 인해 내게는 부모의 덕, 혜택의 복록이 기운다. 학업을 이루는 시기이니 긍정의 의미도 있다. 행동절제, 인내, 학업정진을 하게 된다. 주로 전문기술관련 분야, 종교, 철학분야, 이공학계, 의학 분야로 방향을 잡게 된다. 어느 한 분야에 집중하는 힘이 있고 끈질긴 면이 있으니 시간이 걸려서 이룰 수 있는 이러한 분야와 인연이 많다. 식상을 극제하니 청년기의 건강이 불안할 수 있다.

日支에 偏印이 있으면 자기중심적이고 고집이 세다. 고부간의 갈등이 빈발하거나, 현재 처한 상황에서 食傷을 방해함으로 자식의 행동을 제약하게 됨을 의미한다. 女命에게는 食傷을 克制하고 있어서 자식과의 인연이 불안해서 동거가 힘들어 자식이 세력을 얻으면 객지로 떠나서 살게 된다. 모친을 모시고 살게 될 것으로 본다. 배우자 궁에까지 와서 간섭하는 인성이니 고부 갈등이 발생한다. 남녀 공히 배우자에게 의존하고 장모와 동거하기도 한다.

時에 있는 偏印은 말년에 손발을 의미하는 食傷을 克制하여 행동이 부자연스러움을 의미한다. 경제활동이나 사회활동이 부자연스럽고 약화되거나 손발을 움직일 수 없는 질병을 얻어 사회활동이 활발하지 못하게 될 수도 있다. 수족관련 질병, 생식기, 소화기관에 발생하는 질병을 의미한다. 사회활동을 통해서 재물을 획득하지 않고 주로 임대 사업을 통해서 재물을 획득한다. 말년의 학문성을 의미하기도 하니 주로 종교, 철학관련 인생 공부를 하기도 한다. 만학이 된다.

正印

正印은 어머니의 별이다. 엄마에게 의지하듯이 타인에게 의지하려는 마음, 정신을 의미하는데 일방적으로 받기만 했던 부모의 사랑과 같아서 기대심리가 크다. 정인이 지나치면 편인처럼 성장에 방해가 되기도 하나 도덕성이 반듯한 사람이 된다.

年에 있는 正印은 장손집안을 의미하기도 한다. 소년기의 모범생이 되고 학문에 정진하나 또래들과 잘 어울리지 않고 활동적이지 못하다. 나와 조화가 되는 正印이라서 매사에 긍정적이고 인내심이 강하다. 오랫동안 앉아서 버틸 수 있는 학문을 하기에 적합하다. 어린 시절 모친의 활동력이 강함을 의미하기도 한다.

月에 正印이 있으면 학문, 자격(국가고시, 기술자격 등)과 인연이 깊어 이를 통한 사회진출이 준비된다. 부모 때의 문서재산을 의미하기도 한다.

日에 正印이 있으면 모친에게 지나치게 의존하는 성향이 있다. 중년에 모친과 동거하게 되고 현량한 처를 얻게 된다.

時에 正印이 있으면 말년의 정신적, 육체적 의존성을 의미하지만 정인이 긍정적이고 순기능의 길신이 되니, 문서, 권리, 임대사업을 의미하기도 한다. 개인 사업을 통한 재물보다는 비활동적으로 발생되는 재물이나 결과물에 의존하여

살아가게 된다. 말년의 학문을 의미하니 晩學徒, 학위취득을
의미하기도 한다. 만년의 공부는 종교, 철학이 되고 신앙생
활이나 修道를 한다.

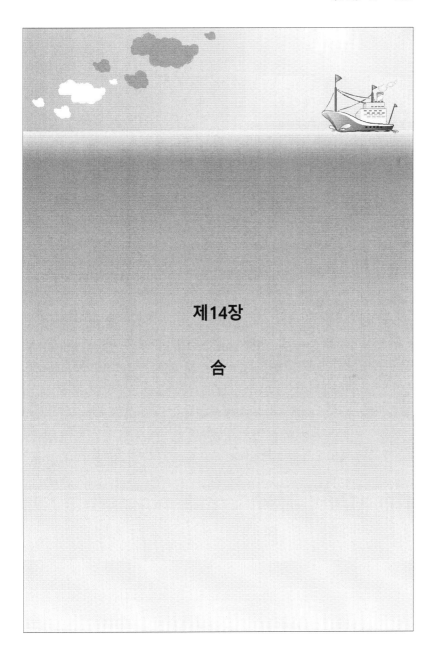

제14장

숩

제14장 合

天干合

合에는 여러 가지 합이 있는데 天干合, 六合, 三合, 暗合, 拱合, 陰陽合, 五行合이 있다. 결국 음양의 조화이다. 合이라는 의미는 동일한 장소에서 함께 어울린다는 의미가 되는데, 새로운 것을 생성시키는 작용의 힘이 생겨나는 것이다. 떡 두개를 뭉쳐서 하나로 만드는 것이 아니다. 뜨거운 물을 차가운 물에 부으면 뜨거운 물과 차가운 물은 동시에 共存할 수가 없다. 냉기와 온기가 같은 장소에 동시에 존재할 수 없다. 찬물도 뜨거운 물도 아닌 미지근한 물이 된다.

天干合, 六合은 주로 반대의 두 기운이 共存하는 양태를 보여주는 것이다. 三合은 다른 특성의 세 글자가 모여서 한 방향으로 나아가고자 뜻을 모으되, 자신을 조정하여 지향하는 것을 일치시켜 나아가고자 하는 것이다. 이때에 외형의 모습과는 다르지만 내면에 감추어져 있던 모습을 밖으로 들춰내어 공동으로 지향하고자 하는 방향으로 일치시키는 것이다.

寅은 본래 木이다. 甲의 祿支에 해당하고 호랑이와 같은 강한 모습이다. 아직도 어두운 밤이기 때문에 호랑이의 눈에 불을 켜야 한다. 寅에는 戊, 丙, 甲이라는 세 가지 속성이 있다. 이 중에 午火와 어우러져서 丙火가 밖으로 드러나면 寅은 木의 성질을 외면적으로는 벗는다. 木의 모습을 지녔지만 火의 기질과 자신을 동일시한다. 戊도 마찬가지다. 이렇게

寅午戌이 무리지어서 火의 성질, 행동을 표출하는 것이 三슴 운동이다. 陰陽은 둘로도 볼 수 있고, 하나로도 볼 수 있다고 했다. 둘로 보면 陰陽으로 兩儀가 되고, 하나로 보면 一氣가 된다. 一氣의 消食이란 학설을 송나라 시대에 주희가 폈다. 두 가지 대립적 기운이 한곳에 있으면 세력의 차이에 따라 속성이 드러난다. 달 크기의 변화과정과 같다고 볼 수 있다. 초승달에서 햇빛이 비치는 곳이 많아지면 달의 크기가 점점 더 커져서 상현달, 보름달이 되고 햇빛이 비치는 곳이 적어지면 달의 크기는 점점 작아져서 하현달, 그믐달로 변해간다. 두 가지 기운의 대립은 이와 같은 것이지만 상현달이라 해서 햇빛이 비치지 않는 어두운 부분이 필요 없는 것이 아니다. 필요가 있고 없고의 문제가 아니라 존재의 문제이다. 빛이 없는 부분을 떼어내 버리면 더 이상 달이 아닐 뿐 아니라 달의 기능, 역할, 모습도 바뀌게 된다.

 적천수 震兌, 坎離 부분을 보면,
 震兌主仁義之眞機 勢不兩立 而有相成者存,
 坎離宰天地之中氣 成不獨成 而有相持者在

陰陽의 개념에 대해서는 자연의 법칙, 현상에서 세밀히 이해할 필요가 있다.
 陰陽이나 五行은 사과를 자르듯이 나누어지는 개념이 아니다. 陰陽이나 五行은 나누어질 수 있는 것이 아니다. 우리가 五行을 五材라 하여 木火土金水도 물질개념으로 이해를 해서 나눌 수 있는 것, 구분될 수 있는 것으로 이해하기가 쉽지만 陰陽도, 五行도 나누어질 수 있는 것이 아니다. 동일한 장소에 陰陽이 다 있다. 五行이 共存하고 있다. 다만 어느 기운이 더 많이 旺하게 작용하느냐에 따라서 그 세력의 역할, 기능이 표면으로 들어나는 것뿐이다.

天干의 五行은 하늘에 있는 다섯 가지의 기운적 특성을 의미한다. 운동성향, 운동모습, 움직임의 방향성이나 양태에 따라서 다섯 가지로 구분하여 木火土金水라 이름을 붙였다.

五行이 共存하는 곳에서 木기운이 왕성해지면 봄이라고 하고, 火기운이 왕성해지면 여름이라고 하고, 金기운이 왕성해지면 가을이라고 하고, 水기운이 왕성하면 겨울이라고 한다. 木이 火로 변해 간다고 해서 木火사이를 구분 지을 수 있는 것이 아니다. 편의상 寅卯辰月 立夏 전까지를 봄이라 하고 巳午未月 立秋 전까지를 여름이라 하지만 날이나 시간을 정해놓고 봄, 여름, 가을, 겨울을 구분하는 것은 이치에 맞지 않다. 계절의 흐름은 연속적으로 이어져 있다. 어제와 별로 다르지 않은 오늘, 오늘과 별로 다르지 않은 내일을 향해서 조금씩 점진적 변화에 의해서 바뀌어져 간다.

절입 일, 절입 시간을 놓고 날이 바뀌었다, 월이 바뀌었다 해서 오행이 바뀌었다고 집착하여 주장하는 것은 어떻게 보면 원리는 무시하고 전통 명리학이라는 이론과 명성에 스스로를 가두어 놓는 것과 같다.

입춘 시점으로 한 해가 바뀐다. 구분할 시점이 필요해서 선을 그어 구분할 필요가 있었을 것이다. 2015년 입춘 절입일, 절입시간이 음력 2014년 12월 16일 12시48분이 되는데, 12월 16일 입춘 시간 이전에는 갑오년이 되고 이후부터는 乙未年이 된다.

산술적 개념에서 2014년과 2015년을 구분 짓기 위해서는 이렇게 나누어야하는 방식이나 기준점이 필요하지만, 음력 2014년 12월 16일 오전 9시나 오후 3시나 별로 다르지 않다. 하루 중의 시간에 따른 기온차이만 있을 뿐이다. 12월 16일 오전 9시와 오후 3시는 절입 시간의 차이로 인해 사주 원국 여덟 글자가 달라지고 대운의 흐름이 달라지고 육친이 달라진다.

명리학은 나와 기후의 작용력 상호간의 관계를 밝히는 학문이다. 봄과 여름을 끊어 가를 수 없듯이 어제와 오늘, 전 시간과 지금시간을 잘라내어 구분 지을 수 없다. 지속적인 흐름 위에 있다.

오행은 다섯 가지로 대변되는 것이지만 어느 것 하나 없앨 수 없다. 모두 공존하여야 한다. 공존하는 가운데 旺盛해지는 기운에 따라서 계절이 순차적으로 바뀐다. 이런 변화와 태어난 날의 四柱 여덟 글자와의 관계 변화가 인간의 삶의 양상, 성정, 기능, 기질, 꼴을 결정짓게 된다.

여름장마철에는 소나기가 쏟아진다. 水는 金과 함께 응축의 氣, 蓄藏의 氣를 대변한다. 물을 의미하기도 하지만 寒冷을 나타낸다. 소나기는 공중에서 땅으로 떨어지는 물이다. 하늘로 올라간 물이 식어지면서 주변의 다른 물입자와 뭉치게 되는데 응결핵(凝結核)을 중심으로 물방울이 점점 커지게 되면 중력을 견디지 못해 땅으로 떨어진다. 물은 중력에 의해서 내려오는 것이지 스스로 내려오는 것은 아니다. 작은 물방울이 구름의 모습으로 하늘에 떠 있다. 더 작은 물입자, 물분자들은 영하로 떨어져 있는 하늘에 얼음으로 떠있는 것이다. 땅으로 소나기가 쏟아져 내리면 땅의 열기와 부딪혀서 수증기가 된 물이 하늘로 오르는 것을 볼 수 있다.

易에서 말하는 水昇火降이 된다. 水는 하늘로 오를수록 강해지고 땅으로 내려올수록 약해지지만 끊임없이 땅으로 내려오려 하고 火는 하늘로 오를수록 약해지고 땅으로 내려올수록 강해지지만 기회만 되면 하늘로 오르려고 한다.

물은 하늘에 있으면 차가워진다. 100m 오를수록 온도는 약 0.6℃ 떨어진다. 지면에서 10km 상공으로 올라가면 약 60℃ 정도 기온이 영하로 떨어진다. 공중으로 올라갈수록 기압이 낮아지기 때문에 물방울은 높이 오를수록 뭉쳐지기 보다는 작게 쪼개어진다. 물분자 크기처럼 쪼개어져 가벼워지면 중력의 영향을 별로 받지 않고 하늘에 얼음으로 떠 있을 수 있다. 너무 작아서 얼음으로도 보이지 않고 파랗게 보인다. 차가운 햇빛은 얼음사이를 지나 혹은 작은 얼음알갱이에 부딪혀 반사되어 땅에 도달한다. 물입자가 서로 엉켜서 더 오르지도 않고 내려오지도 않는 모습이 구름이다. 오르내림이 정지된 상태가 곧 戊土와 己土의 모습이다.

수증기가 위로 오르면 천정에 가득 있다가 서로 끌어 당겨서 물입자가 커지게 된다. 물의 引性 때문에 서로 끌어 당겨서 물입자가 커지게 되면 천정에 붙어 있다가 중력을 견디지 못해 땅으로 내려오게 된다. 결국 寒暖(한난)의 작용에 의해 五行의 旺衰가 생기게 된다. 이에 따라서 승강작용이 발생하게 되고, 이 승강작용에 따라 계절이 변해간다.

물이 열을 받으면 팽창을 해서 위로 오르려 한다. 압력밥솥 추를 열면 수증기가 거센 힘으로 분출된다. 이것이 木의氣, 위로 솟아오르던 목기가 펼쳐지면 火의氣, 火가 위로 오를수록 冷氣 즉 水의 氣운에 의해 다시 말해서 냉기와의 결합에 의해 차가워지고 응축되면 결국 내려오게 되는데 이것이 金

이 되고 水가된다. 壬水와 丁火가 물입자에 共存해 있으면서 丁火의 氣가 旺하면 하늘로 오르고 壬水의 기운이 旺하면 지상으로 내려오게 된다. 반대의 기운이 서로 兩立하면 旺衰에 따라서 昇降작용이 일어나고 이에 따라서 어우러진 모습이 드러난다. 하늘에서 丁壬合의 모습, 양상, 기질, 기능이 다르고, 땅위에 있는 丁壬合의 양상, 기질, 기능이 다르고, 지상에서 昇降作用을 하고 있는 丁壬合의 양상, 기질, 기능이 다른 것이다. 이 어우러진 모습, 즉 合이 되어있는 모습에 따라서 하루의 기온차이와 기후의 양상이 결정이 되고 한해의 사계절 흐름의 모습이 결정되게 된다. 合이라는 의미는 뭉쳐진다는 의미도 되지만, 氣의 合을 논할 때는 어우러져 있다는 의미로 이해를 해야 한다.

甲은 己와 어우러져서 土로 化하는데 中正之合이라 한다.
乙은 庚과 어우러져서 金으로 化하는데 仁義之合이라 한다.
丙은 辛과 어우러져서 水로 化하는데 威嚴之合이라한다.
丁과 壬은 어우러져서 木으로 化하는데 仁壽之合이라한다.
戊와 癸는 어우러져서 火로 化한는데 無情之合이라 한다.

甲己合

천간의 합은 陰陽의 氣의 어우러짐, 寒暖의 氣의 어우러짐이다. 뜨거운 것과 찬 것이 어우러져서 五行의 다섯 기운을 만들어 내어 다섯 가지 작용이 이루어진다. 地支에서는 陰陽의 氣의 어우러짐, 寒暖의 氣의 어우러짐, 形質을 이루기 위한 작용 간의 어우러짐, 그리고 살아남기 위한 생존 양식의 어우러짐이 바로 合이다. 생명체에 발생하는 合의 목적은 생존을 위한 진화라고 볼 수 있다. 뜻의 합, 정신의 합, 기질의 합, 성향의 합, 추구하는 목적의 합이 생존과 진화, 발전을 위한 합이 되는 것이다. 合뿐만 아니라 刑이나 沖, 破, 害도 마찬가지로 생존을 위한 목적으로 혹은 방편으로 행해지게 되는 것인데 결과적으로 適者生存의 自然法則이 적용되며 생존을 위한 진화가 이루어지는 것이다.

 甲은 왜 戊土나 다른 天干과 合을 하지 않고 반드시 己土와 合을 하게 되는 것일까? 乙은 왜 戊土나 다른 天干과 合을 하지 않고 庚金하고만 合을 하게 되는 것일까? 고전에 언급되어 있는 곳이 없다. 나름의 이유가 분명히 있을 것이지만 易이 자연현상에서 출발하였듯이 역을 근본으로 하는 명리학도 자연의 현상에서 그 해답을 찾을 수 있을 것이다. 자연의 현상에서 그 이유를 찾을 수 있다.
지구위의 자연의 운동은 아래와 같다.

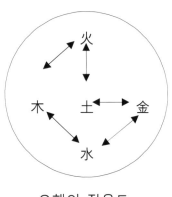

오행의 작용도

甲의 끝과 乙의 시작, 乙의 끝과 丙의 시작, 丙의 끝과 丁의 시작 부분은 시간의 흐름과 같아서 구분할 수 없다. 지상에서 불을 지피면 불이 올라가는 것이 아니라 열과 슴을 이룬 공기, 물, 수증기가 팽창하면서 위로 오르게 된다. 우주는 무중력의 공간이다. 우주공간은 무중력(無重力)인데 중력이 없는 공간이 아니라 중력이 0 이 되는 공간이라는 의미이다. 중력이 0 이 되는 공간에서 촛불을 켜면 불꽃이 위로 올라가는 모습이 아니다. 중력의 작용이 없으면 열은 결코 위로 상승하지 않는다. 중력의 작용이 0 이 되는 곳에서의 촛불은 동그란 구형태다. 팽창을 할 뿐이다. 땅위에서, 방안에서 촛불을 켜면 촛불은 연소 되면서 빛과 열, CO_2와 수증기를 발생시키면서 ♠이런 형태의 촛불 모양이 생긴다. 연소가 되면 발생하는 열에 의해서 공기가 부상하고 비어있는 자리에는 공기 밀도가 줄어든다. 주변의 차가운 산소가 포함된 공기가 비어있는 공간으로 밀려들어오고 밀려들어온 공기 즉 산소로 말미암아서 촛불은 계속해서 타고 이때 발생한 열은 공기속의 기체와 물을 팽창시키게 되는데 팽창하게 되면 위로 부상하게 된다. 이렇게 끊임없이 촛불이 타오르면 대류현상이 일어나고 촛불은 위로 솟구치는 뾰족한 모습이 된다.

하지만 무중력 공간, 중력이 0 이 되는 공간에서는 불꽃은 球모양이 된다. 공기가 움직이지 않는 상태에서 공기가 고른 비율로 연소되면 구모양의 불꽃을 형성하게 된다.

지구 중력에 의해 대기 중에 존재하고 있는 공기, 수증기가 촛불이 타면서 내는 열에 의해 가벼워져서 중력의 영향을 덜 받게 되면 위로 상승하게 되고 아래에는 차가운 공기가 밀려들어 다시 데워지는 대류현상이 무중력에서는 발생하지 않는다. 공기의 움직임이 없는 상태에서는 공기의 밀도차이가 발생하지 않고 공기 속의 물질이 갖는 질량과 온도에 의한 승강작용이 일어나지 않는다.

木 — 土 — 金,　　火 — 土 — 水
甲乙 — 戊土 — 庚辛,　丙丁 --- 戊土 --- 壬癸

甲→乙→丙→丁→戊는　양의 운동 즉 상승작용이다.
己→庚→辛→壬→癸는　음의 운동 즉 하강작용이다.

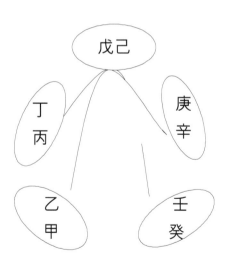

질소의 빙점은 –209.9 ℃이고 산소의 빙점은 –218 ℃이며, 물의 어는점은 0 ℃이다. 지상에서 10km 올라가면 대류권과

성층권의 경계가 되는데 대류권 경계면까지는 100m 오르는 데 약 0.6 ℃ 내려간다. 대기가 변화하고 요동치는 것은 대류권 안에서만 발생하지 그 위의 높이로 올라가면 지상에 벌어지는 것과는 별반 상관이 없다.

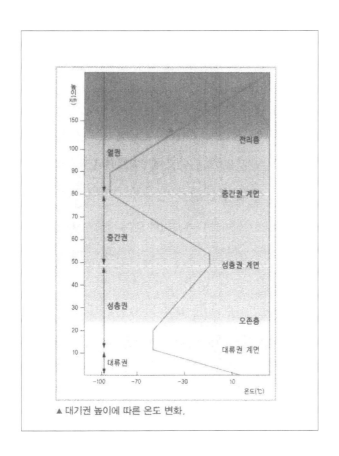

▲ 대기권 높이에 따른 온도 변화.

대류권 경계면까지가 火기가 오르고 내리고, 水기가 오르고 내리고 할 뿐이다. 경계면까지 올라가 있는 것이 戊土의 모습이라면 방향을 바꾸어 내려오려고 하는 모습이 己土이다. 적천수에 己土卑濕, 中正蓄藏..... 己土는 낮아지고자 하는 濕, 즉 여름 장마철의 무더운 날에 땅으로 비를 뿌리고자 아래로 향하려는 것이다.

 대기는 일정하다. 오르는 것이 있으면 반드시 내려오는 것이 있어야 한다. 일종의 작용과 반작용의 법칙이다. 밀어 올리는 힘이 있으면 끌어 내리는 힘이 있다. 상호 공존하는 힘이다. 인공위성이 원심력에 의해 우주로 날아가지도 않고 지구 중력에 의해 땅으로 떨어지지도 않는 것은 원심력과 중력이 0이 되는 지점에 있기 때문이다. 원심력이 +1이 되면 우주로 날아간다. 날아가지 않기 위해서는 중력이 +1증가해야한다. 마찬가지로 甲만큼 밀어 올리면 甲만큼 끌어 내려야 한다. 甲木이 A+만큼 움직이면 己土가 A- 만큼 움직여야 힘의 균형이 유지된다. 乙이 B+ 만큼 움직이면 庚이 B- 만큼 움직여서 힘의 균형이 이루어지게 된다. 甲의 오르려는 힘과 己의 내려오려는 힘이 동일하기 때문에 비등한 힘으로 어울리니 甲己가 짝이 될 수가 있는 것이다. 다른 天干과는 오르고 내리는 힘의 균형이 조화를 이루지 못해 짝이 되지 못한다. 갑이 경과 어울리면 경금의 내려오려는 힘이 더 강하므로 내려오는 작용을 만들어내게 된다.

甲己合化土, 갑기가 합을 하여 마주 서면 힘의 균형이 0이 되어 중앙, 균형을 의미하는 土가 되는 것이다. 오르려는 힘의 시작인 甲과 내려오려는 힘의 시작인 己土가 마주하여 균형을 이루기에 中正이 되는 것이다.

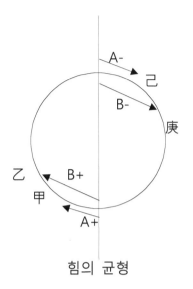

힘의 균형

봄에 피어오르려는 힘에 따라서 물이 열기를 품고 하늘로 증발하는 것이 아지랑이인데 이 아지랑이가 피어오르면 하늘에 떠 있는 비습(卑濕), 봄 하늘의 비구름이 된다.
甲의 피어오르는 힘, 하늘로 솟구치려는 힘은 己土의 내리는 힘과 동일하다. 다만 운동방향만 다를 뿐이다. 아지랑이가 피어오르면 天의 己土, 봄 하늘의 구름, 卑濕이 된다.

乙庚 合

乙은 甲木에서 자라 올라온 연약한 가지, 넝쿨의 모습인데 곧 바로 서려면 나뭇가지는 단단해질 필요가 있다. 이파리는 넓고 두터워져야 한다. 乙기운이 盛해지면 꽃을 피우는데 꽃을 피우게 되면 受粉이 일어나고 곧바로 작은 열매가 생긴다. 꽃과 열매는 한자리에 共存한다. 연한 나뭇가지가 열매를 달아매기 위해서는 단단해져야 하는데 庚金의 氣로 단단해진다. 나뭇가지가 열매의 무게를 감당할 수 있도록 단단하고 강해지는 것이다. 乙庚合의 결과로 맺는 열매는 결국 종족보존을 위해서 만들어지는 생존과정의 한 모습이다. 열매가 점점 커지고 무르익어서 무거워져도 땅으로 떨어지거나 나뭇가지가 부러지지 않도록 나뭇가지를 단단하게 만드는 것이다. 목의 기운과 금의 기운은 충극의 관계이지만 이러한 합을 통해서 음양의 조화를 통해서 종족보존을 위한 삶의 양식을 만들어 간다. 이렇게 乙과 庚은 한자리에 어우러져서 金기운이 되는 것이다.

巳火가 피어나는 시기가 되면, 즉 꽃이 피어나면 꽃 아래에 콩알만한 열매가 열리기 시작한다. 광합성 작용으로 영양분이 열매에 축적이 되기 시작한다. 巳中의 金기운, 숙살지기, 응축지기에 의해서 열매가 커져간다. 이것이 巳申이 合을 한 모습이요, 乙庚이 合을 한 모습이다. 乙庚合化 金이다. 경금이 강해지면 연약한 을목이 파손되거나 약해지고 위축되는 것이 아니라 경금이 강해지는 만큼 점점 세력을 얻고 강해진다. 열매가 점점 커져가는 것이

起頭를 찾는 것은 逢龍則化說을 통해서 이해하는 것이 좋다. 逢龍則化說은 宋代의 천문학자 沈括이 『黃帝內徑』「素問五運大論」의 내용을 인용하여 설명하였는데 이 法으로 月頭와 時頭를 찾으면 된다.

天門은 戌亥사이에 위치하고 있는데 28宿 중 奎.璧으로 나

뉘고, 地戶는 辰巳사이에 위치하는데, 角軫으로 나뉜다. 甲己年에는 戊己 黅天之氣가 角軫을 지나감으로 土運이 된다. 角은 辰에 속하고 軫은 巳에 속한다. 따라서 戊辰, 己巳가 된다.

乙庚年에는 庚辛 素天之氣가 角軫을 지나감으로 金運이 되고 庚辰, 辛巳가 된다.

丙辛年에는 壬癸 玄天之氣가 角軫을 지나감으로 水運이 되고 壬辰, 癸巳가 된다.

丁壬年에는 甲乙 蒼天之氣가 角軫을 지나감으로 木運이 되고 甲辰, 乙巳가 된다.

戊癸年에는 丙丁 丹天之氣가 角軫을 지나감으로 火運이 되고 丙辰, 丁巳가 된다.

丙辛 合

甲에서 시작하여 자라 올라 펼쳐진 丙火와 己土에서 시작하여 아래로 내려와 응축된 辛金은 반대의 기운이긴 하나 서로가 짝이 된다. 丙火가 오르면서 펼쳐내는 힘과 辛金이 내려오면서 응축하는 힘은 동일한 힘이다. 오르고 펼쳐내려는 힘과 내리고 응축하는 힘은 균형을 이루어서 힘이 **0**이 된다. 丙과 辛이 대등한 힘으로 마주서기 때문에 반대의 기운이 되지만 서로 어우러져도 충극에 의한 손모가 되지 않고 도리어 짝이 될 수 있는 것이다.

丙火는 陽을 대표할 만큼 뜨겁게 펼쳐져있고 辛金은 陰을 대표할 만큼 차갑게 응축되어 있다. 펼쳐진 뜨거운 기운이 차가운 기운을 만나면 水가 생긴다. 더운 날에 얼음물을 담은 컵을 놓아두면 컵 표면에 이슬이 맺힌다. 丙과 辛의 기운이 어우러지면 水로 化하는 것이다. 어릴 때 해보았던 자연과학 실험을 떠올려보자. 산소와 수소를 넣은 상자에 두 전극을 부딪혀서 불꽃이 일어나게 만들면 이때에 산소와 수소가 결합하여 H₂O 물이 생성된다. 수소와 산소는 기화되어 있는 물질이기는 하지만 辛金에 속하는데, 불꽃인 丙火와 辛金인 수소와 산소가 결합하여 물을 만들어 내는 것이다.

丁壬 合

天干合 중에서 대표적인 合이다. 모든 陰陽의 운동, 五行의 운동 및 작용을 丁과 壬의 合 작용, 운동으로 설명될 수 있다. 丁火가 熱氣라면 壬水는 冷氣가 된다.

丁火와 壬水가 合을 하면 昇降작용이 곧 바로 생긴다. 丁壬合의 모습을 가장 잘 나타내 보여주고 있는 것이 물방울이다. 丁火의 열이 많아지면 물방울은 잘게 쪼개어지면서 팽창한다. 팽창을 하면 상승작용이 일어난다. 팽창하여 공중으로 올라가고 난 뒤의 공간으로 새로운 물방울이 밀려든다. 이때에 대기의 흐름이 발생하고 잘게 쪼개어진 물 입자는 팽창하면서 위로 오르고 차가운 물방울이 새롭게 밀려들어 그 자리를 메꾼다. 이때 발생하는 대류현상이 바로 바람이다. 목운동이 된다. 하늘 높이 올라간 쪼개어진 물 입자는 온도가 차가와지면 서로 끌어당기면서 응축이 된다. 응결핵에 붙어서 물방울을 끌어당기는 것이다. 점점 물방울이 굵어져서 중력에 끌리면 땅으로 떨어지게 되는데, 이때의 기운이 金기운이고 하강하면서 또 대기의 흐름이 발생하여 바람이 일어난다. 이렇게 丁壬이 合을 하면 바람 즉 木氣運이 발생하게 되는 것이다. 이것이 丁壬合化木이 되는 것이다.

물방울이 바로 丁壬 合이 어우러져 있는 모습이다. 온도가 높아져서 丁火의 비중이 커지게 되면 물방울은 잘게 쪼개어져서 팽창하여 하늘로 오르게 되고, 온도가 내려가서 壬水의 비중이 커지게 되면 引力으로 뭉쳐져 커진 물방울의 모습이 되는 것이다. 빗물이 되고 강물이 되고 바닷물이 된다.

씨앗이나 새알은 둥그렇게 壬水의 기운이 축장되어 있다. 여기에 열이 가해지면 생명이 탄생한다.

겨울에 三寒四溫으로 한난을 반복하면서 점점 따뜻해지면 씨앗이 껍질을 뚫고 싹이 돋아나온다. 생명이 시작되는 것이다. 갑목의 모습이 되는 것이다.

丁火의 열과 壬水가 어우러지면 생명이 탄생한다. 어미닭이 알을 품고 21일을 지나면 壬水인 알이 어미닭의 품 丁火로 인해 새로운 생명인 병아리가 태어나는데 주로 봄에 태어나게 된다. 씨앗이 발아를 하고 달걀이 부화되는 봄이 바로 丁壬이 合을 하여 탄생시킨 목기운과 같다.

丁火와 壬水가 어우러져 合이 되면 木과 생명이 탄생되기 때문에 仁壽之合이라고도 하고, 淫亂之合이라고도 한다.

戊癸 合

壬水가 비라면 癸水는 수증기, 아지랑이에 비유될 수가 있다. 癸水가 火氣를 품거나 잘게 쪼개어져 있으면 아지랑이, 수증기로서 하늘로 오르게 되는데 木火 운동의 끝에 이른 것이 戊土이다. 戊土가 癸水와 어울릴 수 있는 것은 癸水가 火를 볼 때이다. 火가 많은 水일 때 상승한다.

合戊見火 化象斯眞
癸水가 戊土와 어우러져 火를 보면 象으로 化하는 것은 참되다(적천수)

火로 化하는 것이 아니라 火의 象으로 化하는 것이 참되다고 했다. 즉, 癸水가 戊土를 보면 火의 象이 나타나는 위의 이치가 참된 진리라는 것이다.

戊土는 먼지를 뜻하기도 한다. 지구위의 하늘을 부유하고 있는 먼지다. 먼지가 보잘 것 없는 듯이 보이지만 그 힘은 놀랍다. 중국이나 몽고의 사막에서 편서풍을 따라 이동하는 먼지는 한반도와 일본에 황사현상을 일으키기도 하고 멀리 북아메리카까지 날아간다. 수만 톤이 대륙을 가로지르고 태평양을 가로질러 날아가다가 빗물과 함께 땅으로 내려오는 것이다. 사하라 사막 위에 부는 바람이 사막의 모래먼지를 싣고 아마존강으로 날아간다. 식물성장에 필요한 비옥한 먼지가 아마존 밀림 위에 떨어져서 땅을 비옥하게 만들어 열대우림이 형성 되는 것이다. 이렇게 전 세계적으로 하늘위에는 먼지가, 戊土가 부유하는데 수증기가 이 戊土인 응결핵을 만나게 되면 서로 끌어당겨서 굵어져 비가 되어 땅위로 뿌려진다. 戊土와 癸水가 어우러지는 모습이 되는 것이다.

물입자가 물방울로 커질 수 있는 것은 戊土 즉 하늘에 부유하고 있는 먼지 응결핵 때문이다. 癸水는 안개, 옹달샘, 이슬, 시내라고도 하는데 癸水의 작용을 보면 아지랑이, 안개, 수증기를 의미한다고 봐야한다. 물은 세 가지 형태가 있다. 고체인 얼음, 액체인 물, 기체인 수증기인데 癸水는 수증기에 속한다. 끊임없이 하늘로 오르려는 성질을 지닌 수증기 癸水는 하늘에 있으면 끊임없이 부유하는 먼지인 응결핵 즉 戊土에 안착하고자 한다. 먼지만 있으면 물은 이 먼지에 달라붙고 다른 물입자와 결합해서 점점 커지게 된다. 어느 정도 커지게 되면 중력을 못 이겨서 땅으로 떨어지게 되는 것이다.

癸水는 눈에 보이지 않는 수증기 같은 존재이면서 안착하려는데 안착이 안 되고 변화하는 존재이다. 땅에 있으면 하늘로 오르려하고 하늘에 있으면 땅으로 내려오려고 하는 존재인데 이것이 계수의 가장 중요한 성질이다. 유랑, 적응력, 끊임없는 변화, 존재의 확인, 임기응변, 안정을 추구하고, 지혜의 의미와 통하는 이유이기도 하다.

이렇게 하늘에서 응결핵이 되는 戊土에 癸水가 달라붙어 얼어있으면 이들 얼음알갱이 사이에 혹은 작은 물방울 사이에 전위차로 인한 마찰 에너지가 발생하게 되는데 이것이 커지면 번개가 되는 것이다. 마른하늘에 번개가 치는 이유도 하늘에 작은 얼음알갱이 혹은 작은 물방울들이 존재하기 때문에 가능해지는 것이다. 하늘에 떠 있는 작은 물방울들인 구름과 땅 사이에서도 전위차로 인해서도 번개가 발생하게 되는 것인데 이것이 바로 戊癸가 어우러져서 火로 化하는 것이다.

무계가 합을 하게 되면 번개가 생성되듯이 번개처럼 번득이는 아이디어가 갑자기 떠오르거나, 예기치 못한 돌발적인 행동이 번개처럼 일어나 일대 변혁을 일으킬 수도 있다. 癸水는 자신의 존재가 변화무쌍하고 변화에 능동적이지만 戊土는 수동적이다. 물의 리性 때문에 언제나 癸水가 戊土에게 다가와서 어우러지는 것과 같다. 그러나 어우러져서 발생되는 생각이나 행동은 번개처럼, 전광석화처럼 빠르고 변화가 급하다. 금방 사라지기는 하지만 끊임없이 잠재되어 있다.

天干合이 原局에 있을 경우 항시 合의 뜻을 세우고 있는 것이라서 추구하려는 경향이 강하다. 合이라는 것은 새로운 것을 생성 혹은 생산하기 위해 내 것을 양보하는 것과 같다. 그렇다고 해서 나를 완전히 버려서 合을 이루고 새로운 것을 생성 하지는 않는다는 말이다. 甲己가 原局에 있으면 서로 어우러져서 土의 뜻을 세우려고 하지만 甲이 자신의 속성을 다 버려서 土의 뜻을 세우는 것은 아니다. 甲의 속성, 기질을 다 가지고 있되 己土와 合을 하기 위해서, 새로운 것을 생성하기 위해서 양보하는 것이다. 자신을 양보해야 하니 순일함을 버리게 되고, 格은 탁하게 되고, 끌려가게 되고, 연연하게 되고, 행동이 묶이게 되는 것과 같다.

甲日干이 己土와 合을 하면 재물과 어우러져 자신의 뜻을 세우는 것이다. 재물에 대한 추구가 강해지는데 실제로 재물추구, 지향의 모습이 드러나는 것이다. 己土일간이 甲을 보면 官, 명예를 추구하는 경향성이 강한데 己土가 甲正官과

合을 하여 명예를 추구하면 재물소모가 따른다. 혹은 잃는 것이 있다고 볼 수 있으니 누구를 중심으로 合이되는가에 따라서 다른 의미로 해석 될 수 있다.

운에서 合을 할 때에, 예를 들어 甲日干이 운에서 己土를 만나면 재물에 대한 애착심이 많아지고, 경제 활동을 추구하려는 생각이 문득문득 강하게 일어난다.

原局의 地支에 財星을 가지고 있으면 뜻과 현실이 만났으니 실제 경제활동을 하게 된다. 天干의 合은 대체로 정신, 생각, 뜻의 合이다. 뜻을 세우려 하고, 행동으로 옮기고 싶어하고, 계속 관심을 가지고 해보려고 공부도 하지만 실제로 행동으로 옮기는 경우는 드물다. 四柱 原局內에서 地支의 因子는 실제로 펼쳐낸다. 天干에서 合을 이룬다고 해서 그대로 그 뜻을 펼칠지는 먼저 지지의 모습을 잘 살펴야 한다.

사주원국에 甲己合이 되어 있는데 운에서 또 甲木이 들어오면 合이 깨어지고 이루어지지 않는다고 하는 고전이론이 있다. 爭合, 妬合, 暗合의 모습이다. 沖의 경우도 마찬가지의 이론이 있지만 운에서 오는 것을 歲君이라고 한다, 임금의 권한, 영향력, 힘, 勢力을 지녔다는 뜻이다. 甲己合 상태에서 운에서 또 甲을 만나면 甲에게는 세운의 甲이 비견으로 작용하고 己土에게는 甲己合으로 작용하고 原局에서는 그대로 甲己合의 뜻, 기질 성향을 지닌다. 모두 다 이루어지니 格이 탁해져서 떨어질 뿐이다. 정신적 혼란이 가중될 뿐이다. 比肩으로서 재물이 분탈되는 작용이나, 甲己合으로써 재물손실이나, 妻와의 인연이 불안해질 수 있는데, 原局의 甲己合은 태생적으로 재물을 추구하는 경향성을 그대로 지닌다.

三合, 方合

　三合은 합을 하는 地支의 겉모습이 각기 다르지만 의기투합해서 동일한 목적을 이루려고 슴하는 것인데 이해관계가 커서 슴하려는 힘이 강하다. 方슴은 형제, 사촌, 가족 간의 슴이라서 외모나 기질이 비슷하기는 하지만 어떤 목적을 공동으로 도모하려는 경향성은 그리 강하지 않다. 三合은 다른 곳에 속해 있지만 정신, 뜻, 취향, 추구 방향이 동일하여 슴하게 되는 것이다.

　亥卯未 三合을 예로 들어 보면 亥는 壬水로서 겨울에 속하여 있는 水이다. 卯는 봄에 속한 木, 未土는 여름에 속해 있는 土이다. 亥水는 외향적으로는 수의 모습을 하고 있지만 내면적으로는 戊甲壬이라는 뜻, 기질, 지향성을 동시에 지니고 있는데, 그 중에서 甲과 뜻을 같이 하는 데에 적극성을 보인다. 未土는 丁乙己라는 뜻, 기질, 지향성을 지니고 있는데, 그중에서 乙과 뜻을 같이 하는 데에 적극성을 보인다. 卯를 중심으로 모이면 亥卯未는 卯와 동일한 뜻, 기질, 추구 방향을 가지게 된다. 그래서 적극적으로 동참하게 된다. 三合은 인생사의 이합집산의 목적이나 이유를 잘 나타내 보이고 있으므로 매우 중요한 부분이다. 三合은 결국 오행의 이합집산 작용의 이치인데 이 작용의 이치와 의미, 그리고 衰旺의 이치를 알면 명리학 절반을 아는 것과 다름없을 것이다. (能知衰旺之眞機 其於三命之奧 思過半矣)

　三合을 완전히 이해하기 위해서는 지장간, 天干合, 12包胎, 冲, 刑, 害, 陰陽 등등을 이해하여야 한다. 亥卯未가 모여서 만드는 기운이나 작용은 卯이며 陽에 속한다. 卯는 이른 아침을 뜻한다. 잠시 시간이 지나면 해가 떠오르고 하루가 힘차게 시작된다. 밝고, 꾸미고, 활동적이고, 펼치고, 기획, 계획하는 것과 연관이 많다. 亥에서 卯까지는 木기운이 서서히 강화 되다가 卯에서부터 未까지는 서서히 약화된다. 亥에서 장생한 甲木은 卯에서 최고의 힘, 역량을 발휘하다가 卯를 지나면서 서서히 약화 되는데 甲木은 未에서 입고한다. 甲木의 기운이 지구에서 완전히 사라지지 않도록 未에서 보관을 한다. 未에서 甲木의 기운을 거두어들이면 庚金이 지상에 힘있게 펼쳐진다. 응축, 결실, 숙살, 분리의 모습으로 가려면 새싹을 피우고 꽃을 피우는 봄기운은 대부분 사라져야 한다. 그렇지 않고서 계속해서 자라면 결실이 되지 않는다. 깻잎을 지속적으로 수확하기 위해서는 수은등을 켜서 낮의 시간을 길게 하면 된다. 갑목 성장의 기운이 입묘하고 난 뒤에 숙살, 응축의 기운이 땅위에 편만해지면 결실이 본격적으로 시작되는 것이다. 그렇다고 해서 갑목의 성장의 기운이 지상에서 완전히 사라지는 것은 아니다. 未에 入庫한 뒤의 甲木이 물론 지속적으로 자라게 하지는 못하지만 늦가을에 파종하는 보리, 밀, 마늘, 양파는 甲木의 기운으로 싹이 나서 자란다. 겨울을 지나면서 성장을 멈추었다가 봄의 木기운과 함께 다시 자라기도 한다.

 지상에서 五行이 하나라도 사라지는 경우는 없다. 세력의 차이를 보이면서 그 시기를 主宰(주재)할 뿐이다. 이와 같이 未에 入庫된 甲木도 지상에서 완전히 사라진 것이 아니라 약해진 세력으로 존재하면서 庚金의 때를 여는 것을 돕는다. 未土가 申의 氣를 열어주고 있는 것이다. 申酉戌의 시기를 지나는 동안 甲木의 모습은 죽은듯한 모습, 봄기운이 아닌듯한 모습, 성장의 기운이 아닌듯한 모습으로 지상에 존재하면서 서서히 보이지 않게 땅속에서 세력을 준비한다.

亥에 이르면 甲木이 長生의 모습으로 지상에 펼쳐지는데 아직은 지상의 응축의 기, 숙살의 기, 냉기가 세력을 가지고 작용을 하고 있어서 甲木은 바람의 모습 즉 六氣로 존재한다. 厥陰風木이 된다. 잎이 없는 나무는 추운 겨울을 극복하는 생존양식의 모습이다. 丑月이 되면 지상의 庚金이 入庫를 하고 甲木의 기운은 봄을 열어 가는데 방해가 전혀 없다. 丑이 寅을 열어 주어 지상에서 甲木의 활동이 왕성해지게 한다. 庚金이 丑에 入庫 한다고 해서 지상에서 庚金이 완전히 사라지는 것은 아니다. 甲木에게 庚金이 없으면 연약한 줄기가 곧게 서있을 수도 없고 꽃을 피우고 난 뒤에 열매를 매달고 있을 수도 없다. 甲木이 있는 곳에는 반드시 庚金이 있다. 그래서 乙庚이 어우러지는(合) 일은 甲이 왕성해질 때도 항시 존재한다. 양상을 달리하면서 합을 이루고 존재하는 것이다.

亥에서 卯까지는 점점 세력이 강해지다가 卯에서 未까지는 점점 그 세력이 약해져 간다. 신유술을 지나면서는 잠재력으로 존재하면서 가끔씩 모습을 드러내지만 세력이 없다.

寅卯辰이 모이면 方合을 이루게 되는데 혈육으로 인연이 된 형제, 가족의 모임과 같다. 몇 십 년, 몇 백 년이 흘러도 변치 않는 모임, 호적에 올려져 있는 모임이 方合이다. 겉모습은 서로 비슷한데도 많고, 姓도 같고, 부모도 같지만, 가족 각 구성원의 품은 뜻, 기질, 추구하는 방향은 너무 다를 수 있다. 형은 제조공장 사장을 하고, 동생은 은행지점장을 하고, 나는 법계 쪽에서 일을 하다가 집안의 일이 생기면 모이는 것과 같다. 寅은 寅午戌과 어우러져서 가슴속에 품은 午火의 뜻을 펼쳐 보이고 辰土는 申子辰과 어우러져서 가슴속에 품은 뜻을 펼쳐 보이는 것이다. 三合에 의해서 살아가는 삶의 모습, 행동의 모습, 일이나 사건의 해결 방식이 서로 다르게 나타나게 되는 것이다.

亥卯未는 서로 어우러져 木운동을 강력히 도모하고
寅午戌은 서로 어우러져 火운동을 강력히 도모하고
巳酉丑은 서로 어우러져 金운동을 강력히 도모하고
申子辰은 서로 어우러져 水운동을 강력히 도모한다.

亥卯未, 寅午戌은 木火에 속하니 陽운동을 하여 女命에게 유리하고 巳酉丑, 申子辰은 金水에 속하니 陰운동을 하여 男命에게 유리하다.

六合(地支合)

天干은 氣다. 머릿속에서 생긴 뜻, 계획, 일어났다가 스러지는 무수한 생각이다. 아직 현실적으로 펼쳐내지 못한 단계이다. 地支는 현실적으로 땅위에 펼쳐지는 사건, 일, 인물에 대한 것이다. 形이 된다는 의미이다. 天干에서 氣가 움직여 象을 드리우면 地支에서 받을 만한 조건이 형성될 경우에 인간의 삶에서 실제적인 形을 이루게 된다. 天垂象 地成形 땅위의 펼쳐지는 기의 모습과 합해지는 현실의 모습은 이렇다.

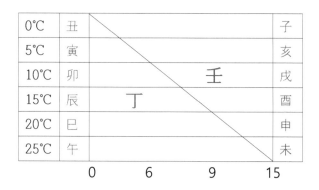

0℃	丑		子
5℃	寅		亥
10℃	卯	壬	戌
15℃	辰	丁	酉
20℃	巳		申
25℃	午		未

0   6   9   15

땅위에서 펼쳐지는 寒暖의 작용이다. 丁壬이 함께 있는 물입자, 공기입자들의 한난의 모습이다. 물 입자로 예를 들어 보자. 30℃ 물 입자가 땅위에서 승강작용을 하면 여름이다. 0℃ 물 입자가 오르내리면 겨울이 된다. 한난이라고 하는 것은 어느 기준점을 정하게 되면 기준점에 대하여 상대적으로 발생한다. 100℃가 뜨겁지만 1000℃에 비하면 차다, 冷하다.

1000℃가 뜨겁지만 6000℃ 에 비하면 차다, 冷하다.
 물입자에서 열을 덜어내면 차가워지면서 申酉戌亥子로 흐를 것이요. 물입자에 열을 가하게 되면 더워지면서 寅卯辰巳午로 흐를 것이다.
 이렇게 땅위의 물입자, 공기 중에 존재하고 있는 물질의 한난의 양상에 따라서 계절이 변해간다. 물의 입자의 온도를 午에서 巳로 떨어뜨리면 未에서 申만큼 온도는 떨어진다. 壬水의 냉기는 강해진다. 물입자의 온도를 巳에서 辰으로 떨어뜨리면 申에서 酉만큼 온도는 떨어지고 壬의 기운은 더 강해진다. 물입자의 온도를 辰에서 卯로 떨어뜨리면 酉에서 戌만큼 온도는 떨어지고 壬의 기운은 더 강해진다.
 巳만큼 열기를 품고 있으면 申만큼 냉기를 품고서 조화를 이루어 그 계절을 주관한다. 辰만큼 열기를 품고 있으면 酉만큼 냉기를 품고서 조화를 이루어 그 계절을 주관한다. 丁火가 巳만큼 강해지면 壬水는 申만큼 강해져 있다. 丁火가 寅만큼 강해지면 壬水는 亥만큼 강해져서 조화를 이루어 존재하게 된다.
 이렇게 地支의 六合은 陰陽이 완전하게 짝을 이루고 있어서 夫婦之合이라고 부른다. 子丑合과 午未合은 동일한 세력이 모여 있는 것이다. 合이라고 보기 어렵다. 세력이 더 강해질 뿐이다. 子丑이 어우러지면 水기운이 더 강해지고 午未가 어우러져 있으면 火 기운이 더 강해진다.
 太極圖說에 一動一情 互爲其根 한번 움직임과 한번 고요함은 서로가 그 뿌리가 된다고 했다.
 巳申은 서로에게 뿌리가 되면서 초여름의 기운을 이루고 있다. 巳만큼 丁火, 申만큼의 壬水, 巳申은 이런 모습으로 어우러져 있다. 이렇게 合이 되면 안정되기 때문에 생명이 길다, 유정하다, 인연이 오래간다.

부부의 부족분을 서로 채워서 가정을 이루어 나가니 地支六合을 夫婦之合이라고 하는 것이다.

六合의 地支數를 더하면 15 즉 중화의 수가 된다.

寅 3 ----- 亥 12 == 15
卯 4 ----- 戌 11 == 15
辰 5 ----- 酉 10 == 15
巳 6 ----- 申 9 == 15
午 7 ----- 未 8 == 15
丁火의 비율----壬水의 비율 = 15 중에서
子1은 丑으로 흐르는데 丑은 2도 되고 14도 된다. (地支는 12진법으로 움직임으로) 그래서 子와 丑이 合을 하게 되면 15가 된다.

子는 寅을 생하고 丑은 庚金을 入庫 시킴으로 인해 寅木이 지상에 펼쳐질 수 있도록 한다. 子丑이 合 즉 어우러져서 水 기운으로서 寅을 생하고 응축의 기운, 숙살의 기운을 가두어 둠으로써 寅木, 甲木의 參天之氣가 땅위에서 방해 없이 작용을 하게 한다.

易有太極이라 했다. 易에는 太極이 있는데 太極이 곧 太一이다. 太極이 兩儀로 分陰分陽 함으로써 2를 낳는다. 계사전에 立天之道 曰 陰與陽 하늘을 세우는 道를 일러 陰과 陽이라고 했다. 이 陰陽이 五行이 되면서 만물이 변화 생성 되었다. 一析三極(天符經) 하나가 나뉘어 3이 되었다.

子水가 一, 하늘에서 壬水가 우주 생성의 근본 太始라면 땅에서는 子水가 그러하다. 一陽이 始生하면서 萬物形成의 기틀이 되는 것이다.

子와 丑의 작용으로써 寅木이 열린다. 子水가 태어나면서 만물이 펼쳐진다. 陽이 점진적으로 변해가면, 즉 寅卯辰巳午로 변해가면 陰이 되는 未申酉戌亥가 陽과 어우러져서 즉, 합을 하여 15를 만드는데 중화의 모습이 된다.

1에서 9까지의 숫자 중에 5를 빼고 合하면 40이 된다. 5와 10은 중앙土의 生數와 成數가 되는데 六合을 하면 육합 두 地支의 합이 중앙土의 生數와 成數를 合한 數와 같다. 成數를 偶數라 하는데 生數의 짝이라는 말이다. 生數와 成數 즉, 偶數가 合해야 온전해진다. 이 두 수가 완전수가 되는 것이다. 寅과 亥가 合하면 15를 이룬다. 15가 됨으로써 中正의 모습이 되어 안정이 된다. 강하게 合이 된다. 하나가 있으면 다른 합이 되는 글자가 없어도 있는 것처럼 봐야 한다. 寅이 나타나면 반드시 亥가 보이지 않게 존재하면서 암암리에 작용을 한다. 나무가 지상에 솟아 있으면 땅속에도 뿌리가 반드시 그만큼 숨겨져 있다. 동전의 앞면과 뒷면이 共存하는 것과 같다. 이것이 秘神이다.

六合이 되면 어떤 현상이 일어나게 되는가?

먼저 子丑合을 보자.

子丑合은 응결, 수축이 되는 성질의 水가 水의 기질인 引力으로 한자리에 어우러져 있는 것이다. 1과 2가 한곳에 三으로 존재한다. 三은 寅이다. 그래서 丑이 寅을 여는 것이다.

丑은 土로 분류되기는 하지만 허울뿐인 土이다. 냉기가 가득하고 癸水가 餘氣로 넘어오고 한밤이 되니 子水와 비슷한 작용을 한다. 子丑이 合하면 즉 어울리면 土가 된다 했는데 土보다 水의 역할을 더 강하게 하게 된다.

合을 해서 행동을 바꾼다기 보다는 子丑이 合을 해서 陰이 강해지고, 냉기가 더 강해지고, 어두워지고, 고요해지고, 저장하고, 그리고 寅木의 氣를 열어준다. 세속적인 일보다는 종교, 철학 등 비세속적인 일, 사회적으로 감추어야 하는 일, 정보기관, 친수성의 일 혹은 지역, 연구직, 전문직, 특수직과 인연이 많다. 남들 눈에 잘 보이지 않는 공간에서 合이 지속적으로 진행되는 것이다.

寅亥가 合을 하면 亥水에서 甲木이 장생 하고 寅에서 祿이 된다. 함께 어우러져서 甲木의 일, 기질, 성향, 추구 방향을 더 뚜렷하게 드러낸다. 기획, 창조, 시작, 건축, 인테리어와 관련이 많고, 역마성(조선, 항공, 무역, 전기, 자동차, 통신 등)과 관련이 많다.

卯戌合이 되면 卯戌은 春秋가 만나서 아침과 저녁이 교차한다. 시작과 끝이라는 의미이니 始終이 분명하다. 卯는 어린아이, 戌은 세상 풍파를 다 겪은 노인을 뜻하니 나이차가 많은 남녀결합의 모습이기도 하다. 戌은 온갖 세상사를 다 겪은 황혼의 노인, 卯는 젊음이 피어나는 묘령의 여인, 이들 둘의 잘 어우러짐이 마치 삼십 년의 세월을 격하고도 뜻이 통했던 이퇴계와 두향의 어우러짐과 같다.

卯는 일으켜 세우고 꾸미는 것이니 교육, 의료, 미용, 장식, 패션, 화려함과 인연이 많다.

卯戌酉 중 두 글자만 있어도 活人業에 종사 할 수도 있다고
했다.

辰酉가 만나 合을 하면, 즉 辰酉가 어우러지면 金의 뜻을
쫓게 된다. 늦봄과 가을(中秋)이 만나서 결실을 이룬다.
巳申合은 申子辰을 쫓고
辰酉合은 巳酉丑을 쫓고
卯戌合은 寅午戌을 쫓고
寅亥合은 亥卯未를 쫓는다.
陽에 속하는 寅卯辰巳午가 점짐적 변화를 하면 陰에 속하는
申酉戌亥는 陽支와 合을 하는데, 寅午戌, 亥卯未는 三合의
결과적 陰陽이 木火에 속하니 陽구역에서 서로 무리를 짓는
다. 寅亥, 卯戌, 午未가 서로 무리 짓는다. 무리를 지으면 15
즉 중앙土의 生成數의 合數가 된다. 寅午戌은 내려오는 모습
으로, 亥卯未는 올라가는 모습으로 어울린다.
陰구역에서는 申子辰, 巳酉丑이 三合으로 무리 짓고 巳申,
辰酉, 子丑이 만나서 어우러지면 15가 되는데 이때 子丑의
합은 3도 되고 15도 된다. 數1 에서 二를 生하고 二가 三을
生하고 三이 萬物을 生하는데 生한다는 道의 의미와 통하게
된다.
巳酉丑은 내려오는 모습으로, 申子辰은 올라가는 모습으로
서로 어우러져 六合을 이룬다. 陽구역에 있는 亥卯未와 寅午
戌은 寅卯午와 亥戌未로 나뉘는데 寅卯午는 속성이 陽이고
亥戌未는 속성이 陰이다. 陽이 변하면서 陰과 合을 하고 두
合이 15 즉 土의 生數와 成數를 合한 숫자가 된다.
이렇게 合을 하면 夫婦처럼 강하고 오랜 인연이 된다 하여

夫婦之合이라 한다.

두 글자가 合을 이룰 때 陽의 속성을 지닌 寅卯午는 드러내기를 좋아하지만 陰의 속성을 지닌 亥戌未는 현실적이고 땅에서 행동으로, 실질적으로 행동으로 나타내기를 더 좋아한다. 陽의 속성인 寅과 陰의 속성인 亥가 合을 하면 陽의 속성을 지닌 寅이 모습을 드러내게 되지만 陰의 속성을 지닌 亥가 추구하는 방향이 실리적, 현실적이므로 亥의 사회적인 合, 현실적인 合이 되는 亥卯未 三合의 속성, 행동, 뜻, 실리를 따라가게 된다.

寅亥가 合을 하면 亥卯未의 속성, 행동, 뜻, 실리를 추구하여 木으로 대변되고,

卯戌이 合을 하면 寅午戌의 속성, 행동, 뜻, 실리를 추구하여 火로 대변되고,

辰酉가 合을 하면 巳酉丑의 속성, 행동, 뜻, 실리를 추구하여 金으로 대변되고,

巳申이 合을 하면 申子辰의 속성, 행위, 뜻, 실리를 추구하여 水로 대변된다.

인	해
미	오
술	묘
해	인
오	미
묘	술

인	묘	진	사	上昇作用
		토		
해	술	유	신	下降作用
木	火	土 金	水	

 巳申이 만나서 合을 하면,
庚金이 巳에서 長生을 하고 申에서 祿이 된다. 巳申은 六合 중에서도 독특한 合이다. 刑도 되고, 合도 되고 庚金 長生地도 된다. 巳는 申을 克制하는 관계가 되고 破의 관계가 된다. 巳는 申에게 劫殺이 되고 申은 巳에게 亡身이 된다.
 巳申은 刑出이 되니 서로가 損耗의 조정이 필요하게 되고 巳申이 合을 해서 申子辰 水局의 속성, 행동, 뜻, 현실, 실리를 추구하게 된다. 水의 뜻을 따르는데 申의 모습을 지닌 체 따른다.
 이렇게 巳申合은 매우 복잡한 관계를 만들어 내는 合이 된다. 예를 들면 남녀가 어울리어 즉, 合을 하게 되면 사랑에 빠진다. 巳가 남자든 여자든 申을 억압하니 申도 한번씩 申 중의 壬水로 巳중 丙火를 克하여 파란을 일으킨다. 이렇게 서로가 갈등이 일어나니 破가 된다. 인연이 깊어서 헤어질 수는 없고 오래 살면서 서로가 자신의 못난 부분을 깎고 성격을 조정해서 조화를 이루어 살아나가게 되니 刑이 된다. 남남이 만나서 가정을 이루었으니 자식 낳고, 가정을 꾸리고 申子辰 水局을 추구하면서 잘 살아가는 이 모든 모습이 여기에 담겨 있다. 巳申 合은 申子辰 水局을 추구하지만 삶의 양상은 巳火와 申金의 작용이 더 두드러진다.

 午未가 만나서 合을 하면,
 炎火 끼리 만나서 무더위가 더 강해지는 모습이다. 合을 해도 변화 없는 모습이 되는데 火가 되기도 하고 土도 될 수도 있다. 午未가 모이면 밝고 밖으로 표출하게 되고, 사람이 많이 모이는 곳으로 나아가게 되고, 陽의 발산작용에 도달해서 土의 작용 즉 승강작용의 변곡점이 된다. 動이 極하면 情이 生하게 되는 이치와 같다. 未土가 午未 合을 土로서의 역할로 이끌어 간다. 化하는 것이다.
未土는 곧 바로 申의 작용을 열어 놓는다. 응축의 기운으로 돌아서 蓄藏을 시작하게 만든다.
땅위에는 甲木의 參天之氣를 거두어 들여 入庫 시킴으로써 庚金의 가을기운, 下降의 기운, 응축의 기운, 숙살의 기운을 펼치도록 未土가 돕는다. 조화가 필요하지만 午未는 사통팔달의 거리, 다 드러낼 수 있는 곳이 되는데, 그런 것과 관련이 되는 언론, 방송, 예술과 인연이 많게 된다.

 적천수 合局에 보면,
合有宜不宜 合多不爲奇
合이 있으면 마땅할 때도 있고 마땅치 않을 때도 있는데 合이 많으면 奇妙하지 못하다고 했다.

또 다른 고전에 보면 合多 志無遠達이라 했는데,
合이 많으면 뜻을 세워도 멀리까지 도달할 수가 없다는 뜻이다. 合이 많으면 자신의 뜻을 세우기도 힘들지만 자신의 뜻을 이루어 멀리 까지 오래도록 펼칠 수도 없다. 주관이 없어 남에게 끌려간다. 귀가 얇아서 남의 말에 솔깃해지기 쉽고 상황에 쉽게 휩쓸려 간다.

暗合과 地藏干

 暗合은 天干과 地藏干, 地藏干 끼리의 合을 의미 한다
暗合을 이해하기 위해서는 地藏干을 먼저 이해하여야 한다.
天干이든 地支든 순차적으로 변해져 갈 때에 변해져가는 글
자를 천간으로는 10干, 地支로는 12支로 대변하여 순서대로
나열해 놓는다.

甲乙丙丁戊己庚辛壬癸,
子丑寅卯辰巳午未申酉戌亥,

 이때에 甲과 乙사이, 乙과 丙 사이, 다음 글자로 넘어갈 때
의 두 글자 사이가 완전히 끊어진 격리된 모습이 아니라 이
어져 있다. 乙의 끝과 丙의 시작은 같다고 볼 수 있다. 구분
할 수 없다. 丑과 寅사이, 寅과 卯사이도 마찬가지로 완전히
구분 지을 수가 없다. 구분 지을 수가 없기 때문에 흐름의
원활한 연결을 위해서 餘氣, 中氣, 正氣로 시기별로 구분하
여 놓았다.

 예를 들면, 寅의 지장간은 戊丙甲인데 丑土의 여기가 되는
戊가 있어 中正의 의미를 지니며, 丙은 가슴에 품고 있는 사
회적인 뜻을 의미하고, 추구하고자 하는 방향이 되고, 기회
만 되면 회합하여 뜻을 도모하고자 한다. 甲은 밖으로 뜻과
생각을 현실적으로 드러내는 모습, 상모적인 모습이 되는데,
寅이라는 地支는 이 세 가지의 기능, 혹은 작용, 혹은 모습,
혹은 기질, 혹은 자격을 갖추고 살아가는 존재이다.

丑			寅			卯		
癸	辛	己	戊	丙	甲	甲		乙

지지	子	丑	寅	卯	辰	巳	午	未	申	酉	戌	亥
餘氣	壬10일1시간	癸9일3"	戊7일2"	甲10일3"	乙9일3"	戊7일2"	丙10일	丁9일3"	戊7일2"	庚10일3"	辛9일3"	戊7일2"
中氣		辛3일1시간	丙7일2"		癸3일1"	庚7일3"	己10일1"	乙3일1"	壬7일2"		丁3일1"	甲7일1"
正氣	癸20일2시간	己18일6"	甲16일5"	乙20일6"	戊18일6"	丙16일5"	丁11일2"	己18일6"	庚16일5"	辛20일6"	戊18일6"	壬16일5"

지장간 도표

子午卯酉는 旺支로서 자신의 모습을 강하게 오롯이 표출하는 것들이다. 다른 것과 섞이지 않고 純一한 음양의 기운으로 뭉쳐져 있다.

卯는 양간이 되는 甲과 음간이 되는 乙, 이 두 기운을 포괄하여 존재하고 있다. 이미 모든 것을 갖추었기 때문에 요동이 별로 없다. 寅申巳亥처럼 움직이려고 하지 않는다. 甲乙 음양의 뜻을 합하여 帝王의 자리에 앉은 것과 같다.

餘氣, 中氣, 正氣가 주관하는 시간은 고전과 현대의 별자리 운동의 변화로 인해 약간의 차이를 보이고 있다고는 하지만 약간의 오차를 보이더라도 오차범위를 감안해서라도 반드시 이해를 해야 한다. 운의 흐름, 운이 미치는 영향의 시간적 변화를 구분하여 파악하는데 매우 중요하다.

丁	甲	壬	癸
卯	午	戌	卯

巳 大運이라고 가정을 하면 丁巳大運의 영향을 10년 동안 받게 되는데 전체적으로 丁巳의 영향을 받고, 地支에 있는 글자별로 巳의 영향을 받게 된다. 이때 10년 동안 균일하게 丁巳의 영향을 받는 것이 아니다.

대략, 戊가 7/30X10년 동안 주관하고, 이후에 庚이 7/30X10년 동안 주관하고, 그 다음으로 丙이 16/30X10년 동안 나누어서 주관을 하게 된다. 巳대운의 영향을 10년간 기본적으로 받게 되지만 이렇게 나누어져서 해당 기운이 좀 더 두드러지게 지배를 하게 된다.

 丁巳大運 10년을 지배하는 氣運은 아래와 같다.

1996	1997	1998	1999	2000	2001	2002	2003	2004	2005
丙	丁	戊	己	庚	辛	壬	癸	甲	乙
子	丑	寅	卯	辰	巳	午	未	申	酉

2년 4개월	2년 4개월	5년 4개월
戊	庚	丙

巳 歲運을 만나면 한 해 동안 어떻게 영향을 받는지 살펴보면 다음 표와 같다.

寅	卯	辰	巳	午	未	申	酉	戌	亥	子	丑
2개월 23일			2개월23일			6개월 14일					
戊			庚			丙					

巳年 寅卯月과 辰月 23일까지는 巳와 戊의 영향을 받고, 辰月 24일~未月 16일까지 2개월 23일간은 巳와 庚의 영향을 받고 未月 17일부터 丑月 말까지는 巳와 丙의 영향을 받게 되는 것이다.

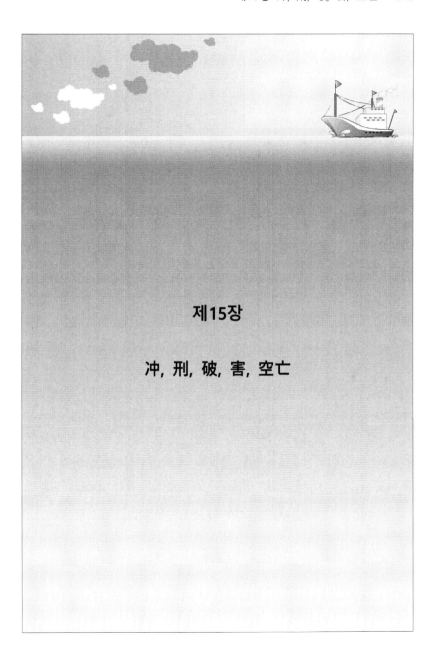

제15장

沖, 刑, 破, 害, 空亡

제15장　冲, 刑, 破, 害, 空亡

冲

天干冲

　天干冲은 하늘의 음양, 五行의 변화인데 곧 정신, 뜻, 지향하는 것의 변화이다. 실리를 추구하거나 현실적이지는 않지만 정신적 갈등, 뜻의 충돌, 지향하는 것들의 교란을 의미하기도 한다.

　天干冲은 克을 하는 것인데 일방적인 克은 있을 수가 없다. 庚金이 甲을 克하는 것으로 되어 있지만 庚金이 일방적으로 甲을 克하지는 않는다. 어떤 의미에서는 克의 의미보다는 克制 즉, 통제 한다는 의미가 더 적절한 표현이 될 것이다. 冲이라는 것은 五行의 속성적으로 庚金이 甲木을 克制하는 것으로 이해하고 있으나 庚과甲 중 어느 하나가 일방적으로 克을 하거나 克을 당하지는 않는다. 두 氣運의 세력다툼이다. 甲이 강하면 甲이 庚을 克制하고 庚이 강하면 庚이 甲을 克制한다. 다시 말하면, 甲氣가 왕성한 봄에는 庚金이 힘이 없어서 甲氣에 克制를 당하게 된다는 의미이다.

　적천수에 보면 다음과 같은 글귀가 있다.
甲木參天 脫胎要火 春不容金 秋不容土,
火熾乘龍 水蕩騎虎 地潤天和 植立千古

봄은 金기운을 용납하지 않는다는 뜻이다. 同一한 時空間에서는 반대되는 두 세력이 동시에 용납 될 수 없다는 말이다. 그렇다고 해서 甲기운이 왕성해지는 봄에는 庚金의 氣가 전혀 없을 수도 없다. 봄기운이 아무리 왕성해도 金기운을 완전히 소멸시키지는 않는다. 응축의 氣, 숙살의 氣運이 거의 작용을 못하게 할 뿐이지 金기운이 없으면 甲木이 곧바로서 있을 수가 없고 꽃이 떨어지고 난 자리에 庚金의 어린 모습인 열매가 맺어질 수 없다. 甲木과 庚金의 두 세력이 同一한 時空間에 兩立할 수는 없지만 힘이 없는 모습으로라도, 숨겨진 모습으로라도 반드시 存在해야만 한다.

太極圖說에 一動一精 互爲其根이라는 글귀가 있다.
하나의 움직임과 하나의 고요함은 서로가 그 뿌리가 된다. 다시 말하면 甲木은 庚金勢力의 根이 되고 庚金은 甲木勢力의 根이 되어 존재 한다는 의미이다.

震兌主仁義之眞機 勢不兩立 而有相成者存 (적천수)
卯酉 두 세력은 兩立할 수는 없지만 서로가 뜻을 이루도록 돕는 者만이 存在할 수 있다는 의미이다.
甲氣가 있으면 庚氣가 있고 庚氣가 있으면 반드시 甲氣가 있지만 어느 시기가 되어 어떤 세력이 더 강하냐에 따라서 강한 세력이 약한 것을 克制한다.
天干의 冲은 정신, 뜻, 생각, 지향하는 바가 세력을 얻으면 다른 것을 통제하면서 자신의 뜻을 더 크게 펼쳐내고자 하는 것이다. 자신을 드러내고자 하는 것이다. 이때에 세력을 얻지 못하면 뜻의 좌절, 교란, 정신적 혼란, 생각의 요동, 지향하는 바에 수시로 변동이 발생하게 된다.

 먼저 沖의 사전적 의미를 살펴볼 필요가 있다.
①和, 謙虛
②淡白
③깊다, 심원하다
④어리다
⑤오르다. 솟구치다, 높이 날다, 상승하다
⑥꺼리다, 상충되다
⑦찌르다, 부딪히다, 돌파하다, 돌진하다.
⑧(물로) 씻어내다, 가시다, 쓸어내리다.
⑨상쇄하다.
⑩공허하다, 비다
 沖이 이와 같은 사전적 의미 중에서 유의해서 봐야 될 부분이, 「①和, ④어리다, ⑤오르다, 솟구치다, 높이 날다, ⑥꺼리다, 상충되다, ⑨상쇄하다. ⑩공허하다, 비다」이다.

 沖은 和, 調和라는 의미로 쓰이기도 한다.
乙庚이 合이 되기도 하지만 春秋의 기운이 中和를 이룰 때는 和이다.
 沖이 "공허하다, 비다"의 의미로 쓰이기도 한다.
그릇에 물건이 가득 채워져 있을 때 부딪히면 쏟아진다. 비워지게 된다. 재물이 많으면 沖으로 비워지게 된다. 흔들어 비우게 된다. 그릇이 비어 있을 때에 沖이 되면 채우는 동작이 가해지고 재물이 없는 사람은 재물이 채워진다.
 沖이 "어리다"라는 의미로 쓰이기도 한다. 열 살 안팎의 어린나이를 冲年이라고 한다. 빨리 자라야 하기 때문에 冲年이라고 표현한다.

冲이 "오르다, 솟구치다" 의미로 쓰이기도 한다. 관직이 대리, 계장일 때 冲을 하면 분발해서 더 열심을 내니 승진이 된다. 하지만 임원, 사장일 경우에는 冲을 하면 좌천이 되든지, 감봉이 되든지, 사표를 쓰고 직장을 나오든지 할 일이 생기게 된다. 감투를 비우는 것이다. 말단 직원은 冲이 오면 갈등양상이 올지라도 승진의 기회가 되는 것이다. 그릇의 크기에 따라서 冲이 오면 그릇의 크기만큼 오르게 된다. 冲年의 冲으로 부장, 임원이 된 사람은 冲년의 冲으로 퇴직하던지, 감봉이 되든지 한직으로 좌천되는 것이다.

상왕	회장
왕	사장
재상	임원
관리	부장
지방관리	과장
백성	대리

적천수에 보면 다음과 같은 글귀가 있다.

"旺者冲衰衰者拔 衰神冲旺旺者發"

旺盛해져가는 기운 즉, 신진세력이 쇠퇴해져가는 기운을 冲하면 쇠퇴해져가는 것 즉, 노약한 기운은 뿌리 채 뽑히고, 쇠퇴해져 가는 기운 즉, 노약해져 가는 기운이 旺盛해져가는 기운 즉, 신진세력을 冲하면 왕성해져가는 기운 즉, 신진세력은 더욱 크게 일어난다"

天干의 冲과 地支의 冲은 그 양상을 달리하는데 적천수의

戰局에 잘 표현되어 있다.

　天戰猶自解 地戰急如火
天干의 다툼(冲)은 스스로 해결이 되고 地支의 다툼(冲)은
(다툼으로 말미암아 현실로 드러남에 있어서) 급하기가 불과
같다.

　天干은 정신적인 뜻, 생각, 추구하는 방향을 나타내는 것이
니 冲克이 되어도 생각이 혼란스러워질 뿐 곧 생각이 정리
되는 것이다.
　極深한 冲이 오면 뿌리 채 뽑히기도 하지만, 原局 內에 있
는 冲은 생존을 위해 자기 존재를 강화한다. 생존력을 강화
하는 것이다. 즉, 冲을 통해서 생존을 위해 자기의 역량을
강화하는 것이다. 빈 그릇을 두드리면 채워지는 계기가 되
고, 조금 채워진 그릇은 더 많이 채워지는 역량, 혁신이 되
는 것이다. 달리는 말에 채찍을 가하면 더 빨리 달리게 된다
(走馬加鞭).
　孔子가 길을 가다가 길 가운데서 대변을 보는 아이를 보고
서는 아무런 말없이 지나가고 길가에서 대변을 보는 아이는
불러다가 눈물이 나도록 호통을 쳤다. 제자들이 의아해서 물
으니 길 가운데서 대변을 보는 놈은 양심이 없으니 호통을
쳐도 소용이 없는 아이이고 길가에서 대변을 보는 놈은 양
심이 그나마 남아있으니 호통을 쳤다고 했다. 호통을 치니
양심적으로, 학문적으로, 도의적으로 바르게 더 자라게 된다.
冲이란 것이 이와 같다. 冲이 된다하더라도 어느 시기에 冲
이 되는지가 매우 중요하다.

子午冲을 예로 들어서 살펴보면,

한여름에 얼음 몇 조각으로 한 도시를 시원하게 하려는 것은 어리석은 시도가 될 것이다. 소용이 없다. 무더운 여름에 갑자기 소나기가 쏟아진다 하더라도 약간 시원해질 뿐이지 겨울의 한랭을 가져 올 수는 없다. 午 月令을 子가 와서 冲滅할 수가 없다. 반대로 엄동설한에 하늘에 뜬 태양은 약간 따뜻하게 할 뿐이지 꽁꽁 얼어붙은 대지를 단숨에 녹여낼 수가 없다. 午火가 와서 子水를 冲해도 큰 변화를 줄 수는 없는 것이다.

四柱原局에 나타나있는 태어난 계절에 따라서 冲克상황의 왕쇠, 강약이 나타나게 된다. 冲을 받는 時空間이 어떠한가를 먼저 살펴야한다. 엄동설한에 난로 하나로 온 마을을 따뜻하게 할 수가 없고, 무더운 여름에 에어컨 하나로 온 마을을 시원 하게 할 수가 없는 이치를 四柱에서 살펴야 한다.

대운에서 발생하는 冲은 지속적인 冲의 환경을 의미한다. 지속적으로 冲이 되는 환경이니 원근을 오가면서 즉, 역마성을 띄면서 살아가게 된다. 原局에서 冲이 있거나 대운에서 冲이 되면 역마속성을 지니고 분주히 오가게 된다.

原局에 冲이 없으면 삶이 요동칠 일이 별로 없다. 평안히 살아가게 되지만 原局에 冲이 있으면 삶이 파란을 겪고 역동적이 된다. 역동적으로 움직이니 일의 성패도 크게 만들고 성패에 대한 기복도 심해서 사람의 수명을 짧게 만든다. 불나방처럼 불을 향해 열정적으로 날아들다가 벽에 부딪혀서 죽게 되는 것이다.

原局에 冲이 있는데 운에서 또 冲이 오게 되면 冲이 활성화되고 克制가 활성화 되니 없는 것이 채워지고 말단직원이 승진 하게 되거나 한다. 고위직 임원이라면 퇴직하거나 한직으로 좌천되거나 해서 가득찬 그릇이 비워지게 된다.

地支冲

반대 기운과의 冲인데 7번째의 地支와 冲이 된다고 해서 七殺이라고도 부르기도 한다. 天干의 冲과 개념은 같지만 天干冲은 정신적인 뜻, 생각, 추구하는 방향의 교란, 혼란, 변화, 추구하는 방향의 전환과 같은 의미로 氣와 象이 드러나는 것과 같다. 地支冲은 현실적으로 생활 가운데서 실현되는 것이다. 하늘에서 뜻을 세우면 氣와 象으로 나타나는데 形으로 실현될 수도 있고 생각, 계획으로 끝날 수도 있다. 天의 뜻이 땅에서 이루어지는 가운데에 사람, 사건, 사물에 변화가 일어난다.

兩立 할 수 없는 두 기운이 사계절 兩立하고 있는 자연현상의 모습이 冲이다. 寒暖燥濕의 승강작용, 氣勢의 消長작용이 발생하는데 어느 시기에 어느 공간에서 발생하느냐에 따라서 冲하는 것과 冲을 당하는 것의 주동적 역할이 달라진다. 여름의 장마비, 겨울의 태양, 봄의 결실(밀, 보리, 마늘), 가을의 파종작물(밀, 보리, 마늘)을 보더라도 두 기운은 항시 共存한다. 두 가지의 작용은 동시성을 지니고 작용을 하게 되는 것이다.

	寅	卯	辰

	亥	卯	未

이런 경우에 丁酉년이 와서 卯를 冲한다고 해서 卯가 크게 변화를 입을 수가 없을 것이다. 아름드리나무를 날이 무뎌진 果刀로 베는 것과 같다. 寅卯辰이 방합을 이루어 세력이 아주 강하기 때문에 웬만한 힘으로서는 대적을 할 수가 없는 것이다.

蓋頭(개두)는 丁酉年과 같은 것이다. 酉가 丁火에 손상을 입었으니 실제로 힘을 쓸 수 없어 무용이 되는 것을 일컫는다. 반대로 截脚(절각)은 乙酉년과 같이 天干의 乙이 地支의 酉에 의해 克制를 당하고 있어서 乙木은 힘을 쓸 수 없어 무용이 되는 것을 截脚이라한다.

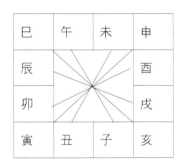

地支冲은 현실적인 冲 즉, 物形, 드러난 사건의 冲이기 때문에 실제적으로 冲의 변화가 일어난다, "①조화 ②비우다, 공허하다 ③어리다 ④오르다. 솟구치다, 높이 날다, ⑤상충되다, ⑥상쇄하다" 이와 같은 冲에 의한 변화가 현실적으로 나

타나는 것이다. 인물, 사물, 사건의 변화가 일어나는데 사건, 사고의 주체와 객체의 구분은 五行과 十神을 살펴보면 된다. 冲은 늘 兩立할 수 없는 두 가지 다른 기운의 강압적 대립이기 때문에 반대의 작용을 만들어 내려고 한다. 빈 그릇은 채우려 하고 가득찬 그릇은 비워내려 한다. 조직 말단에 있는 사람은 승진을 하게 되고, 조직 상위에 있는 사람은 퇴직이나 좌천이 된다. 六親的으로는 冲이 되면 이미 맺어진 인연은 헤어지거나 떨어져 있거나 하게 되고 혼자인 사람은 새로운 인연을 만나게 된다. 冲이 무조건적인 사고, 재난, 질병 같은 부정적 의미를 지니는 것이 아니라 冲되는 시기와 장소와 상황에 따라서 순기능도 할 수 있고 역기능도 할 수 있다. 상황에 따라서 긍정적인 의미로도 부정적인 의미로도 나타나질 수 있다. 冲의 부정적 의미로는 이별, 파손, 격리, 죽음, 질병 등인데 이것들이 항시 나쁘다고 볼 수만은 없다. 父가 돌아가셔서 슬픈데 숨겨놓은 어마어마한 재산을 상속한다는 유언장을 받을 수도 있고, 직장상사가 꼴 보기 싫은 차에 冲의 해에 해외로 발령 날 수도 있고, 반드시 헤어져야 하는 사람이 있는데 冲의 해에 헤어 질수도 있다. 이처럼 冲은 부정적인 의미에서 긍정적인 결과를 가져오는 경우가 있을 수 있다. 冲이 오면 처해 있는 현재의 양상을 파악하고 冲이 일어나고 난 뒤에 무엇이 발생하게 되는지에 대한 다음 운의 흐름을 파악해야한다. 이것이 歸結論이다.

冲이 일어나면 人事, 물건, 사건, 뜻, 환경에 변화가 일어나고 이 변화의 결과가 나타나는 시점에서 새로운 人事, 물건, 사건, 뜻, 환경과 관련된 것이 새롭게 시작된다.

작은 나무는 벼락을 맞을 확률이 거의 없지만 높이 솟은
古木은 벼락을 맞기가 쉽다. 높이 솟은 나무가 벼락을 맞아
서 나무가 쓰러지고, 불에 타고 나면 땅에서 새로운 가지가
올라오는 것을 볼 수 있다. 나무를 베고 나면 그루터기에서
새로운 가지가 돋아난다. 冲이라는 현상은 일방적으로 부딪
히는 단편적인 현상이 아니고 다른 것을 새롭게 만들어 내
기 위한 행위, 현상일 뿐이다. 부싯돌을 부딪히면 불꽃이 발
생하면서 불을 만들어낸다. 이 불을 여러 용도에 사용하는
이치가 바로 冲의 法則이다. 만물의 생존지향의 법칙이다.

方合을 이루고 있는 地支에 冲이 들어오면 3년간 冲이된다.

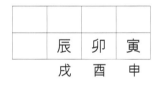

寅卯辰 方合이 있으면 申年부터 冲이 된다. 申이 와서 寅을
冲하고 酉가 와서 卯를 충하고 다음 해에 戌이 와서 辰을
연속적으로 冲하게 된다. 환경, 뜻, 人事, 물건, 사건이 연속
적으로 변화하게 된다. 寅이나 卯가 하나만 있다면 冲의 정
도가 긍정적이든 부정적이든 크게 작용한다. 寅卯가 있고 辰
이 없다면 冲의 정도가 한 글자 있을 때 보다는 작다. 寅卯
가 동시에 있을 경우 申이 와서 寅을 冲하면 寅은 잠시 활
동을 멈추거나 줄이고 卯가 동일한 색으로서 활동을 하는데
卯가 申에 원진이 되면서 申의 세력을 삭감시키니 冲의 작
용이 약해지고 활동은 卯로서 계속하게 된다. 冲이 없을 때

보다는 격이 탁해지거나 약간의 변화가 일어날 수밖에 없다.
酉가 와서 卯를 冲하면 卯는 잠시 활동을 멈추거나 줄이고
寅이 동일한 색으로서 활동을 펼치게 되는데 寅은 酉에 원
진이 되면서 酉의 세력을 삭감시키니 冲의 작용이 약해지고
활동은 寅으로써 계속하게 된다. 寅卯辰이 方合을 이루면서
地支에 모두 있을 경우에 申이 와서 寅을 冲하게 되면 辰이
申과 합을 해서 冲의 뜻을 변개시키려한다. 申金이 申子辰
水局을 만들어서 木을 도우려는 생각을 갖게 만드는 것이다.
근본적으로 申과 寅에 冲이 일어나서 갈등, 손모 사고, 질병
의 양상을 나타내기는 하지만 方合은 해체될 수 없는 강력
한 合이 된다. 申이 歲君으로 들어와도 이 난공불락의 성을
쉽게 부수지는 못한다. 가족의 결집력을 쉽게 해체할 수는
없는 것이다. 辰이 申과 合을 유도해서 水局으로 가려는 생
각을 갖게 만든다. 안중근 의사를 취조하던 일본인 경관이
안의사에게 감동하여서 경관의 적개심이 사라지고 도리어
존경하게 되는 것과 같은 이치이다. 酉年이 와서 卯를 冲하
려 하는데 酉가 寅卯辰 方合을 깨뜨릴만한 힘이 없다. 辰이
酉와 合을 하기 때문에 卯를 冲하려다 말고 辰과 어울리려
는데 급급해진다. 빚 받으러 갔다가 그 집 딸에게 반해서 사
랑에 빠져 빚 받으려는 본분을 잊어버리는 것과 같다. 그 다
음에 戌이 와서 辰을 冲하고자 하면 寅戌과 合을 하여 火의
뜻을 세우려 하니 戌이 土의 신분을 망각하고 寅을 쫓아 火
局의 뜻을 추구하려 한다. 이래서 方合이 갖추어지면 冲의
작용이 미약해질 수밖에 없다. 달리는 말을 채찍으로 치면
더 빨리 간다. 方合을 이루고 있는 경우에 流年에서 冲을 만
나게 되는 기간 동안 부정적, 긍정적 작용과 변화가 일어나

지만 긍정적 효과가 더 크다고 봐야 할 것이다. 긍정적 생각의 작용이 더 활발해지는 것이다. 方合의 특성은 冲이 와도 변화가 잘 안되기 때문에 한 길로 나아가는 연구직, 교육직, 종교직, 특수직, 집중이 필요한 전문직에 인연이 많다. 태어나서 죽을 때까지 도자기를 굽든지, 시작부터 끝까지 동일한 장사를 하던지, 한 직장에 정년퇴임할 때까지 근무하는 교직, 공무원 같은 직종이다. 아무튼 冲을 당하거나 혹은 冲을 하는 환경과 상황에 따라 吉凶이 달라질 수 있으니 冲의 결과 뒤에 생겨나게 되는 것이 무엇인지 잘 파악해야 한다. 方合은 冲에 의해서 훼손이 일시적으로 일어나더라도 스스로 회복되는 힘을 강하게 가지고 있다.

　冲은 바로 옆에서 冲하는것이 강도가 세다.

①

	卯	酉	

②

酉		卯	

③

酉			卯

④

酉	亥	卯	

⑤

亥	酉	卯	

⑥

巳	酉	卯	亥

⑦

丑	亥	卯	酉

위의 일곱 가지의 沖이 같은 沖이지만 조금씩 의미를 달리하고 있으니 주의 깊게 볼 필요가 있다.

酉年이 오면 酉가 대세를 가지고 卯를 沖하게 되고 卯年이 오면 卯가 대세를 가지고 酉를 沖하게 되는데 글자간의 거리와 옆에서 관여하는 글자에 따라서 같은 沖이라도 沖의 양상이 조금씩 다르다.

①번의 卯酉가 바로 옆에서 沖이 되는 것인데 피차 沖됨이

즉각적으로 반응을 보이는 것이다. 급하기가 격투기선수와 같다. 한쪽이 치면 다른 쪽이 맞받아치는데 같은 세력을 운에서 만나면, 예를 들어 운에서 酉를 만나면 酉가 卯를 克制하니 卯가 힘을 못 쓴다. 멀리 달아나면 싸울 일이 없다. 그래서 冲의 관계가 역마성도 지니게 된다.

②에서처럼 卯酉가 한 칸 떨어져 존재하면 휴전에서 적진이 보이고 적의 포 소리를 들으면서 사는 것과 같다. 한 번씩 총을 쏘면 응사도 한다. 한 번씩 다가오는 冲을 대비해서 항시 준비를 하고 긴장 속에서 살아간다. 바로 옆에서 冲하는 것 보다는 강도가 약하다. 이것도 역시 역마성을 지닌다.

③에서처럼 卯酉가 멀리 떨어져 있으면 冲작용이 거의 일어나지 않는다. 오늘날 중공군 얘기를 듣는 것과 같다. 다만 자신의 역량, 기량을 부단히 개발하게 되는 것이다.

④에서처럼 중간에 亥가 있을 경우이다.

세운에서 酉가 오면 卯를 冲하게 되지만 卯에게는 뿌리가 되는 亥水가 옆에서 勢力을 끊임없이 더해주고 있다. 또한 亥水가 酉金을 引化하고 卯木에 引化되고 있어서 氣의 흐름이 順次적으로 酉에서 亥로 亥에서 卯로 흘러가니 冲의 작용이 거의 퇴색되게 된다. 卯酉冲이 일어 날만 하면 亥卯가 合을 하고 亥水가 酉의 세력을 引化하게 된다. 冲中合이 있기 때문에 冲으로 인한 극단성이 거의 없다. 웬만하면 합의를 통해서 해결하려고 한다. 또 그렇게 된다. 대신 역동적으로 움직임이 활발해지는 부분도 있다.

⑤에서처럼 亥卯가 한 칸 떨어져 있고 酉가 그 사이에서 冲을 하게 되면 亥卯가 合을 하려할 때마다 酉가 옆에서 冲을 하게 된다. 合을 방해하기도 한다. 合中에 冲이 일어나는

것이라서 한쪽이 극단으로 가기가 쉽다. 갈 때까지 가보자는 필사의 전의와 힘을 가지고 충돌을 일으키는 것이다.

⑥에서처럼 地支가 구성되어 있으면 항복을 모르는 투쟁을 벌일 수도 있다. 卯酉가 冲을 하는데 巳는 庚金의 長生地가 된다. 亥는 甲木의 長生地가 된다. 卯酉가 뒤에 세력을 등지고 싸우니 싸움이 거세다. 지칠 줄 모르고 싸우게 된다. 流年에서 酉金이 오면 巳酉合이 힘을 더 얻게 되고 歲君 酉金이 卯를 冲해서 깨뜨리지만 卯木도 亥水를 등에 업고 세력 다툼을 벌이려고 하니 冲의 강도가 크다. 투쟁의 상황이 벌어질 경우에는 목숨을 걸고 싸우려고 하지만 그렇지 않을 경우에는 묶여있는 곳이 있어서 별로 관심이 없다. 두 세력이 비등한 관계가 되면 酉는 巳酉로 合을 하고 卯는 亥卯로 合을 한다. 卯年이 오면 亥卯가 득세를 하여 酉金을 冲하고 克制를 한다.

子水가 오면 세력이 비등하고 酉金을 자수가 引化도 하기 때문에 冲의 작용보다는 酉가 巳酉로, 卯는 亥卯로 合을 하여 각자가 작용을 하게 된다. 冷戰이 되었다가 流年에서 세력을 얻으면 상대를 冲하게 되는데 상대도 자신이 믿는 구석이 있으니 맞붙어 싸우게 되어 손모가 크다. 죽을 때 까지 싸우려고 대든다. 불굴의 항전, 불굴의 투사가 되는 것이다.

⑦에서처럼 地支가 구성되면 卯酉가 冲의 환경에 노출되어 있어도 월령이 卯月이라서 卯의 세력이 훨씬 크기 때문에 어른과 아이의 싸움과 같다. 일방적으로 卯가 酉를 克制하게 된다.

刑

刑은 손모를 통한 조정이다. 서로 맞지 않는 것을 조정해서 혹은 깎아서 맞추는 것인데 兩者가 다 손모된다. 잘못되거나, 맞지 않는 것을 물리적 수단을 펴서 강제로 맞추는 것이기 때문이다. 사람의 몸을 치료하기 위해 시행하는 수술을 다루는 의료, 사람을 사회적으로 구속, 차압, 형벌, 조정을 다루는 법무, 깎고 조이고 끼워 맞추는 제조가공, 수입, 지출을 조정하는 세무를 뜻한다. 그 행위를 의미하기도 한다.

본인의 몸이 상신되거나, 의료, 법무, 가공, 세무관련 직업을 가지게 된다. 혹은 육친의 몸이 상신되거나, 육친이 의료, 법무, 가공, 세무 관련 직업을 갖게 된다. 혹은 배우자가 이러한 직업이나 일과 관련을 맺게 되기도 한다.

刑이 原局에 있다는 것은 육친의 직업으로든지, 傷身으로든지 刑의 흔적을 가지고 있다는 의미이다. 내가 주동적으로 刑을 쓰고 있다면 법관, 의사, 제조업자, 세무사 등과 관련된 직종에서 전문성, 권력성을 휘두르게 되고 내가 주동적으로 刑을 사용하지 못하고 피동적으로 조정을 당하는 관계가 된다면 법적소송, 사고로 인한 傷身, 질병, 조세포탈로 인한 세무조사를 당하게 된다.

刑의 종류에는 다음과 같다.
寅巳申 三刑 (無恩之刑)
丑戌未 三刑 (持勢之刑)
子卯 (無禮之刑)
辰辰, 午午, 酉酉, 亥亥 (自刑)

三刑 중에 두 글자만 있어도 刑의 작용을 한다. 다만 세 글자의 刑보다는 작용이 덜하다고 봐야할 것이다. 잘못된 것을 강제적, 물리적 수단을 통해서 조정을 하는데 반드시 양자의 희생을 전제하거나 형태의 변형을 전제한다. 그래서 刑이 원만하게 해결되었다 하더라도 흉터가 남게 된다. 수술 후의 흉터, 범죄후의 전과가 남게 되는 것과 같다. 내가 주동을 하게 되면 刑과 관련된 일이나 직업을 지속적으로 하게 되는 것이다. 이 일을 통해서 능력을 터득하고 전문성을 발휘하게 된다.

破

冲은 반대편의 기운과 兩立할 수가 없어서 발생하는 작용이지만 破는 글자의 의미처럼 깨뜨리는 것인데 외부로 드러나게 冲처럼 진행되는 것이 아니고, 내부적 갈등, 파괴, 조정이 된다. 破는 내부적 갈등, 파괴에 따른 소규모의 刑으로 볼 수 있어서 부동산중개, 분쟁위원회, 가족폭력, 심리상담 등의 역할을 수행하게 된다.
陽支는 逆行으로 네 번째 地支, 陰支는 順行으로 네 번째 地支와 破가된다.

子酉, 丑辰 ,寅亥 ,卯午, 巳申, 未戌이 破가 된다.
子午는 地支에서 陰으로 쓰이고, 巳亥는 陽으로 쓰이지만 본래의 속성은 子午는 陽에 속하고 巳亥는 陰에 속한다.

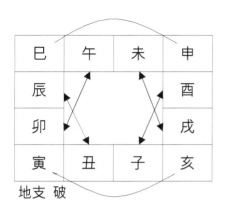

地支 破

害

害는 六合을 방해하는 글자인데 六合의 상대를 冲하는 글자가 害가 된다.
亥가 寅과 合을 하려는데 申이 寅을 冲하면 寅亥가 合을 할 수가 없다. 亥에게 申이 害가 되는 것이다.

巳	午	未	申
辰			酉
卯			戌
寅	丑	子	亥

地支 害

子未, 丑午, 寅巳, 卯辰, 申亥, 酉戌

合을 沖으로 방해하는 자이기 때문에 주변의 도움을 기대하기 어렵고 인덕이 박하거나 둘이서 해결해야 하는 일을 혼자서 해결해야 하는 재주가 있다. 눈치가 빠르다. 총명하다.

空亡

空亡은 글자의 의미대로 十神작용이 비어지던지 사물이 비어지든지 하는 것을 의미한다. 日柱의 天干과 地支를 기준으로 하는데 天干은 10개이다.
地支는 12개라서 순서대로 짝을 지워 나가면 남는 두 개가 있는데 이것이 空亡으로 쓰인다.

										空	亡
甲子	乙丑	丙寅	丁卯	戊辰	己巳	庚午	辛未	壬申	癸酉	戌	亥
甲戌	乙亥	丙子	丁丑	戊寅	己卯	庚辰	辛巳	壬午	癸未	申	酉
甲申	乙酉	丙戌	丁亥	戊子	己丑	庚寅	辛卯	壬辰	癸巳	午	未
甲午	乙未	丙申	丁酉	戊戌	己亥	更子	辛丑	壬寅	癸卯	辰	巳
甲辰	乙巳	丙午	丁未	戊申	己酉	庚戌	辛亥	壬子	癸丑	寅	卯
甲寅	乙卯	丙辰	丁巳	戊午	己未	庚申	辛酉	壬戌	癸亥	子	丑

空亡表

甲子에서 癸酉까지를 甲子巡이라 하는데 짝을 못짓고 남은

戌亥가 甲子巡의 空亡이다. 대운이나 세운에서 戌亥를 만나면 空亡運이 된다.

甲戌에서 癸未까지를 甲戌巡이라 하는데 짝을 못 짓고 남은 申酉가 甲戌巡의 空亡이다.

空亡은 비어있기 때문에 채우려는 갈망을 항시 가지고 있다. 실제로 채우더라도 또 비어지거나, 아니면 비어 있는 채로 공허한 모습으로 살아가야함을 의미한다.

아무리 채워도 다 채워지지 않아서 힘든 노력에도 불구하고 결실이 부족하다. 별로 도움이 되지 않는다. 오행이나 계절 환경은 오행대로 작용을 하지만 六親, 事物, 사건에는 空亡의 작용이 일어난다. 地支가 空亡이 되면 天干도 空亡이 된다. 대운은 환경, 계절을 의미하기 때문에 空亡이 되지 않는다. 세운은 육친, 사물, 사건을 주관하기 때문에 空亡작용이 일어나게 된다.

冲은 空亡을 가장 활발하게 解求한다. 비어 있는 공망을 흔들고 두들겨서 작용을 하게 하는 것인데 대부분 작용을 하게 만든다고 보아야 할 것이다. 合은 空亡을 解求하기는 하지만 절반만 解求를 하고 刑은 공망을 解求하되 조정을 통하여 희생을 동반하면서 解求를 한다. 方合은 해구를 하지 못한다. 대부분의 공망과 신살이 동시에 들어오면 두 가지 모두 작용을 한다고 볼 수 있다.

命을 살필 때 空亡은 상당히 중요하게 사용되는 神殺인데 격국을 살펴서 그릇의 크기를 볼 때, 부모의 유산이나 혜택을 살필 때, 형제와의 관계를 살필 때, 직업을 유추할 때, 배우자의 인연을 살필 때, 건강이나 수명을 살필 때, 그리고 신살의 작용이 공망되는지를 면밀히 살펴서 감명을 하여야 한다.

食傷空亡

식상은 표현력, 수단, 기술, 재능, 교육, 육영, 필설, 저술, 식품을 의미하고 女命에게는 자식이 된다.

食傷이 空亡이 되면 표현력, 필설, 수단, 기술, 재능, 교육, 육영, 식품이 空亡이라는 의미이다. 무형의 재료, 수단, 기술은 空亡이 되어도 별 작용이 없고 유형의 물건들은 空亡작용이 된다. 식상이 제조업을 의미하기도 하는데 제조업이 空亡되면 제조생산 없이 물건을 갖다놓고 팔아야 한다. 식품은 구멍 난 식품, 부풀어진 빵 같은 것을 팔아야 되고, 물건이 없어도 되는 교육, 지식, 정보, 장사, 상담 같은 것과 인연을 맺어야 한다. 女命은 자식인연이 빈약하여 자식과 떨어져 살게 된다. 食傷이 空亡되면 제조업, 종업원이 많은 사업, 농축산업은 평생 잘 되지 않는다. 食傷이 空亡되면 수명이 짧아진다. 財官이 空亡이면 힘든 짐을 내려놓는 것과 같기 때문에 수명이 더 늘어난다고 볼 수 있다.

財星空亡

재성은 妻, 父親, 금전이 되는데 재성이 空亡이 되었다는 것은 이런 六親과 인연이 빈약하다. 父라면 떨어져서 살던지, 돌아가서 없던지, 부친의 직업이 출장을 자주 가는 역마성 직업이든지 이런 空亡의 삶의 양식을 취하게 된다. 妻星이 空亡이 되면 妻와의 인연이 빈약해서 妻緣이 잘 맺어지지 않거나, 외국인, 섬사람, 해외교포와 인연을 맺거나 妻의 직업이 역마성 직업이 된다.

그리고 재성이 空亡이 되면 시장이 없는 격이라서 난전에 펼쳐놓고 팔든지 길모퉁이에 리어카를 끌어다 놓고 붕어빵을 팔던지 한다. 아니면 財星이 空亡되니 학문이나 명예를 쫓게 된다.

官星空亡

관성은 조직사회, 명예인데 空亡이 되면 외국계 조직이 되기도 하고, 이 땅에서는 조직이 비어있으니 해외발령, 무역회사, 섬에 있는 회사와 인연을 맺게 된다. 그렇지 않으면 조직과 인연이 없으니 자기 혼자서 개인 사업을 하게 되거나 조직을 자꾸 메꾸어야 하는 경우가 생기기가 쉽다.

男命에게는 官星이 자식이 되니 자식의 별이 空亡이 되었다는 것은 자식덕이 빈약 하다고 볼 수 있어서 자식이 없거나 병약하거나 떨어져 살거나 하게 된다.

女命에게는 관성이 남편이 되는데 남편의 별이 空亡이 되어 비어있으니 남편덕이 빈약하다고 볼 수 있다. 남편 인연이 없거나 병약한 남편이어서 남편역할을 잘 못하거나, 떨어져 살거나 하게 된다. 남편을 갈구하기는 하는데 잘 채워지지 않는 허결함이 있다. 때로는 외국인, 섬사람 등의 사람으로 배우자를 만날 수도 있다.

印星空亡

인성은 문서, 학문, 어머니 등을 의미하는데 인성이 空亡이라는 것은 엄마와의 인연이 약해서 일찍 돌아가시니 계모와 살거나, 병약하여 엄마 역할이 부실하거나 엄마와 떨어져 살거나 하게 된다.

문서가 空亡이 되면 가압류된 건물이나 땅, 명의만 등기가 되어 있는 문중 땅, 자연녹지 지역으로 묶여있는 땅이나 맹지 등과 같은 類의 부동산의 문서를 가지고 있는 것과 같다.

학문은 無形이기 때문에 空亡이 되어도 보이지 않는 것이라 별 상관이 없다. 세부적으로 분류를 해본다면 空亡된 학문은 일반적이지 않는 학문 혹은 학교 형태를 말한다. 검정고시, 학사고시, 방송통신대학교, 3류 대학교와 같은 것이다. 인성이 空亡되면 食傷이 세력을 얻게 되고 규범을 지키려는 도덕심을 때때로 버린다는 뜻도 된다.

年月日時 空亡

年이 空亡이 되면 조상과의 인연이 약하고 소년기의 성장 환경, 학문적 환경이 원활하지 못함을 의미한다.

月이 空亡이 되면 부모, 형제와 인연이 약하고 청년기의 학문적 환경이 원활하지 못함을 의미한다. 부모와 떨어져 살아갈 수도 있다.

時가 空亡이 되면 자식, 타인과 인연이 약하고 말년기에 자식과의 이별, 자식덕 부족의 세월이 올 수도 있음을 의미한다. 또한 자식의 근심거리가 되는데 자식의 목적, 뜻이 망실

되어서 자신의 목적이나 뜻을 성취하기가 어려움을 의미한다. 말년에 추구하는 것이 잘 이루어지지 않음을 뜻하니 대문 밖에서는 空亡이라서 잘 이루어지지 않기 때문에 상대적으로 집안에서 해결해야한다.

空亡이 되어 있는데 沖이오면 空亡이 없는 것 보다는 못하지만 대부분 해소가 되고 合이 되면 절반정도 해소가 된다고 하였다. 四柱原局에 空亡이 있으면 해석을 추가 할 필요가 있고 空亡과 삼재가 동시에 오면 둘 다 작용을 한다.

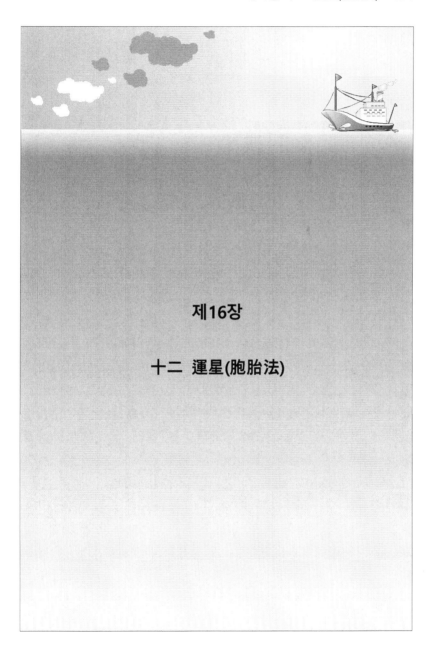

제16장

十二 運星(胞胎法)

제16장 十二 運星(胞胎法)

十二 運星

태극에서 兩儀가 生하고 난 뒤에 이 兩儀가 消息을 하는데 이 消息의 단계를 세부적으로 나누어 盛衰를 자세하게 보여주는 것이 胞胎法이라고 간단히 설명을 할 수가 있다. 음양의 消息은 계절의 변화에서, 하루의 흐름에서, 달크기의 변화에서, 대기의 승강작용의 흐름에서 발생한다. 열두 달로 나누어 음양의 消息을 살펴보는 것이 춘하추동의 사계절의 변화이고, 이 가운데서 각 天干의 왕쇠를 열두 달의 흐름에 따라 살피는 것이 12운성의 흐름이니 사건, 사고, 인물, 물건 등 인간사 모든 작용의 성쇠 정도를 파악해보기 위해서는 절대적으로 필요하다. 혹 부정적인 견해를 내세운 고전이나 현대 역술인들도 많이 있지만 易이 자연의 이치에서 시작되었음을 깨우친다면 12운성으로 계절의 흐름을 열두 단계로 나누는 것이 命理에, 易理에 합당함을 알게 될 것이라 생각한다. 사계절은 陰陽의 消息을 열두 달로 나누어 놓은 것이요, 하루는 陰陽의 消息을 열두 시간으로 나누어 놓은 것이다. 10가지 天干 각각이 12달 동안, 그리고 하루 동안 어떤 모습으로 존재하는지 세밀하게 살펴볼 수 있는 방법이다. 황제내경이 쓰여졌던 시대부터 혹은 그 이전부터 古來의 선현들은 陰陽의 消息의 모습을 단계적으로 표현해보고자 무던히 애를 썼다. 春夏秋冬, 相旺死囚休, 生長收藏, 生老病死, 甲

乙丙丁戊己庚申壬癸,　子丑寅卯辰巳午未申酉戌亥　등등　이런 것이 사계절을 나누고, 하루를 나누어 기운의 흐름의 왕쇠를 보려는 선현들의 깨달음의 결과이다. 네 단계 혹은 다섯 단계 보다 더 세밀하게 나누어서 살펴볼 수 있는 방법이 바로 胞胎法이 되는 것이다. 사주팔자를 육친에 대입하여 살펴보면 어느 시기가 되면 육친, 금전, 문서, 학문, 직장, 재능, 사업양상이 다르게 진행되어가는 모습을 알 수 있다. 쉽게 예를 들면, 볍씨는 양력 4월경에 싹을 내서 모판을 만들어 뿌려놓은 뒤에 양력 6월 중순 전후에 논에다가 물을 대고 모판에서 길러놓은 모를 이식한다. 논메기, 비료, 질병퇴치, 해충퇴치 작업을 거치면서 稻花가 피고 열매가 점점 무르익어 고개를 숙이고 볏대는 말라져가게 되는데 씨가 여물어지면 수확을 해서 알곡은 창고에 저장한다. 볍씨를 뿌리고, 모내기를 하고, 논메기를 하고, 수많은 손을 거쳐서 수확을 하기까지 많은 변수가 발생할 수가 있다. 모판을 준비할 때 볍씨가 새들에게 먹히지 않도록 해야 하고, 아직 추운 봄이니 냉해를 입지 않도록 해야 하며, 모내기를 할 때쯤에 가뭄으로 논물을 준비하지 못하면 모내기를 할 수 없으니 물을 확보해야하고, 물바구미, 도열병에 피해를 입지 않도록 수시로 보살펴야하고, 간간이 거름을 주어서 튼튼하게 길러 태풍이 와도 쓰러지지 않도록 해야 곡식이 영글어 수확을 할 수 있게 된다. 볍씨를 뿌려놓고 곧바로 벼가 영글어 고개를 숙인 모습을 기대하는 어리석은 농부는 없다. 稻花가 이미 피고 난 뒤에 볍씨를 뿌리고 모판을 준비하는 어리석은 농부도 없다. 논밭을 준비하는 시기, 거름을 넣는 시기, 모판을 준비하는 시기, 모내기를 하는 시기, 논메기를 하는 시기, 논에

물을 대기도 하고 빼기도 하는 시기, 수확을 하는 시기가 이미 정해져있다. 농부는 이 시기를 잘 알고, 시기에 적절하게 작물을 보살피고 수확을 기대한다. 이와 같이 심어진 혹은 심으려는 작물의 생육의 시기를 잘 파악할 수 있게 해놓은 것이 胞胎法이다. 언제쯤 금전활동의 씨앗을 심었으니 언제쯤이면 금전 수익이 왕성하고 어느 시기쯤에는 위축될 것이라는 것을 파악하는 것이다. 이렇게 중요한 것이 胞胎法이니 모름지기 易의 이치를 깨닫고자 하는 학인들이 12운성의 흐름을 모르고서 혹은 무시하고서 易學을 공부한다는 것은 語不成說이다. 약간의 공부를 해서 術士가 되어 타인의 命을 논할 수는 있을지 몰라도 학문의 길을 가는 사람의 자세는 아니라고 본다. 명리학을 통해서 깨달음을 얻고자 하는 자는 반드시 12운성의 흐름을 깨우치고 또 깨우쳐서 원하는 경지에 도달하기를 간절히 바라는 바이다.

十二 運星表

	生	浴	帶	祿	旺	衰	病	死	墓	絶	胎	養
甲	亥	子	丑	寅	卯	辰	巳	午	未	申	酉	戌
乙	午	巳	辰	卯	寅	丑	子	亥	戌	酉	申	未
丙戊	寅	卯	辰	巳	午	未	申	酉	戌	亥	子	丑
丁己	酉	申	未	午	巳	辰	卯	寅	丑	子	亥	戌
庚	巳	午	未	申	酉	戌	亥	子	丑	寅	卯	辰
辛	子	亥	戌	酉	申	未	午	巳	辰	卯	寅	丑
壬	申	酉	戌	亥	子	丑	寅	卯	辰	巳	午	未
癸	卯	寅	丑	子	亥	戌	酉	申	未	午	巳	辰

胞胎法은 陽干의 흐름방향과 陰干의 흐름의 방향이 다르다. 陽干은 順行하고 陰干은 逆行한다. 몇몇 고전에서는 甲木이 亥에서 長生을 하는데 乙木은 亥에서 死할 수 없다는 견해를 들어 胞胎法이 이치에 맞지 않는다고 부정하기도 한다. 갑을목 음양간이 동일한 나무이니 동일한 시기에 장생을 해야하고 동일한 시기에 死해야한다는 주장과, 한 방향으로 자라고 있음과 시간이 한 방향으로 흐르고 있으니 음간의 역행이라는 것은 있을 수 없다는 견해이다. 이런 견해를 그대로 수용하는 현대 易學人들도 많다.

적천수에 이 부분에 대하여 묘사해놓은 글귀가 있다.
陰陽順逆之說 洛書流行之用, 其理信有之也 其法不可執一
(음양 순역에 대한 학설은 河圖洛書에서 유래되어 사용되고 있는데 그 이치는 믿을 만 하도다, 하지만 그 법은 하나로 고집하지는 말라)

이것은 陰陽의 順行과 逆行은 河圖洛書에서 유래되어 사용되고 있음을 의미한다. 자연의 변화에서 易이 시작되었고, 易에서 命理學이 출발했으니 陰陽의 順行과 逆行은 易의 이치이니 근본적으로 믿을만한 이치라는 것이다. 이것을 부인하는 것은 역의 이치, 易理를 부정하는 것과 같다. 내가 이해를 못하는 견해에 동조자가 있다고 해서 부정하는 그것이 진리가 되는 것은 아니다. 학문이 易으로 돌아가고, 자연의 변화의 법칙으로 돌아가면 易理를 이해하고 선현들이 펼쳐내었던 命理를 근접하게 이해하거나 靑出於藍靑於藍 고사처럼 될 수도 있을 것이다.

陽干의 順行에 대해서는 논란이 될 것이 없으니 陰干의 逆行에 대하여 살펴보자. 먼저 乙 陰干에 대하여 살펴보기 이전에 陽干과 陰干의 氣質적인 차이를 살펴볼 필요가 있다. 陽干이 氣象이라면 陰干은 질적인 면을 나타내고 있는 차이점을 들 수가 있다. 물론 오행의 흐름 속에서 끊어짐 없이 움직이는 운동을 나타내는 것이지만 甲木에 비하여 乙木이 더 실제적으로 펼쳐지는 질적인 상태이다. 甲木이 솟아오르려는 내부적인 힘, 氣라면 乙木은 성장을 시작한 초목, 잎의 펼쳐진 모습이다. 甲木의 힘은 亥에서 그 氣運을 감지할 정도로 生하여 寅卯辰의 시기를 지나면서 왕성한 시기를 맞고 午에 이르면 死地가되고 未에 이르러 入墓하는데 甲木의 氣運이 그러하다는 의미이다. 乙木은 성장을 시작한 초목, 卯月에 잎이 펼쳐진 모습이 午月에도 그 모습이 남아있지만 丑子를 지나서 亥에 이르면 卯月에 펼쳐진 잎의 모습은 찾아볼 수가 없으니 死의 모습과 같다.

다음에, 여름의 하루 동안 태양의 움직임과 온도의 변화를 살펴보고 丙丁火의 順行과 逆行을 생각해보자.

丙火가 氣象이라면 丁火는 불이요 열이다. 寅時 끝 무렵에 태양이 동쪽에서 떠올라서 戌時가 시작될 즈음에 서쪽으로 진다. 寅에서 長生한 丙火는 巳午時를 지나면서 가장 왕성하고 강렬한 빛을 비춘다. 정오를 지나면서 서쪽으로 기울어가는 태양, 丙火는 빛이 점점 쇠해지다가 戌에 入墓가 된다. 建祿支에서 기운적으로 가장 강한데 현실로 실현되는 데에는 시차가 필요하니 왕지에서 가장 왕성하게 나타나게 된다.

태양빛이 지구에 도달하기까지는 약 8분 20초가 소요되는데 지구에 도달한 빛이 열로 바뀌어지기까지 걸리는 시간이 있어서 기운의 왕성한 시기와 실제로 열이 왕성해지는 시기에 차이를 보이는 것이다. 陰干인 丁火는 불이나 열을 의미한다. 하루 동안 혹은 사계절의 변화 속에서 열의 강쇠, 기온의 고저를 살펴보면 丁火의 흐름을 알 수 있다. 여름에 寅時가 끝날 무렵의 기온이 가장 낮다. 해뜨기 전의 기온이 가장 낮아지고 가장 어둡다. 午時를 지나서 未時나 申時초 무렵의 기온이 가장 높다. 서서히 낮아지는 기온과 쇠락해가는 熱氣는 子時가 되면 거의 세력이 없어지게 된다. 여름 낮의 뜨거운 熱이 지상에 밤까지 남아있는 현상이 열대야현상이다. 丑時가 되면 熱氣인 丁火는 입묘하여 모습을 감추게 된다. 그러나 기온이 많이 떨어지고는 있지만 지상에는 아직 熱은 남아있다. 寅時 끝 무렵이나 卯時 시작 무렵에는 땅에 펼쳐져있던 낮의 熱이 거의 없지만 태양의 기운은 서서히 강해져가고 햇빛이 비치기 시작하는 때이므로 丙火가 寅에서 長生하는 것이다. 丁火의 熱氣는 이때 새벽에 가장 약해져 있는 시기이다. 卯에서 열은 약하고 寅에서는 더 약해져 있는 모습이 된다. 그래서 寅에서 死의 모습을 띄는 것이다.

다음에, 가을철 서리나 얼음처럼 차가운 냉기의 변화양상을 보면 庚辛金의 氣運의 왕쇠 흐름이나 냉기의 흐름을 볼 수가 있다. 庚金은 응축의 기, 숙살의 기, 무르익어가는 곡식이나 열매의 象意를 지니게 된다. 이러한 氣運은 巳月에 꽃잎이 떨어지고 수정이 된 자리에 자그마한 열매가 맺히게 되어 커져나가기 시작하기 때문에 여기서 庚金이 長生하는 모습이 된다. 점점 커져서 申月, 酉月이 되면 열매의 크기는 최고조가 된다. 점점 더 응축하고 열매에 영양분을 저장하는 모습이 되는 것이다. 戌月, 亥月을 지나면서 열매의 모습은 서서히 변해져가고 씨앗만 남게 되는데 푸른 감이 붉으스레하게 노란 빛을 띄면 다 무르익은 것을 알게 되고 시간이 좀 더 지나가면 감은 홍시가 되고, 결국에는 감씨만 남게되는데 이때 庚金인 열매의 모습은 더 이상 찾아볼 수가 없고 死地인 子를 지나 丑에 이르면 씨앗에 모든 것을 저장해 놓고 入廟하는 것이다. 辛金을 보게 되면 알곡, 열매, 서리, 얼음 같은 차가운 냉기에 해당하는데 이것들은 자,축,인,묘를 지나면서 씨앗의 모습이 서서히 해체되어 싹의 모습이 된다. 子月에까지도 씨앗의 모습을 유지하고는 있지만 본래의 축장, 기운을 갈무리하고 있던 씨앗의 모습에서는 내부적으로 약간 달라져 있다. 未午巳月로 흐르면서는 그 모습이 점점 미숙의 모습을 지니다가 巳月쯤에 가면 열매는 장생의 모습을 지니고 생겨나기는 했지만 열매로써의 기능, 기질, 갈무리된 축장의 모습은 완전히 사라진다. 그래서 辛金은 子에서 長生하고 巳에서 死하게 되는 것이다.

다음은 壬癸水에 대하여 살펴보자. 壬水는 申에서 장생하고 卯에서 死하게되고 癸水는 卯에서 生하고 申에서 死하게 된다. 겨울에는 申時가 끝날 무렵에 해가지고 어둠이 시작되었다가 辰時가 시작되는 무렵에 해가 뜨면서 어둠이 사라지게 된다. 해가지면 어둠이 장생을 하고 亥子時를 지나면서 어둠의 세력이 가장 왕성하다가 丑時를 지나서 寅時에 이르면 서서히 어둠의 세력이 쇠퇴해져간다. 辰時가 되면 어둠의 모습은 그림자에서만 어둠의 흔적을 찾아볼 수 있다. 辰時에 入墓하여 어둠의 세력이 갈무리되어 있는 것이다. 壬水가 흑암, 寒冷의 氣運이라면 癸水는 아지랑이, 안개, 차가운 비에 해당한다. 氣體상태이던 수증기가 식어지면 굵은 물방울이 되어 땅으로 떨어진다. 이것이 비다. 수증기가 차가와지면 빗물이 되고 더 응축이 되어 부피가 줄어들면 결국 얼게 되는데 얼음이 되면 寒冷한 기온은 강해지는 것이지만 얼음의 성향적으로, 내적으로는 팽창하여 부피가 늘어난다. 기질적인 부분은 壬水의 기운이 왕성해지는 것이지만 모습으로는 팽창을 하여 甲木丙火의 팽창하려는 모습과 동일하다. 이 기운은 결국 甲木의 參天之氣로 이어지는 것이다. 이러한 氣象이나 形質들이 시간이 지나면서 어떤 모습으로 존재하는지를 살펴보면 癸水가 왜 逆行하면서 왕쇠를 지나는지 알 수가 있다.

絶

絶은 글자대로의 의미처럼 끊을 절, 마디절의 의미를 지닌다. 지금까지 진행해오던 일들을 매듭짓는 것이다. 완전히 끊어서 없음의 상태로 들어가든지 매듭을 짓고 다시 시작하려고 기획하는 단계이다. 부진했던 일이 청산되고 새로운 희망의 길로 접어드는 단계다. 吉事나 凶事가 사라지고 새 출발의 관문이 될 수도 있는 시기이다. 吉凶事가 사라지든지, 매듭이 지어지든지 하고나면 새로운 출발, 새로운 도약을 이루게 되니, 신규사업이나 전직, 전업을 할 기회가 되기도 한다. 새로운 것을 찾아다니는 것이나 희망을 찾아다니는 것이라고 볼 수 있다. 節處逢生이 된다. 힘이 약한 모습이니 끌려다닌다. 일, 사건, 사람, 인연, 학업, 사업의 양상이 약한 모습이다. 絶은 쇠약한 기운을 대표하므로 단절, 이별, 고립, 파재, 인색, 단명 등을 의미하며 경제적 불안이 있고 부귀한 집안 출신이라도 결국 파산할 우려가 많다. 이탈, 새로운 출발을 위한 자리이동, 환경변동, 깊은 사색, 참여의식 부족, 미혹에 빠지는 것과 관련이 많다. 옛것을 버리고 새것을 맞는 변동기이나 거의 실패로 돌아가거나, 색정문제로 망신하거나 공든 탑이 무너질 수도 있다. 모든 것이 끝나고 끊어진 상태를 말하며 12운성 중에서 가장 약한 상태다.

胎

胎는 아무 것도 없는 상태에서 새로움이 시작되려고 태동하는 시기를 의미한다. 무엇인지 구분하기 어려운 것이 태아의 성별, 태아의 생김새, 태아의 성격을 알지 못하는 것과 같다. 무엇인지 구분은 할 수 없어도 무엇인가가 생겼으니 감지가 되는 상태, 그러나 드러나지 않은 상태, 순수한 상태, 여린 상태, 동정심의 대상이 되는 상태를 의미한다. 재성이 胎地가 되면 드러내놓고 경제활동을 하기는 힘들지만 골목 안이나, 잘 보이지 않는 곳에서 드러나지 않는 형태로 사업을 하면 의외로 잘 되는 수가 많다. 胎地 전환과 변동의 시기이므로 심기일전하여 새로운 일들, 계획을 도모해보는 시기이다. 짝을 잃은 자는 재혼을 하거나 하여 안정된 새 삶을 시작 할 수도 있으며, 사업이 무너졌던 사람은 새로운 사업을 도모해 볼 수도 있으며, 손을 놓았던 글공부도 서서히 시작해볼 수도 있으니 변화는 무엇이나 유리한 면이 많다. 새로운 준비, 임신, 어린씨앗, 새싹을 의미하기도 하고, 아직 두드러지게 내세울 수가 없는 때이니 현실 적응력 부족, 실천능력 결여, 과감성 부족을 나타낸다. 운기의 시작이나 미약함, 의존성, 불안, 평화 등의 의미를 갖는다. 생각이 많으니 사색과 지식정보가 많아지고 철학적으로 변한다. 봄바람이 불어오는 춘정과 같은 것이라 남녀 색정 발생을 의미하기도 하고 구설이 따를 수도 있다. 변화가 유리한 면이 많으나 신용이 정립되기 전의 시기이니 무조건 변화하면 실패와 손재를 보게 된다. 타의에 의한 변동은 손재를 보기 쉽다.

養

養은 태아가 자라나서 외부적으로 배가 많이 불러있는 상태를 의미하니 외부적으로 모습을 제법 드러내 놓은 것과 같다. 하지만 아직도 드러내 놓고 화려하게 공개할 수 있는 상태는 아니다. 시험에 합격하고 계획이 실현되기 시작하며 온갖 꿈이 이루어지려고 하는 땅이니 노력하면 성사될 수 있는 시기이다. 반면에 사주 원국이 조화를 이루지 못하거나 운의 흐름이 좋지 못하면 공든 탑이 무너지고 만사가 무력하여 되는 일이 없다. 시험이나 승진, 사업, 계획 모두가 실패할 수도 있는 미약한 운기이다. 성장하거나, 보호를 받는다는 뜻으로 태아가 자궁 속에서 자라나서 탄생준비를 마친 상태처럼 보호가 필요한 것이다. 태어나기 바로 직전이므로 모든 일들이 펼쳐지기 바로 직전의 상황을 의미한다. 그동안 준비하고 꿈꾸어 왔던 계획, 사업구상, 글공부, 사회적 명예

등이 비로소 나타나질 때가 되었다는 의미이기도 하다. 애기가 胎에서 자라면 임산부의 모습은 배가 불러지고 누가 봐도 생명이 잉태된 것을 알 수 있다. 태어나지는 않았지만 알 수 있다. 양육, 생명, 태아의 상태로 길러짐, 육영, 원만, 침착, 현재 상태 만족, 낙천적, 의타심, 지도력 부족, 건전한 정신, 보호를 의미한다.

長生

長生은 어머니로부터 갓 태어난 아기에 비유된다. 태어나서 모습이 보이기 시작했으므로 시작하는 기운이 실제로 현실화되어 움직이기 시작하였음을 의미한다. 갓 태어났으므로 천진무구하다, 사랑스럽다, 모두가 보살펴주려 한다. 도움이 필요할 때에는 어머니든 누구든 즉각적으로 도와준다. 그래서 長生地는 도움의 손길이 항상 있음을 의미하고, 갓 태어난 아기의 모습이 갓 싹을 틔우고 나온 甲木의 모습과 같아서 생명력이 넘쳐나는 시기이다. 새로운 삶을, 계획을 실행에 옮기는 것을 의미하고, 자신의 관직이든, 명예든, 사업이든 무엇이든 이제 밖으로 드러날 때가 되었음을 의미한다. 새로운 것을 힘차게 시작했으므로 長生地를 지나가게 되면 희망이 있음을 의미하고 모든 일에 활력이 있음을 의미한다. 자신의 계획, 뜻, 인생설계, 추구하고자 하는 모든 것들을 드디어 세상에 드러내놓고 펼쳐볼 수 있는 때가 되었다. 기회가 왔다는 것을 의미한다. 이렇게 長生地는 무엇을 시작할 때 貴人이나 후견인을 만나 의외로 발전하여 성공을 거두고 출세하는 것을 나타내는 시기이다.

沐浴

沐浴은 글자의 의미대로 아기가 태어나서 沐浴을 하는 단계이지만 오물을 씻어낸다는 의미와 함께 다 벗고 다녀도 부끄럽지 않음을 의미한다. 호기심이 많고 남에게 벗은 몸을 보여주는 것을 의미하여 桃花殺이 되기도 한다. 沐浴地는 스스로 남의 눈길을 끌기 위해 하는 행동이나 노력이라면, 桃花殺은 가만히 앉아있어도 타인의 관심을 끄는 매력을 의미한다. 남으로 부터 시선을 받는 것을 좋아하고 패션감각이 뛰어나며, 자신을 꾸미는 일에 소질도 있고 즐긴다. 자신을 드러내기를 즐겨하기 때문에 지갑에서 돈을 잘 꺼내 쓴다. 약간의 유흥이나 허세, 탈선, 자기 멋대로 살아보고자 하는 것을 의미한다. 長生을 지나 좀 더 펼쳐져 있는 모양인데 어린아이가 혼자서 발가벗고 걸어다니다가 넘어지기도 하고 상처도 입고 하듯이, 사주에 沐浴地가 있으면 재물의 損耗, 傷身, 구설수를 동반하고 長生의 시기에 벌어놓은 재물이나, 명예, 학업 등을 잃게 되는 수가 있다. 그러나 상승의 운기 속에 있기 때문에 損耗를 당한다고 할지라도 긍정 속의 부정적인 측면이라고 볼 수 있다. 잃는 것이 있을지라도 벌여놓은 사업이나 장사, 학업은 상승기운 속에서 펼쳐지게 되는 것이다. 沐浴운이 오면 혼담이 들어오거나 연인이 생겨 즐겁고 정신적인 기쁨이 있게 된다. 몸에 묻은 오물을 씻어 냄, 매력적인 모습, 미모, 인기, 망신, 유흥, 풍류, 멋, 재산낭비, 천방지축, 예능과 같은 것을 의미한다. 마음이 들뜨고 변덕스러우며 이상한 꿈을 찾아 천방지축으로 돌아다니다가 실패하여 구설수에 오르기도 하고 타인의 관심을 끌기 위한 노력이 잘 못된 결과를 초래하기도 한다.

冠帶

冠帶는 어린아이가 좀 더 자라서 성년에 이르고 시집장가를 가는 시기가 된다. 허리에 띠를 두른다는 것은 옷을 단정하게 입고 사회로 진출한다는 의미도 있고, 자립목표를 설정하고 노력하는 시기이기도 하다. 옛날에 사모관대를 하는 것은 벼슬에 나아가는 것인데 일반평민이 벼슬길에 나아가는 것은 거의 불가능한 일이기 때문에 나라에서 정해놓기를 평생에 결혼하는 날만이라도 관복을 입게 하고 벼슬은 정9품 참봉벼슬과 동등 되게 해서 남자는 평생 학생이 되고, 여자는 남편의 벼슬에 따라서 평생 孺人이 된다. 하루만 허락된 것이라서 평소에는 사용하지 못하고 죽고 난 뒤에 사용하도록 했다. 神位를 모실 때 남자는 學生府君神位가 되고 여자인 경우에는 孺人OOOOO으로 쓴다. 아무튼 성년이 되어 관대를 두른다는 것은 기운적으로는 왕성하지만 아직은 정신적으로 미숙한 상태, 弱冠의 나이가 된다. 弱冠이라는 의미는 冠이 약하여 흔들리거나 冠을 써도 머리에 잘 맞지 않아서 흔들린다는 것인데, 직분을 감당하기에는 아직 부족하다는 의미이다. 왕성한 기운, 왕성한 혈기는 희망적인 면이 되기도 한다. 혈기로 무엇을 추진해보고자 하는 야심을 의미하기도 한다. 옷을 입는다는 것의 의미는 매우 중요한데, 옛날에는 자색옷을 입느냐, 청색옷을 입느냐에 따라서 벼슬의 높낮이가 구분되었다. 오늘 날에는 사무직의 화이트칼라와 노동자를 뜻하는 블루칼라로 구분되는데 옷을 입는다는 의미는 조직에 속한다는 의미와 통한다. 외부적으로 펼쳐지는 기운에 비해서는 내적 고민과 갈등이 많아 심적인 부담이 커지는 때이다. 어떤 옷을 입느냐에 따라서 책임감도 더 커지고 심적 부담도 더 커지는 것이다. 그러나 운의 흐름이 펼쳐지는 시기이고 활동이 원활한 시기이며 외부적인 압력은 있을지라도 뜻을 세우고, 뜻한 바대로 소원을 성취하는 희망의 시기이기도 하다. 고시합격, 취업, 개업, 혼인이 성사되는 시기이며, 젊은 혈기에 사려분별 없는 행동으로 명예를 추구하다가 眼下無人이 되기도 하고 자존심과 아집으로 모처럼 맞이한 뜻을 펼칠 수 있는 좋은 기회를 놓치기도 한다. 성급하게 결혼이나 취직을 해서 후회를 하기도 한다.

建祿

建祿은 벼슬길에 나아가서 나라의 祿封을 받는다는 의미이다. 冠帶가 성균관 학생 시험에 합격한 것이라면 建祿은 진사시험에 합격을 한 것과 같다. 冠帶시기에 부족한 부분도 있었지만 이제 왕성한 기운이 무르익어서 명실상부한 성인이 된 것을 의미하고 한 가정을 정립하고 가장으로서 경제력과 자녀교육에 책임을 질 수 있을 만큼 성숙한 것을 의미한다. 長生의 시기에는 뒤에서 돌봐주던 후견인이 있어서 부족했던 부분을 채워주었으나 이제는 완전히 스스로 서야하는 시기이다. 자신의 뜻을 세우고 실현할 재능을 갖추고 있으며 자수성가, 독립을 의미하기도 한다. 부모의 도움 없이 혼자 일어선다는 의미이니 建祿을 지니고 태어난 자식이 있으면 이 자식이 태어난 후부터 부모가 무기력해지거나 쇠락의 길을 걷기도 한다. 적수성가할 수밖에 없는 환경이 조성되는 것이다. 벼슬길에 금방 발을 들여놓은 초년생과 같아서 배운 대로 원리원칙 대로 일처리를 하고자 하며, 빈틈없이 철두철미하다. 다소 피곤하기는 하지만 본인은 완전무결해야 한다. 운기가 왕성한 시기이니 상업이나 사업이나 번창한다. 모든 일들을 본인의 뜻대로 처리를 해도 번영과 이윤창출이 이루어진다. 자신의 능력도 충분하지만 주변의 모든 상황, 여건이 자신의 재능을 펼칠 수 있도록 조성이 되는 매우 긍정적인 의미를 지니고 있다. 建祿은 취직, 고시합격, 개업, 영전, 得財, 확고부동함, 솔선수범, 자신감, 책임완수, 강건, 국가와 사회에 헌신하는 일꾼, 공사를 분명히 하는 것을 의미한다. 建祿의 특성상 妻와 財를 분탈, 분배를 하는 것이기 때문에 損耗가 따를 수도 있으며 일이 지연될 수도 있다. 힘은 있어도 기회가 없을 수도 있으니 답답함을 느끼기도 한다. 하지만 좋은 환경이 주어져 있는 때이다.
원리원칙을 고수함으로 인해서 사람과의 관계에서 실패할 수도 있다.

帝旺

帝旺은 사람의 성장에 비유하면 왕성한 장년기의 기운으로 힘, 경제력, 권세, 가장의 권위 면에서 최고의 전성기를 누리는 단계이다. 자신의 기상을 자신 있게 드러내면서 주관적인 뜻을 가장 강력하게 펼쳐낼 수 있는 시기이다. 벼슬에 나아갔다면 연륜이 쌓여서 관직에 익숙해져 모든 업무에 능수능

란해지는 달인이 된다. 帝旺의 시기도 타인의 도움이 필요치 않을 만큼 자신의 재능, 역량을 지니고 있으며 마음껏 그 역량을 펼칠 수 있는 시기이다. 조직의 장이 되고 파벌을 짓고 업무에든 대인관계에든 처세의 요령이 생긴다. 타인의 허물을 덮어줄 수도 있고 단점을 이용할 줄도 아는 지혜자가 되는데 將星殺과 一脈相通한다. 전성기로 명성과 인기를 얻으며 수완과 역량을 발휘하고 주도권을 잡게 된다. 어려운 일이 순조롭게 풀리고 박력과 용기를 가지고 앞으로 추진해나갈 수 있는 역량, 재능, 기량이 있어 성공을 보장하기도 하지만, 성급하고 자신의 역량, 재능, 기량을 너무 과신하다가 크게 실패하는 경우도 있다. 추진하는 것들이 유명무실로 損財가 되거나 妻가 질병으로 고생할 수도 있고, 괜한 영웅심으로 시비에 끼어들면 구설에 추락할 수 있다. 三合의 중간자가 되는데, 혈기왕성, 강력한 추진력, 투쟁심, 강자, 강인한 의지, 능수능란, 반항, 시비, 역량 등을 의미한다.

衰

衰는 사람의 성장에 비유하면 최고의 전성기를 맞아 왕성하게 일을 하다가 시간이 지나면서 기운이나 열정이 서서히 기울어지고 쇠약해져가는 것이다. 陽이 極에 다다르면 陰이 생겨나고 陰이 極에 다다르면 다시 陽이 생겨나는데 陽이 極에 달했으니 이제 陰이 하나가 생겨나서 天風姤卦가 되는 것이다. 외적으로는 그 모습이 비록 쇠퇴의 길에 접어드는 시기라 하더라도, 정신이 살아있고 오랜 경륜이 쌓여있으며, 업무의 능숙함은 여전하다. 하지만 육체적으로 힘이 쇠락의 길에 접어들었으므로 추진력이 떨어지고 의욕이 상실되며 매사가 귀찮아지고 소극적으로 변해져가는 시기이다. 생명의 외형적 모습은 아직도 여름의 모습을 지니고 있지만 내부적으로는 기운이 다한 여름의 과일 나무 같은 시기이다. 화려한 외형의 모습도 사라지려하고 내적 기운도 쇠락해져가는 시기이니 자신과 현재 하고 있는 일에 대한 번민이 생기기 시작하는 시기이다. 매사에 추진력이나 용기가 떨어지고 의기소침해지며, 소극적으로 매사에 임하게 되는 시기이기 때문에 다소 결과가 부진하다. 함부로 자신의 역량만을 믿고 돌진하지 않고 매사에 조심스럽기 때문에 어느 면에서는 안정기로 접어든다고 볼 수도 있고 그동안 쌓아놓은 업적이 정착되는 시기로 볼 수도 있다. 정신적 안정과 냉정을 회복하므로 편안한 생활로 들어간다. 기운의 쇠퇴, 보수적 사고, 노련미, 원숙함, 소극적 활동, 동정심을 의미한다.

病

病은 쇠락의 길에 접어들면 신체부위들은 병이 들기 시작한다. 활동에 제약이 따르고, 함께하던 동료들은 떠나고, 자식들도 자기들의 배필을 찾아 떠나고 나면 인생에 대한 회의감이나 비애감을 느끼는 시기이다. 외형적 역량은 이제 사라지기 시작하니 사회적 직분도 잃게 되고, 경제력도 상실되어 움직임이 부자연스럽게 되는 인생의 시기이다. 病을 얻었으니 방에 누워있든지 병원에 누워있게 되는데 감수성이 예민해지고 사람이 그리워지고, 문학적 소양을 지니게 되는 시기이다. 내적으로는 정신력이나 정보력, 경륜이 남아있는 상태이나 어려움이 닥치면 손발을 움직이기가 힘든 상태이니 해결할 방법을 찾기가 힘들다.

활발하게 움직이다가 病이 들었으니 지금까지 해오던 일들을 하지 못하고 다른 일을 해보려고 하던지, 이제껏 살던 곳을 떠나려하든지 무엇인가 환경을 바꾸어보려고 한다. 病地는 三災의 시작이 되고 驛馬殺이 되는 곳이다. 내 의지와는 관계없이 환경이, 상황이 나를 움직이게 혹은 이동하게 만드는 것이다. 驛馬殺, 六害殺, 花蓋殺을 두고 三災라고들 하면서 삼년간 맞이하는 凶殺로 해석을 하여 三災풀이를 한답시고 난리굿을 친다. 驛馬殺, 六害殺, 花蓋殺 運에는 여러 가지 변동상황이 발생하게 되는데 지금껏 해오던 사업활동이나, 금전적 활동, 학술적 활동, 예술적 활동 등이 病死墓의 시기에 큰 변화가 오니 힘이 드는 것일 뿐이다. 丙火 日柱에 申子辰 生들은 문서, 결재권에 변화가 올 것이고, 巳酉丑 生들은 직장조직에 변동이 있거나 활동에 제약이 되니 어려운 듯이 보이는 것이다. 반면에 다른 부분은 강해지고 있으니 다른 것을 시작하면 된다. 추워서 못 살겠으면 남쪽으로 가면되고, 더워서 못 살겠으면 북쪽으로, 시원한 곳으로 가면 되는 것이다. 고향을 등지고 떠나면 세상을 다 잃은 것 같이 여겨지던 조선시대의 유교적 환경 속에서는 이동이 충분히 어려움이 될 수 있지만 지금 현대에서는 더 나은 방향으로의 전환으로 볼 수도 있는 것이다. 그래서 三災를 凶殺로만 보아서는 안 된다. 어차피 되기 힘든 것을 청산하고 상황을 바꾸어 보든지 환경을 바꾸어 보는 것이니 나쁘게만 볼 수 없다.

病地는 다정다감하고 풍류적인 감수성이 풍부해서 여행을

즐기고 사회봉사에 헌신하고자 한다. 두뇌총명, 연민의 정, 病苦, 눈물, 다정다감하다. 외부적인 활동이 부자연스럽게 되기 때문에 정신적인 활동, 사색과 공상, 내적인 지성 개발에 힘쓰는 시기가 된다.

死

死는 죽음을 의미하는데 病이 들어 오랜 시간이 흐르면 맞이하게 된다. 사람이 죽은 상태가 된다는 것은 모든 활동이 멈추는 것을 의미한다. 자신이 해오던 사회적 활동 분야에서는 완전히 멈추는 상태가 되는 것이다. 死가 있으면 결단력이 없어진다. 죽음에 대한 두려움이나 死後에 어떤 세계가 전개될지는 알 수 없으니 사후세계나 죽음에 대하여 관심을 가지게 되고 공부를 해보게 된다. 살아온 지난날들을 돌아보고 인간의 의지대로 할 수 없었던 환경이나 사건, 사고, 사람들과의 관계를 생각해보게 되고, 어떤 힘에 의해서 그 길을 선택하고 그렇게 살아갈 수밖에 없었는지 돌이켜 생각해보게 된다. 자연히 명리학이나 철학, 인문학에 관심을 가지고 접하게 되고 건강을 챙겨야하니 의학 특히 민간요법, 보양식, 운동 등에 관심을 가지게 된다. 소극적인 성격으로 바뀌어가며 조용하게 학문을 하거나 취미활동을 하게 된다. 과거 화려했던 날에 가졌던 직장, 명예, 영광은 나와는 상관이 없는 것처럼 된다. 반면에 예술분야에서는 재능을 갖추고 있다. 또한 오랜 연구와 노력이 결실을 이루기도 하여 유능함으로 인한 승진, 명성을 얻게 되기도 한다. 철학, 종교, 무형의 세계, 死後世界를 추구하기도 하며, 정직, 근면, 정신수련,

수행을 상징하기도 한다.

死는 의욕이 상실되어 무기력한 상태가 되는데, 만사가 난감한 상황이라서 피동적이고 타의적으로 되니 종교적인 인생관을 갖게 되며, 소극적인 성격이 되면서 현실을 도피하려는 경향을 가지게 된다.

墓

墓는 만물을 거두어들여 창고에 들이듯이 인간이 죽어서 무덤에 들어간 상태를 말한다. 한 인간이 삶을 마감하고 무덤 속으로 들어감으로써 이 세상에서 나의 존재가 사라지고 없음을 의미한다. 이 세상과의 이별, 기업의 부도, 파산, 저축, 수확물의 저장, 창고, 욕심과 관련을 맺게 된다. 蓄藏을 잘 하는 시기임으로 인해 부의 축적이 잘 이루어지는 시기가 될 수도 있다. 결실의 해로서 성공과 재물이 들어온다는 의미이다. 보금자리가 마련되고 재물에 대한 관념이 달라진다. 三合 중에 墓地는 모든 일이 끝났음을 의미하며 창고로 들이는 것을 의미한다. 그래서 진술축미를 금고로 보기도 한다. 창고, 저장, 매사 침착, 안정, 신앙생활, 정신수양, 철학공부, 得財, 致富를 의미하기도 한다. 나쁜 의미로는 사회적 활동, 경제적 활동, 금전융통이 막히고 활동무대가 위축되는 것이다. 또한 인색하고 처세가 원만치 못하니 만사가 침체되어 부진할 수도 있으며, 금전에 대한 관념이 발달하여 모으고 蓄藏하는 것을 잘할 수 있어 생활의 어려움은 없으나 구두쇠가 되기 쉽다.

十二 運星의 활용

 형체를 지닌 만물은 형체가 사라지기까지 일정한 궤도를 갖추고 있다. 무생물이든지 생물이든지, 보이든지 보이지 않든지, 유형이든 무형이든 간에 존재하는 모든 것들은 생멸을 반복한다. 다만 동일한 것이 형체만 바꾸어서 나타나고 사라지고 하는 윤회 같은 순환을 반복하는지는 알기가 어렵지만 生滅의 이치는 어느 것이든지 가지고 있다. 명리학은 유형의 세계와 무형의 세계를 아우르는 학문이다. 이 두 세계 중에서도 보이는 유형의 세계, 이 중에서도 생명체, 생명체 중에서 특히 사람의 命理를 알아내기 위해서 자연현상 즉 유무형세계의 생멸의 법칙을 窮究하고자 하는 것이다. 사람도 자연의 일부이며 자연 속에서 生滅하는 존재이다. 하지만 다른 짐승이나 식물이나 조류나 어류들이 갖지 못한 능력을, 뜻을, 생각을 가지고 있어서 복잡한 양상을 만들어낸다. 오묘하고 신묘막측한 부분도 있어서 학문으로 접근하기에는 한계가 분명히 존재한다. 한계너머를 궁구하고 세울 수 있는 가설에 대해서는 학문을 하는 사람들의 자유이니 각자가 알아서 할 일이다. 다만, 학문으로 궁구할 수 있는 이치를 밝혀내든, 학문으로 접근하기 힘든 한계너머의 이치에 대해서 가설을 세우든, 명리학으로서의 면모를 갖추고 인간의 命理를 궁구하여 이치를 밝혀내고자 하는 것이다. 命理를 통해서 生滅의 이치, 盛衰의 이치를 밝혀서 過慾을 부리지 않고 知分樂道(分數를 알고서 道를 즐긴다)하여 인간의 본연의 모습, 참나(眞我, 얼나, atman)를 찾아가는 窮極的인 목적이 실현되었으면 하는 바람을 가져본다.

　대자연속의 모든 생명체는 생멸의 법칙 속에서 살아간다. 생명체가 태어나면 어느 시기에 생명력이나 활동력이 왕성하고 어느 시기에 쇠퇴해가는지를 살펴보고자 왕쇠의 흐름을 만들었다. 즉 氣運의 消息을 살펴보기 위해서 십이운성의 흐름이 만들어졌다. 사람이 어머니 복중에 잉태되었다가 태어나고, 유년시기를 보내면서 자라고 공부를 하면서 성년이 되어 한 인격체를 이루어 간다. 청장년이 되어 사회적 활동, 경제적 활동을 하고 힘이 쇠약해지면 사회활동이나 경제적 활동을 멈추고 이제 늙어 병들어 죽어 무덤으로 들어가게 된다. 무덤으로 들어가기 전에 자신과 비슷한 모습의 기질이나 기능, 꼴을 가진 2세를 낳고 양육하게 되는데, 이 2세는 부모세대처럼 자신도 똑같은 생멸의 법칙 안에서 살아가게 된다. 볍씨 한 알이 수십 배, 백배의 볍씨를 만들어놓고 자신은 볏대로서 살다가 가는 것과 마찬가지이다. 이러한 生長消滅의 시기를 12단계로 나누어놓은 것이 胞胎法이다.

胞胎法의 왕쇠의 흐름을 도표로 그려보면 아래와 같다.

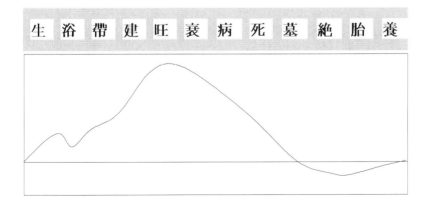

도표에서 보듯이 沐浴地에 이르면 약간의 굴곡이 발생하게 된다. 沐浴地는 敗地라고도 하며 桃花殺이라고도 한다. 능숙하지 못함에서 오는 허세, 구설수, 나타내 보이려고 하는 데서 오는 財物損耗가 따르기 때문에 기본적인 運氣는 상승세를 타고 있지만 어느 정도의 굴곡은 발생하게 된다. 또한 運의 흐름이라는 것이 이어지는 것이기 때문에 지난 運의 영향을 다음 運에서도 받을 수 있어서 運과 運 사이에는 발생 시점과 관련하여 시차가 발생할 수도 있다.

생명, 건강, 질병, 학업, 직장, 명예, 경제활동, 사건, 사고, 사회활동 등 이 모든 것이 생멸의 법칙 속에서 움직인다는 것이다. 이러한 것들이 동시에 발생하는 것이 아니라 서로 다른 시기에 생멸이 되기 때문에 어떤 사건이든, 일이든, 한 가지가 시작되는 시기에 있으면 다른 것은 왕성한 시기에 있을 수 있고, 다른 것은 쇠락하는 시기에 있을 수도 있다. 학문, 명예, 재물, 건강, 사회활동이 모두가 동시에 좋아지기는 거의 불가능하다. 잘 되는 것도 있고 못되는 것도 있다. 잘 되는 것 중에서도 왕성한 것이 있고 그러지 못한 것도 있을 수 있다. 몇 가지 활동은 동시에 다 잘 되는 수가 있기도 하다. 돈은 잘 벌어들이는데 공부와는 담을 쌓은 사람이 있을 수 있고, 공부는 열심히 하는데 명예가 안 따르는 사람이 있을 수도 있고, 인기는 되는데 학업하고는 거리가 먼 사람이 있을 수 있다.

壬水를 관성으로 쓰는 사람은 丙丁日柱가 되는데 卯辰巳午

運으로 흘러갈 때에는 死, 墓, 節, 胎 運을 지나가니 한직으로 밀려나든지 옷을 벗든지 크게 위축될 것이고 運이 申, 酉, 戌, 亥 運을 지나가면 長生, 浴, 冠帶, 建祿, 運이 되기 때문에 승진하던지 중요기관으로 발탁되든지 해서 크게 왕성해질 것이다. 이 사람은 金을 財星으로 쓰는데 운이 巳, 午, 未, 申 運으로 흐르면 長生, 浴, 冠帶, 建祿 運을 지나가기 때문에 재물활동은 왕성해질 것이요 得財 또한 용이하지만, 子, 丑, 寅, 卯 運으로 흘러가면 死, 墓, 節, 胎 運으로 흘러가기 때문에 재물활동이나 得財가 크게 위축될 것이다. 이렇게 운의 旺衰强弱의 흐름을 파악할 수 있게 된다.

  운이란 것은 항상 좋을 수도 없고 항상 나쁠 수도 없다. 무엇인가가 잘 해결되고 이루어지고 왕성하다면 다른 무엇인가는 위축되고 잘 풀리지 않게 된다. 그래서 일이 잘 되면 기뻐하고 잘 못되면 침울하게 되지만 命理學을 공부하는 사람은 一喜一悲하지 않는 것이다.

"知命者 不怨天, 知己者 不怨人
(命을 아는 자는 하늘을 원망하지 않고, 자신을 아는 자는 다른 사람을 원망하지 않는다)" 고 했다.

또한 공자가

"不知命, 無以爲君子也
(命을 모르면 군자라고 할 수 없다)" 고 했다.

사건마다, 사람마다, 일마다 生滅의 시기가 정해져 있는 것이니 그 이치를 깨달아서 나아가고 물러섬을 알기를 원하는 것이다.

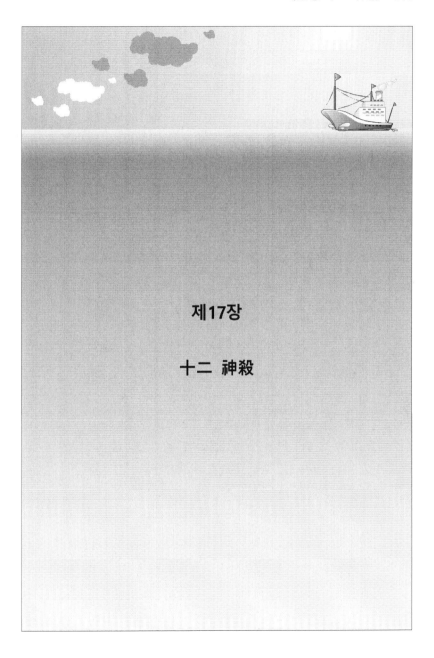

제17장

十二 神殺

제17장   十二 神殺

十二 神殺은 사주해석에 아주 중요하게 쓰이는데 감명을 할 때 구체적 상황을 이해하기 위해서는 반드시 필요하다. 예를 들어 같은 子年을 만나도 이 子에 年殺이 붙은 사람과 將星이 붙은 사람, 그리고 六害가 붙은 사람, 災殺이 붙은 사람이 다 그 내용을 다르게 쓰는데 직업을 해석할 때에 참조해서 해석하여야 한다. 우선 四生地인 寅申巳亥, 四旺地인 子午卯酉, 그리고 四庫地인 辰戌丑未로 분류를 해놓고 난 뒤에, 다시 삼합으로 분류를 해놓으면 巳酉丑과 申子辰은 음운동을 하고, 寅午戌과 亥卯未는 양운동을 한다.

개인적인 상황이나 심리적인 부분을 참고할 때에는 日柱를 중심으로 감명을 하고, 큰 환경의 변화나 삶의 궤도수정 부분을 해석할 때에는 年支를 중심으로 감명을 하면 된다. 亥卯未年 生이 亥卯未 세운을 만나면 자기가 주동을 하여 능동적으로 움직이는 것이 되고 巳酉丑 세운에는 소극적으로 수동적으로 움직이게 된다. 내가 능동적으로 상황을 이끌어 나가는 것이 아니라 내가 움직일 수 있도록 혹은 움직일 수 밖에 없도록 주변 상황이 바뀌어 있는 것이다. 寅午戌 세운에는 연장자 혹은 상사의 충고를 따라서 신분변화를 위한 활동을 하고 申子辰 세운에는 손아래사람을 돕게 됨으로써 내게 임하는 결과가 만들어지는 것이다. 오행, 육친, 十神을 중심으로 사건이나 행위, 일과 같은 현실적 결과물이 펼쳐지는데 이때에 작용하는 심리적인 상태 혹은 과정을 정밀하게 해석을 하기 위해서 12신살을 참조하는 것이다.

寅午戌 삼합을 예로 들어서 살펴보면,

겁살(劫殺)

亥年은 劫殺이 되는데 역모주동자라고도 한다. 움직일 수 있는 운신의 폭이 많이 줄어들게 된다. 구속, 차압, 압수, 박멸, 철거의 별로 보는데, 이 별이 있는 사람은 법무, 의료, 군인, 경찰 등의 직업 특성을 가짐으로써 劫殺을 잘 활용하게 되지만 거꾸로는 일종의 횡액이 되기도 한다. 갑작스런 횡액, 뒤통수를 맞는 것도 다 여기에 해당된다. 대부분의 인간사가 당하기도 하고 당한 것을 그대로 남에게 행하기도 한다. 자신이 속한 삼합의 사회 안에서 또 다른 사회를 꿈꾸는 자들이 생겨서 시끄러워지는 것이다. 劫殺이 있으면 자기가 구속, 차압, 압수, 박멸을 당해보았기 때문에 이것을 또 인생의 무기로 사용해서 남한테도 같은 행위를 하는 것이다. 구속, 압수, 강제적인 철거나 수리가 있는 방향이기도 해서 劫殺방면은 항상 시끄럽다. 싸움이 일어나고 분란이 일어나는 곳이기도 하니 늘 치고받는 격전지가 되는 것이다. 그래서 寅午戌년생이 亥日에 무엇을 상담하러 오게 되면 대부분이 법무, 구속, 차압, 자기신병에 관한 것을 물어보러 온다. 劫殺을 업고 왔으니 항시 시끄럽다.

劫殺은 胞胎法으로 胞(絶)에 속하는데, 재물이나 사람에게 흉한 일을 당하는 神殺로 손재수, 離別數, 큰 변화를 위한 준비 또는 이동과 관련해서 마음속에 준비하는 것 (활동성,

역동성, 금전, 진로변경 등), 교육자, 종교인, 연구가, 학자, 주의력 부족, 경거망동, 라이벌, 시비구설, 장애발생, 도난, 강도, 투자실패, 부부이별, 교통사고, 질병, 자녀유괴, 철거, 차압, 부도, 수술, 사망 등을 의미하는데 원국이 조화롭지 못하면 凶殺에 속하는 神殺이 된다.

재살(災殺)

子는 災殺이라고도 하고 囚獄殺이라고도 하는데 시위가담자 혹은 동조자로도 본다. 겁탈을 당하고서 감당할 수 없는 재앙이 되었지만 훗날을 기약하며 가슴에 회복을 꿈꾸니 야망이나 야심의 별이 되기도 한다. 將星殺인 午를 沖하는 글자가 되니 관재, 구설, 구속 등의 횡액을 당하게 되는 것이다. 그래서 지혜로운 자가 되어야 살아남는다. 만약 官星에 災殺이 있으면 반대로 그쪽 계통을 직업으로 선택해서 그 기운을 해소하면 오히려 상승의 요소로 삼을 수가 있다. 법무, 경찰, 군인, 세무, 금융 이런 계통으로 진출하면 된다. 하지만 운에서 이런 인자들을 또 심하게 충동질한다든지 하면 괜스레 권력자들을 잘못 건드려서 자기가 옷을 벗는 일이 생기거나, 언제든지 칼날이 자기한테 돌아올 수도 있으니 잘 살펴보아야 한다.

災殺은 胞胎法으로 胎에 속하는데 관재구설, 권력배경, 정신무장, 지혜자로 보기도 하는 囚獄殺이 된다. 숨겨진 야망, 야심이 있으나 드러내지 않고 조용히 준비하며, 외부환경에 따라서 움직인다. 사주원국이 조화로우면 군인, 검찰, 경찰,

법무관 등과 인연이 많다. 온화, 유순, 미덕, 적극성이 결여되어 있으나 영감, 호기심, 화술이 좋은 편이다. 교수, 전문 연구원, 사업가, 산부인과 의사, 구멍가게, 담배가게와 같은 직종에 인연이 많다. 사주원국이 조화롭지 못하면 관재, 소송, 감금, 납치, 입원, 구설, 교통사고, 수술, 상해, 천재지변 등이 발생하기 쉽고, 사주에 災殺이 있고 세운에서 災殺이 오면 관재나 상복수가 있을 수 있다.

천살(天殺)

표은 天殺이라고 하는데 절대자, 하나님이고, 임금님이고 곧 법이다. 하늘의 명은 있으나 아직 내게 오지 않았으니 꿈만 높고 현실이 뒷받침이 안 되는 그런 상황이다. 나의 뜻이 하늘에 있고 땅에서 잘 이루어지지 않았으니 감당하기가 어려운 일이 되는데 이 運에 哭事나 初喪 등이 잘 발생하기도 한다. 자기로서 감당하기가 어려운 일이 발생함으로써 자기 삶에서 환경변화의 씨앗이 된다. 땅을 잘 보지 못하고 하늘만 쳐다보니 정신적 성장은 잘 이루어지는데 세속적인 일은 잘 안 되는 경우이다. 너무 이상적인 것에만 매여 있거나 허례허식을 쫓음으로써 현실성 없는 삶을 살기도 하는 것이 天殺이지만 그 꿈과 야심만큼은 대단하다. 비록 함께하는 다른 사람이 덕을 베풀어도 생색은 자기가 다 낸다. 꿈과 야심이 크고 하늘에다가 소원을 빌어야하니 고시나 대학입시, 취직시험을 준비하는 사람은 항상 天殺 방향으로 앉아 공부해야 효율이 잘 나게 된다. 나의 뜻이 하늘의 뜻이 되도록 간구한다는 의미이니 곧 나의 목표지향, 이상향이 되는 것이다. 그리고 이 방향에는 조상신위를 두지 않아야 한다. 조상들의 출입통로를 절대자가 막는다는 의미가 되는 것인데, 자기보다 더 강력한 존재가 있으면 조상들의 출입이 편치 않다는 의미가 된다. 조선시대 종택을 가보면 조상의 신위를 모시는 사당이 있다. 사당의 위치는 대체로 건물의 왼쪽 편에 있다. 오른편에는 늘 비워두거나 불상을 갖다놓는다. 방위로 보면 座의 오른편은 天門이 되고 왼편은 鬼門이 된다. 잠잘 때는 반대로 攀鞍殺 쪽으로 머리를 두고 자는 것이 좋다. 세상일에 만만한 것이 攀鞍이지만 사주원국에 天殺과 攀鞍殺이 같이 있으면 이것도 저것도 잘 안 되는 상황이 많이 벌어지게 된다. 중도 아니고 속인도 아니고 非僧非俗의 애매모호한 모습이 되는 것이다.

天殺은 胞胎法으로 養에 속하는데, 천재지변, 돌발사고, 불의의 재난, 내가 극복하지 못하는 대상, 일순간의 큰 변화, 불신, 갈등, 비행기 사고, 실력주의자, 사교, 자영업, 육영사업, 상업, 子孫德, 外柔內剛을 의미한다. 모친의 영향력이 크다. 온후하고 낙천적이기는 하나 의리심은 없다. 사주에 天殺이 있고 세운에 天殺이 오면 관재나 喪服數가 따르고 고독하다.

지살(地殺)

寅은 寅午戌 삼합에서 地殺에 속한다. 이것을 육친적으로 재로 쓰느냐 관으로 쓰느냐에 따라 세부적으로 나누어지기는 하는데 보통 지살은 역마속성을 따라서 외무대신이라고 한다. 외부적으로 드러내는 기운이며 돌아다니는 기운이라서 이렇게 붙였다. 역마가 외부적 요인이나 환경에 의해 강제성을 띄고 있다면 지살은 자발적으로 움직이는 것이다. 그래서 지살운에 이사나 이동하는 경우가 많이 발생하고, 직장전변 혹은 업종변경도 따르게 된다. 그래서 보통 지살운이 들어오게 되면 이런 자발적인 행위들이 나타나게 된다.

사주내에서 寅이 지살이 되는 사람은 호랑이와 같은 힘이 있기 때문에 외부로 다니면서 일을 잘 펼친다. 뿐만 아니라 호랑이 자체의 속성처럼 움직이는 규모가 크고 강하다. 이것이 조직으로 쓰이고 있다면 힘, 권력을 지니고 있다는 의미이지만 호랑이가 은근히 고독을 즐기고 홀로 다니는 속성과 이 시간에는 아무도 일어나지 않고 혼자 일어나서 촛불을 켜놓고 기도를 하던지 학문을 하던지 하는 상징성 때문에 소속된 조직 내의 독립적 부서일 가능성이 높다.

12가지 동물 중에서 갓을 쓰고 있는 동물은 이 호랑이 밖에 없다. 대개는 선비기질을 따라 교육, 문화, 정보 등의 지식분야로 가는 경우가 많다. 육해살인 酉가 저승사자인데, 호랑이가 일어나서 움직이려고 하면 저승사자(酉)가 나타난다. 그래서 寅酉가 서로에게 원진관계가 된다. 하늘의 명을 받아서 움직이기 때문에 아무리 호랑이라 하더라도 함부로 닭을 물지 못해 애를 태우니 원진이 된다.

地殺은 十二胞胎法으로 長生地에 해당된다. 주거지 이동이나 직업변동, 직장이동, 독립 등을 의미하는데, 주변상황의 변화나 타의에 의한 변화가 아니라 본인이 자발적으로 만드는 이동변화를 의미한다. 지살이 재성에 임하면 외무원이나 세일즈맨, 영업직이 되며, 지살에 해당하는 글자가 삼형이 되거나 沖이 되면 교통사고, 노상 횡액, 망신이 될 수 있고, 해외, 새로운 직장에 취업, 승진, 문서변화, 새집으로 이사, 부부불화, 이별, 금전운 호전 등의 변화가 발생하기도 한다.

년살(年殺)

卯는 年殺에 해당되는데 年殺은 보통 도화가 들었다고 해서 桃花殺이라고도 한다. 도화에 해당하는 子午卯酉는 지장간이 순일하여 그 성향이 매우 활동적이고 깨끗하고 순수하며 감춤이 없다. 桃花殺은 표현력, 인기, 애교, 처세술을 의미한다. 대인관계가 좋거나, 대중의 인기를 한몸에 받거나 화술이 좋아서 청중을 사로잡는 힘이 있다. 이성에게 인기를 끄는 매력도 다 도화살이 된다. 재치 있는 언변으로 위기를 넘기거나, 장사수완이 좋거나, 설득력이 있거나, 발랄하거나 하는 보이지 않는 매력이 모두 桃花殺이다. 원국에 도화가 있으면 이성간에 문제를 불러올 수 있는 여지가 다분히 있지만 타인으로부터의 인기, 뛰어난 처세술, 탁월한 표현력을 의미한다. 사주가 濁할 때에는 좋지 않은 작용이 일어날 수도 있지만, 사주가 貴格이고 淸할 때는 좋은 방향으로 작용을 하게 된다. 그래서 도화를 두려워하거나 단지 도화라는 이유만으로 배척하여서는 안 된다. 다른 사람의 이목을 집중시키거나 원래 본질에서 비켜나도록 현혹할 수 있는 힘이 있으므로 현대사회에서는 대중으로 부터의 인기로 본다. 인기를 만들어 낼 수 있는 능력, 전문기술을 의미하는 별이다.

사사건건 어디든지 끼어들어서 자기의 의도한 목적을 실현하고자 하는 경향성이 뚜렷하며 에너지가 모이는 곳, 기가 모인 곳, 사람들의 시선을 집중시키는 곳이 된다. 또한 도화는 속을 드러나게 하는 동작과도 관련이 있기 때문에 의료행위와도 의미가 강하게 통하고, 장식이나 인테리어 등 디자인하고 꾸미면서 남의 시선을 모으는 행위가 된다. 사치나 허영심을 자극하기도 하는데 桃花殺과 충동구매의 별이 되는 상관을 건드리게 되면 소비심리가 발동하게 된다.

卯酉는 일월의 출입문이 되는데, 卯는 대문을 의미하고 酉는 현관문을 의미한다. 출입문이라서 하늘과의 교통이 활발하여 鬼門에 잘 걸리는데 卯申귀문관살이 된다. 보통 鬼門에 걸리면 서로 그 기운을 삭감 해버리긴 하지만 귀문관살이 집착이나 끈기하고도 관련이 있어서 직업선택의 중요한 인자로 보기도 한다. 귀문이 있으면 오래도록 하게 된다. 그래서 이 귀신이 있는 방향에는 술을 올려놓는데 년살과 육해살은 서로 소통하기 때문이다. 卯酉沖을 나쁘게만 볼 수 없는 이유 중의 하나이다. 묘유충이 있으면 대체로 미용이나 의료분야의 직업구성도 많다. 卯酉를 머리카락과 가위로 보기도하기 때문이다. 卯자체가 아침에 출근하기 전에 꾸미는 행위로도 보고, 酉는 이제 하루 일과를 끝내고 한잔 술로 마무리하는 것과 같아서 酉는 酒, 즉 정신을 혼미하게도 하고 스트레스를 풀게도 하기 때문에 약과 통하기도 한다. 도화에는 장내도화(牆內桃花), 장외도화(牆外桃花), 곤랑도화(滾浪桃花), 도삽도화(倒揷桃花), 편야도화(遍野桃花) 등이 있고, 십신이 도화가 될 때 육친에 따라 분류를 해보면 다음과 같다.

공부 중에 이성에 관심을 갖게 되는 印綬桃花, 첩을 여럿 둘 수도 있는 比劫桃花, 삭탈관직이 되거나 직장 내에서의 통정을 하게 되는 傷官桃花, 女命이 상관도화를 갖게 되면 남편과 자식을 버리고 성이 다른 자식을 얻게 될 수도 있다. 식록이 풍족하고 자녀들의 이성문제도 원활하게 되는 食神桃花, 첩을 통해서 치부하거나 호색한이 될 수도 있는 財星桃花, 첩을 두고 승진을 하며 첩의 자식을 얻거나 유부남에게 시집을 가게 되는 官星桃花, 첩을 얻고 병을 얻거나 첩의 자식을 얻어 괴롭힘을 당하게 되는 七殺桃花가 있다. 여명에 칠살도화가 있으면 강간당하거나 남편이 첩을 두어도 말을 못하게 된다.

연월일시지의 위치에 따라서 年支桃花, 月令桃花, 日支桃花, 時支桃花로 구분하기도 하는데, 년지도화는 도삽도화라고도 한다.

년살은 시녀로 보기도 하는데 풍류호색, 이성망신, 허영, 사치, 낭비가 따르고 재해, 불행, 상복수, 비밀탄로, 부부불화로 가정파탄, 별거, 이별, 타인의 이목집중, 다정다감, 가정생활 불만족, 비상한 사업적 재능을 의미한다.

월살(月殺)

辰은 月殺이라고 하기도 하고 枯草殺이라고 부르기도 한다. 강가에 나룻배를 띄우려고 하는데 순풍이 불어와서 순풍에 돛단 듯이 여행을 잘 할 수 있는 것처럼, 의도하지 않은 이

익을 보는 것을 의미한다. 순풍이 나에게 도움을 주려고 의도적으로 불어온 것은 아닌데 어쩌다 순풍이 불어오니 순풍에 돛을 달고 갈 길을 순조롭게 편하게 갈 수 있는 것과 같다. 주변의 배려가 없어서 애만 계속 쓰다가 고초를 겪는 와중에 주변사람의 희생으로 인해 반사적 이익을 얻게 되는 것이다. 즉 주변에서 변화가 발생함으로써 예기치 않았던 부가적인 이익이 발생하는 것과 같다. 시체, 상속, 증여물을 의미하기도 하는데 주고 싶어서 주는 것이 아니라 주변의 환경이 변화됨으로 인해 상속이나 증여물이 의도치 않게 생기게 되는 것을 의미한다.

 예를 들어 가족 내의 불행은 있었지만 그로 인한 상속이나 증여 등을 얻게 되는 경우라든지 혹은 직장에서는 해고를 당했는데 생각지도 못한 고액의 명예퇴직금이나 보상금을 받았다든지 하는 경우가 된다. 月殺을 더럽고 먼지 날리는 환경으로 보기도 한다. 원국에 月殺이 있다면 달빛이 희뿌여니 항상 좀 지저분하고 먼지가 희뿌옇게 날리는 그런 곳에서 일을 해야 돈이 된다. 먼지 날리고 지저분한 곳에서 돈을 잘 벌다가 번듯한 곳으로 옮겨서 화려하게 바꾸면 망하게 된다. 자기의 分을 지키지 못하기 때문이다. 月殺은 으스름 달빛을 의미하기 때문에 항상 달빛아래에 등장하는 궁궐의 공주나 왕비로 보기도 한다. 月殺이 사주에 있으면서 좋게 작용하면 작가나 예술가로 이름을 얻게 된다. 月殺이 안 좋게 작용하면 외롭고 고독하며 늘 눈물 많은 운명이지만, 月殺이 좋게 작용을 하면 五感이 뛰어나서 표현력이 뛰어나고 표현하는 단어의 선택력도 탁월하다. 자연스럽게 감성도 뛰어나므로 사물에서 얻어지는 미세한 느낌을 날카로운 문장력으로 섬세하게 잘 표현할 수 있게 되는 것이다.

月殺은 12胞胎法으로 冠帶가 되는데 枯草殺의 글자 자체의 의미를 지니며, 곤경, 고갈, 실패, 좌천, 이별, 단절, 근심걱정을 의미한다. 자존심이 아주 강하여 자기본위적이고, 부정한 처사나 불의를 잘 보지 못 하기 때문에 사업을 하면 곤란을 겪을 수도 있다. 月殺이 좋게 작용을 하면 오감이 뛰어나고 표현력이 뛰어나고, 예상치 못한 반사이익이 따르게 된다.

망신살(亡神殺)

巳는 亡身殺이 되는데, 天殺인 丑이 파견해 놓은 저승사자의 화복과 같은 것이다. 하늘의 권능과 위엄을 지닌 것과 같아서 함부로 다루었다가는 예기치 못한 큰 사건이 벌어지는 것이다. 丙일주가 巳년에 망신을 달고 오는 친구의 말을 듣고 투자를 하거나 일을 벌이게 되면 뜻하지 않았던 일이 발생을 하게 되는데 그 후유증이 아주 오래 간다. 하늘의 저승사자에게서 온 것이니 흉이든 길이든 그 작용력이 아주 크고 작용 후의 후유증이 커서 상처가 오래간다는 의미이다.

잠시 부끄러움을 당하면 이득이 생기니까, 안되는 줄 알면서도 끌려 다니는 것이다. 그래서 연애사, 애정사의 인자가 되기도 한다. 애인을 구하고자 할 때는 망신방향으로 가는 것이 좋다. 금전융통을 가능하게 해주는 기운이 되기도 한다. 짧은 시간 내에 어떤 목적을 달성할 수 있는 방향이 된다. 뒷날에 비록 망신을 당할 수 있는 인자가 숨어 있을지라도, 내 속을 다 드러내 보여주고서라도 도움을 부탁하면 들어줄 수 있는 힘이 있는 상대를 찾아가서 해결하고자 한다. 힘이 있는 방향, 힘이 있는 대상이 되니 빨리 해결할 수 있는 방향이 되는 것이다. 사회생활을 하는 사람에게는 구설수가 따를 수 있고, 병고로 인하여 병원 출입을 해야 하는 상황이 발생할 수도 있고, 사업하는 사람은 자기보다 더 큰 회사 혹은 상위기관과 계약서를 작성할 일이 발생할 수도 있다. 나이가 많이 든 사람에게는 망신운에 옷을 벗는다는 뜻에서 수명이 위태롭다고 보기도 한다.

亥卯未 년생들은 寅방향이 망신살 방향이 되는데 해자축인, 이렇게 4번째 만나는 글자이니까 망신을 잘 활용하는 사람은 화개살을 싫어하게 된다. 인오술 년생에게는 戌이 화개살 방향인데 巳는 戌에 入墓한다. 12운성으로 보면 巳를 天干으로 올리면 丙이되는데 丙은 戌에 입묘한다. 망신살은 화개살에 입묘하는 것이다. 그래서 지지에서는 巳戌이 서로 불화하게 되는데 戌이 巳의 행동을 제약한다. 내 연애사를 망치고 금전융통을 묶어버리는 것이다. 이상하게 개띠는 주는 것이 없는데도 믿게 되는 것이다. 그래서 寅년생 甲일주가 巳년이 되어서 일을 시작해보려고 하는데 원국에 戌이 자리를 잡고 있으면 이상하게 되기는 되는데 순조롭게 잘 풀리지 않는 현상이 나타나게 되는 것이다.

亡身殺은 12胞胎法으로 建祿이 되는데 패가망신, 관용부족, 융통성 부족, 장수, 노력형, 전문기술(장인, 명장), 현모양처, 예술과 관련이 많다. 이성, 자존심 망신, 계획이 수포로 돌아가서 당하는 망신, 구설, 투자실패로 인한 망신을 의미하기도 하는데 망신살운에 결혼을 하거나 사업적 거래성사로 계약서를 작성하거나 하게 된다.

장성살(將星殺)

午는 將星殺이 되는데 양보하지 않는 기운을 의미한다. 地支에 있는 기운들은 극을 당해도 위축될 뿐이지 본래의 기능이 없어진다고 보면 안 된다. 將星殺을 보통 국무장관으로 대비해서 해석을 하는데 항상 최후의 보루같이 제자리를 지키고 있어야 하는 의무감 때문에 잘 흔들리지 않는 것이다. 긍정과 부정, 양쪽으로 다 쓰게 된다. 권위와 위험, 초지일관의 힘이 있다는 점에서는 대체로 긍정적인 의미가 많다. 신살은 그 의미의 양면성을 지닌다. 칼이 적을 베는 데에 사용하면 나라를 지키는 수호신이 되지만 이웃을 찌르거나 자신을 베면 흉기가 되는 것과 같이 신살은 항상 양면성을 지니고 있다.

그래서 이리저리 돌아다니는 역마를 싫어한다. 午는 申을 보면 격각이 되고, 역마가 된다. 운에서 만나게 되면 자기자리를 못 지키고 움직이게 만드니까 더 나쁘게 보게 되는 것이다. 대신 겁살인 亥와 재살인 子를 선호하게 되는데 음양이 맞으면서 지혜로운 자가 되는 것이다. 그래서 卯酉沖, 子午沖이 있으면 지혜자의 기질이 있어서 세상살이에서 더 유리하게 되는 것이다.

寅申沖과 巳亥沖은 양상이 좀 다르다. 寅申巳亥는 生地가 되는데 인신충과 같은 生地의 沖은 부딪히면 沖의 정도가 심하다. 봄의 기운과 가을의 기운이 한자리에 있거나, 여름의 기운과 겨울의 기운이 한자리에 있으니 서로의 세력을 용납하려 하지 않는다. 둘 다 권력성 인자이니 힘 있는 자들의 沖이라서 沖이 강력하다. 한순간에 해결해보려는 요행수와 같은 의도가 저변에 깔리는 것이다. 또한 원국자체에서 子가 午를 보고 있는 사람은 야심을 숨기는 유능의 요소로 보는데, 때가 되면 숨겨진 야심을 드러낸다. 午에게는 寅이 장생지로서 동력이 되는데 申이 寅을 沖하여 밀쳐내니 원국에 午와 申이 있으면 본고장에서 잘 못살고 떠나게 되는 요소가 된다. 그래서 子가 寅을 만나면 유랑자, 장돌뱅이 사주가 되는 것이다. 寅이 子의 生地인 申을 沖해서 밀쳐내니 生地에서 정착이 안 되고 떠나는 것이다. 그래서 장성살에게는 겁살과 재살인 亥와 子가 사업 파트너가 되는 것이다. 그리고 生年에서 봐서 장성살 방향은 항상 막혀있는 것이 좋다. 수험생 방은 특히 신경을 써야하고, 건강이나 대학입시 시험을 그르치지 않으려면 장성살 방향은 항상 막혀있도록 하는 것이 좋다. 장성살은 방어벽과 같은데 이것이 무너지면 다 망하게 되는 것이다.

將星殺은 胞胎法으로 帝王에 해당되는데 벼슬진출, 높은 관직, 조직임원에 오르게 된다. 년, 월지에 있으면 리더쉽이 뛰어나다. 주체성이 강하고 남의 말을 무시하는 경향이 많다. 타협심이 없으며 백절불굴의 정신, 강한 승부욕, 독립정신, 강직한 성품을 의미한다. 경찰, 군인, 의사, 법관, 요리사, 도살업에 적합하다. 장성살의 특성상 양면성을 가지며 장수하거나 요절하거나, 길흉이 극명하게 드러나게 된다. 명예, 욕망, 번영, 승진, 강한 운기로 활동, 離鄕을 의미하며, 여자는 남편대신 자식과 가정을 위해 직업 전선에 나간다.

반안살(攀鞍殺)

未는 攀鞍殺이 되는데 도움이 되는 실속을 의미하기 때문에 현실에서 아주 중요하게 쓰이는 것이다. 辰戌丑未 庫藏地에서 이루어지는 것이니 갈무리하여 땅에 묻어놓는 힘이 되고 포장하여 놓는 힘이 된다. 모습을 드러냈다가 감추었다가 하기 때문에 이중성과 다양성을 지니고 있다. 攀鞍殺이 있다는 것은 자기가 살아가는 데 편리한 여러 가지 수단이 있다는 의미이다. 攀鞍殺은 天殺인 丑을 沖하여 그 기운을 밀어낸다. 예를 들어 午를 절실히 필요로 하는 사주에서 丑이 있으면 天殺이라 어쩔 수 없이 위세에 위축되어 불편함이 많이 발생하고 있는데 未가 들어오면 천살을 밀어내니 갑자기 관리감독자가 자리를 떠나는 것과 같다. 감독자가 자리를 떠났으니 당분간 내 세상이 되는 것이라서 실속을 다 챙기게 된다는 것이다. 골짜기에 호랑이가 없으면 선생은 토끼가 된다. 학위, 자격증을 의미하기도 하여 내가 사용하는 손발, 도구, 열쇠가 되기도 한다. 손아랫사람을 부릴 수 있는 기회가 되기도 한다. 辰戌이 좀 웅장하고 씩씩하다면 丑未는 약간 반대의 의미를 지니며 행동이 좀 느리다. 辰戌丑未를 잘 읽으면 보이지 않는 세계를 보게 되는데, 人生萬事 얽히고설킨 다양한 양상을 보게 되는 것이다. 아주 중요한 법칙이 숨어 있으니 잘 이해하여야 한다.

攀鞍殺은 胞胎法으로 衰에 속한다. 승진, 말안장, 粧飾, 꾸미거나 가꾸는 것을 좋아하고 대인관계가 활발하다. 순리를 따라 가려한다. 소극적, 보수적, 자비심, 성실성, 진실성, 기술자, 월급생활, 학문, 교육, 종교인과 관련이 많다. 취직, 승진, 번영, 출세, 文書運, 신규사업, 건축, 시험공부 시작하는 운, 노력에 따른 소원성취의 의미를 지닌다.

역마살(驛馬殺)

申은 驛馬殺이 되는데 요즘은 시대가 많이 바뀌었기 때문에 적극적이고 진취적이고 활동적인 삶을 사는 것으로 이해하기도 한다. 驛馬殺은 체신교통부 장관으로 이해하면 되는데 정관 역마가 되면 승진하여 이동하는 것을 의미하기 때문에 좋은 것으로 본다. 마패에 그려지는 말이 몇 마리냐에 따라서 지위고하가 결정되고 권력의 대소가 결정되는 것이니 역마 정관은 고급관료나 대기업 조직의 임원으로 가는 지표로 보기도 한다.

부동산문제, 논쟁이나 다툼의 조정이나 중재는 生年이 역마살에 해당하는 사람에게 부탁하면 해결이 잘 되는 경향이 있다. 이쪽저쪽을 왔다 갔다 하면서 해결하는 것이기 때문에 아들이나 딸이 역마살띠 生이면 부부불화도 빨리 해결된다. 驛馬殺 방위에는 TV나 라디오 등을 놓으면 좋을 것이다. 지살이 자기의지로 움직이는 것이라면 驛馬殺은 주변 환경에 의해서 강제성이 동반되어 타의로 움직에게 되는 것을 의미한다. 보통 驛馬殺은 봉사의 의미를 동반한 자기희생의 정신이 반영되어 있다.

驛馬殺은 胞胎法으로 病에 속하는데, 항공사, 이민, 표류, 이동, 이사, 철도청, 교통부, 조선, 자동차, 해외출입, 체신청, 다사다난, 환경변화 등을 의미한다. 허약하고, 풍류심이 있으나 지속성이 결여되어 있다. 난관을 만나면 쉽게 좌절하는 경향이 있으나 질투심은 강하다. 驛馬殺이 刑沖이 되면 교통사고, 관재구설, 부상, 수술, 이별, 별거, 이혼, 신병, 객지생활을 의미하고 분주하게 움직이지만 별 소득이 없다.

육해살(六害殺)

酉는 六害殺이 되는데 길흉을 불러온다고 해서 저승사자라고도 한다. 六害殺을 만났다는 것은 일종의 貴人을 만난 것과 같은 의미로도 보고 저승사자를 만난 것으로 보기도 하는데 부모나 연장자 중에서 실권자를 만난 것을 의미한다. 내가 어찌할 수 없는 존재이니 六害殺 방향은 무조건 열어 놓아야 일이 잘 풀리게 된다고 한다. 六害殺 방향이 막혀 있으면 마치 항문이 막힌 것과 같아서 일이 지속적으로 순탄하게 풀려나가지 못하고 자꾸만 막히게 되는 것이다. 寅午戌년생이 酉를 六害殺로 사용하면 酉金의 속성을 이용해서 확실하게 금을 긋는 일을 잘 하게 되는데, 분쟁, 조정, 분배 이런 것에 선을 정확하게 긋는 것이다. 이별을 원할 때 六害殺 방향의 옷색깔을 입으면 정리가 잘 된다.

六害殺은 胞胎法으로 死에 속하는데 육친과 인연이 없다. 어렵게 뜻을 세워도 그 세운 뜻이 잘 이루어지지 않는다. 묵은 병이 재발하기도 한다. 전문직이 적합하다. 勤勉努力形, 外柔內剛形, 이별, 순종, 정직, 이기심, 예능, 학자, 기술자, 화병 발생, 병원출입, 부모근심, 다성다패(多成多敗), 年運이나 月運에서 만나면 친족이나 친구 등과 불화가 생긴다. 육친을 해한다.

화개살(華蓋殺)

戌은 華蓋殺이 되는데 화려했던 번영의 시절은 다 지나고 정리를 해야 하는 시기가 왔음을 의미한다. 사회적인 활동성이나 운신의 폭을 재정비할 때가 되었음을 의미한다. 재정비나 갈무리를 잘 해서 다음에 기회가 돌아오면 다시 사용하려는 것이 華蓋의 목적이 되는 것이다. 곧 어두움이나 비구름을 뜻하는 亥子丑이 몰려와서 인오술의 불씨를 다 꺼버리기 전에 갈무리를 해야 하는 것이다. 華蓋는 포장이다. 년에 華蓋殺이 있으면 망한 가문을 일으켜 세워야 하는 운명을 부여받고 태어난 것이다. 복귀와 재기의 뜻을 가지고 선대가 못다 이룬 꿈을 내 당대에 다시 일으킨다는 의미가 된다. 그래서 고생을 하게 되는데 특히 남자 양띠들은 점심 먹고 한참 졸리는 시간에 일이 잘 추진이 안 되고 늘어지고 지연되는 것이다. 자꾸 반복해야 되고 아주 힘들게 사용하게 된다. 개띠는 해지고 난 다음에 무엇을 좀 하려고 하니 어둠 속에서 일이 원활하게 추진되지 못하게 되는 것이다. 그래서 남자 양띠, 개띠들은 대체로 고생이 많은데 운명적으로 이미 부여되어 있는 것이 있기 때문이다. 보통 직업이 여러 가지가 되기도 하는데 辰戌丑未의 속성이기도 하다.

　그래도 戌은 地藏干에 火를 갈무리하고 있으니, 고향에 늘 불씨를 갈무리해두고 있어서 객지에서 망해도 고향에서 다시 몇 년간 노력을 하면 재기할 힘이 모아지는 것이다. 보통 남이 망한 자리나 반듯하지 못한 땅에서 일을 벌이는 경우가 많다. 가등기나, 불법적 요소를 끼고 있는 그런 형태도 많다. 華蓋殺 방향은 항상 덮여 있는 것이 좋다. 성냥, 불쏘시게, 부싯돌 같은 것들을 놔두는 곳이다. 원국에 月殺이 있으면 辰戌沖이 되어 그 해로움을 많이 덜게 되는데, 팔자 안에 月殺과 華蓋殺이 같이 있으면 문을 자유로이 여닫는 유능한 사람이 되는 것이다. 辰은 五陽이 나아간 자리이니 활짝 열어 제치는 것이고 戌은 五陰이 나아간 자리니 안으로 거둬들이는 것이다. 그래서 華蓋는 고향에 갈무리해 둔 불씨 때문에 절대로 망하지는 않는 것이다.

　華蓋殺은 胞胎法으로는 墓에 해당하는데, 정지, 재혼, 고독, 침착, 수전노, 실리적 생활, 은행원, 종교인, 역술인, 예술가, 총명, 새로운 시작, 재생, 반복, 이중성(表裏不同), 정리, 비세속적인 것을 의미한다. 삶의 전반후반이 많이 다르기 때문에 역전운명으로도 볼 수가 있으며, 질투심이 매우 강하다. 근면성실하나 가끔 싫증을 잘 느낀다. 사치, 허영, 낭비, 신경성 질병, 신경통, 고독을 잘 느끼며, 기술, 예술, 종교에 심취한다. 일확천금을 노리다가 함정에 스스로 빠지기도 한다.

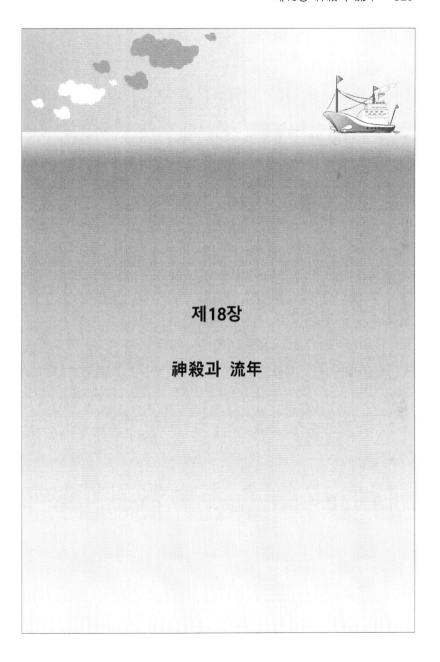

제18장

神殺과 流年

제18장   神殺과 流年

운명을 읽어낸다는 것은 그리 단순한 것이 아니다. 사주 내에 글자 한두 글자가 있고 없고, 혹은 운에서 만나는 글자에 의해서 어떤 사건이 단순하게 의미대로 발생되는 경우는 거의 없다. 일년 사계절 중에 봄을 약 3개월로 본다면 같은 봄이라 하더라도 초봄과 늦봄의 따뜻한 정도가 다르다. 봄이되고 날씨가 따뜻해지는 원인이 많을 것인데 단순히 봄이기 때문에 따뜻해져야 하고 논밭에 씨를 파종을 해야 한다는 것은 아니다. 마찬가지로 神殺에 대한 부분도 글자가 갖는 의미를 해석하되 다른 글자와의 관계, 주변 환경, 命主가 처해 있는 현재의 상황, 살고 있는 장소, 직업, 배우자와의 관계 등을 종합적으로 살펴야 한다. 실제적인 삶을 예측함에 있어서 맞고 틀리고를 떠나서라도 선현들의 학문이 녹아 있는 것이니 만큼 좀 더 세심한 연구가 필요한 부분이다.

건록(建祿)

日干	甲	乙	丙	丁	戊	己	庚	辛	壬	癸
	寅	卯	巳	午	巳	午	申	酉	亥	子

세운이나 대운에서 형, 충을 하게 되면 직장변동, 직업전환, 이사, 이변이 생기고 질병이나 손재가 일어난다.

천라지망(天羅地網)

地支에 辰巳가 있으면 地網이 되고, 戌亥가 있으면 天羅가
된다. 사주의 格을 떨어뜨리게 되는데 주로 정신세계와 인연
이 많다. 하늘에 펼쳐진 그물이라는 뜻과 땅에 펼쳐진 그물
이라는 뜻을 가지고 있다. 누구도 빠져나갈 수 없음을 의미
한다. 하늘의 그물이 아무리 큼직큼직하여 없는 듯이 보일
지라도 아무도 빠져나갈 수 없다
天綱(천망)이 恢恢(회회)하여 疎而不漏(소이불루)라고 했다.
辰巳, 戌亥의 글자를 천라지망이라고 하는데 문자의 의미대
로 사물을 강제적으로 억압, 통제 또는 구금, 고정시켜 놓는
작용을 한다. 범인이나 죄인을 구치소에 수감하거나 형무소
에 복역시키는 일이 모두 천라지망의 작용이다. 마치 고기를
어망으로 잡거나 새를 망에다 가두어 놓는 일과 같다. 천라
지망이 사주에 있으면 하는 일마다 그물이나 망에 걸리는
것과 같아서 뜻대로 잘 풀리지 않는다. 남자에게 나쁘게 사
용되면 그물에 걸리는 격이니 체포, 구금 등을 의미하고 여
자에게는 과부를 의미하기도 한다. 천라지망에 해당하는 육
친은 횡사, 수옥, 납치, 감금과 같은 일이 발생하기도 한다.
天羅地網의 경우 모든 것을 쓸모없게 만드는 작용을 한다.
두 글자가 붙어 있지 않아도 작용을 하게 되는데 강하지는
않다고 본다. 천라지망이 된 글자 자체를 무용하게 한다. 세
속적, 비세속적 직업을 판단하는데 참고를 한다. 戌亥는 주
로 음적인 공간을 나타내고 비세속적인 일에 관련이 있다.
辰巳는 양적인 공간을 나타내고 세속적인 일에 관련이 많다.
천라지망이 사주에 있는 경우에는 변화 없는 직장에 속하거

나 종교적인 일, 정신적인 일을 하면 된다. 교육, 의료, 종교, 철학, 자격증을 갖는 전문 직업이며 그중 의료나 철학, 종교와 같은 활인업과 인연이 많다. 대운이나 세운에서 만나게 되면 일이 지체되는 경우가 많다. 띠로 만나서 천라지망을 이루는 경우에는 배우자 인연이 평생을 가지만 빈한함을 면하기 어렵다 했다. 사업을 하는 경우에는 밤일과 낮일, 흔적이 없는 일과 흔적을 남기는 일, 세속적인 일과 비세속적인 일을 동시에 할 경우에 성공할 확률이 높다.

급각살(急脚殺)

급각살은 월지 기준으로 본다. 寅,卯,辰 월에 태어난 사람이 일지나 시지에 亥 또는 子가 있으면 급각살이 된다. 巳,午,未 월에 태어난 사람은 卯,未가 되고 申,酉,戌 월에 태어난 사람은 寅,戌이 되며 亥,子,丑 월에 태어난 사람은 丑,辰이 일지, 시지에 있으면 급각살이 된다. 원국의 시지나 일지에 존재하는 급각살이 沖을 당하게 되면 작용이 일어날 수도 있다.

신경통, 척추, 뼈의 질병, 수족의 이상, 소아마비, 곱추, 반신불수, 풍질, 치아, 두통, 낙상, 골절 등이 발생한다.

낙정관살(落井關殺)

日干을 기준으로 하여 日時支를 살펴보는데,

甲己日이 巳를 만나거나, 乙庚日이 子를 만나거나, 丙辛日이 申을 만나거나, 丁壬日이 戌을 만나거나, 戊癸日이 卯를 만나면 낙정관살(落井關殺)이 된다. 등산, 계단 등에서 낙상, 물놀이 주의, 중상모략, 모함을 당할 수도 있다.

탕화살(湯火殺)

화상, 酒毒, 가스중독, 파편부상, 식중독, 약물중독, 음독자살, 비관, 염세, 은거, 인질극, 정신이상, 열병, 화재, 폭발 등과 관련한 사건사고가 발생할 수도 있다. 직업으로는 약사, 소방관, 주유소, 위험물 취급업, 독극물 취급업과 관련하여 인연이 많다. 아래와 같이 湯火殺이 지지를 만나면 상황은 가중될 수도 있다.

日支	丑	寅	午
	午, 未, 戌	寅, 巳, 申	辰, 丑, 午

상문, 조객살(喪門, 弔客殺)

歲運	子	丑	寅	卯	辰	巳	午	未	申	酉	戌	亥
喪門	寅	卯	辰	巳	午	未	申	酉	戌	亥	子	丑
弔客	戌	亥	子	丑	寅	卯	辰	巳	午	未	申	酉

상문과 조객살은 유년의 지지에 의해서 판단하는 神殺이다. 子年이 되면 子년지를 중심으로 앞으로 2位가 되는 地支 寅이 喪門이 되고 뒤로 2位가 되는 地支 戌이 弔客이 된다. 流年을 임금이라 했다. 歲運이 임금이 되니 힘을 가지고 작용을 하게 되는데 流年의 三合 오행에 의해서 극제를 당하는 三合이 喪門, 弔客殺이 되는 것이다. 子年의 해에는 子年 地支가 임금에 해당되어 세력을 가지고 있으니 流年 三合인 申子辰에 의해서 沖을 받는 반대 세력의 三合은 寅午戌이 되는데 子에 의해서 여러 가지 제약이 따르게 된다. 命에 이미 있는데 세운에서 만나게 되거나 월운에서 만나게 되면 그 해, 그 달에 喪服數가 생기게 된다. 無力, 망실, 친척의 초상, 곡사, 횡액, 산소이장, 문서변동, 권리박탈, 이직, 이혼, 별거, 이사 등과 같은 일이 발생하여 삶에 변화를 가져온다. 喪門, 弔客殺을 隔脚殺이라고도 한다.

귀문관살(鬼門關殺)

子	丑	寅	卯	辰	巳
酉	午	未	申	亥	戌

귀문관살은 귀신이 드나드는 문을 의미하는데, 일지에 반드시 귀문관살 중 한글자가 있고 다른 地支에 나머지 한글자가 있을 때에 작용이 일어난다 했다. 귀문관살이 있으면 영적인 세계, 정신세계와의 소통, 교류를 의미한다. 주로 영험

한 꿈을 잘 꾸거나 巫病에 들어 神을 받기도 하고 정신이상
이 오기도 한다. 불면증, 신경질환, 노이로제, 변태적 애정행
각, 이해할 수 없는 괴이한 행동을 하게 된다. 정신세계와
관련이 있는 분야에 종사할 경우에 타고난 영감, 예지력으로
두각을 나타낼 수도 있다. 종교인, 철학가, 무속인, 신부, 심
리치료사나 상담사와 인연이 많다.

백호대살(白虎大殺)

甲	乙	丙	丁	戊	壬	癸
辰	未	戌	丑	辰	戌	丑

  白虎大殺은 강하고 위험한 神殺로 인식되는 경우가 많지만
나쁘게만 볼 수 없으니 凶殺로만 해석해서는 안 된다. 강한
성정, 강한 추진력, 적극성, 강한 기질 등으로 인해 행동의
범위, 행동의 규모가 크다. 이로 인해서 吉할 때는 吉함이
크고, 凶할 때는 凶함이 크다. 단층주택 지붕에서 일하는 사
람과 30층 고층빌딩에서 일하는 사람의 담력은 분명히 차이
가 있다. 심적 부담이나 사고 때에 발생되는 위험 부담도 비
교가 안 되지만 벌어들이는 수익에도 차이가 난다. 고층건물
에서 일하는 사람은 생명수당도 받아야한다. 2층 지붕에서
떨어지면 다리를 다치는 정도라면 30층 고층빌딩에서 떨어
지면 살아남기가 어렵다. 白虎大殺은 이와 같은 것이다. 물
호스의 수압이 강하면 물줄기는 높이 올라간다. 이와 같이

白虎殺을 지니고 있으면 일을 해도 대담하게 하고 높이 올라가도 견딜 수 있는 정신력이나 강인한 기질이 있어서 장차관, 장군을 시켜도 직무가 감당이 되는 것이다. 대중 앞에 서기만 해도 심장이 떨리고 다리가 후들거리는 사람에게 별 네개를 달아줘도 감당을 할 수가 없어서 도로 떼어놓아야 한다. 시속 30km로 달리는 차는 사고가 나도 접촉사고 아니면 도랑에 빠지는 정도일 것이다. 그러나 시속 120km로 달리는 차는 사고가 나면 연쇄추돌사고, 사망사고, 병원으로 직행한다. 白虎殺이 절도 있게 통제가 되면 큰일을 할 수가 있고 통제를 하지 못하면 도로의 무법자, 범법자, 폭력배가 된다. 빨리 달려도 순조로우면 목적지까지 빨리 도착하고 그렇지 못하면 교통사고, 사망사고로 이어지기 쉬운 흉살이 된다. 양면성이 있으니 항시 운의 흐름과 원국의 구성을 세심하게 살필 필요가 있다. 급성질환, 교통사고, 여행 중 사고사, 범법행위로 인한 관재가 될 수도 있다.

천을귀인(天乙貴人)

日干	甲戊庚	乙己	丙丁	辛	壬癸
天乙貴人	丑未	子申	酉亥	寅午	巳卯

天乙貴人이 사주원국에 있으면 백가지 어려움을 거의 다 해결해줄 수 있는 길신중의 길신이며 귀인의 후손이라고 한다. 天乙貴人이 原局에 있으면 귀한 신분의 사람들을 만나게

되고 四柱의 格이 높아지게 된다. 어려운 일이 닥쳐도 헤쳐
나갈 방안이 모색되거나, 뜻하지 않은 사람을 만나서 도움을
받게 된다. 혹은 귀인의 도움으로 말미암아 어려운 난관을
극복하게 되기도 한다.

  天乙貴人은 인간으로 하여금 눈부신 업적을 세워 명성을
떨치게 하거나 출세해서 높은 지위에 오르게 하는 길신이다.
天乙貴人이 사주원국에서 合을 하게 되면 인간에게 예기치
않은 행운 즉 벼락출세를 할 수 있도록 도와주는 것이며 위
기에 처하더라도 뜻밖의 원조자나 조력자, 貴人이 나타나서
도움을 주게 된다. 음덕을 입게 된다. 天乙貴人이 있으면 일
이나 계획의 규모를 크게 한다. 규모가 큰 일을 벌일 수 있
는 상황을 만들어 준다. 양귀와 음귀가 다 출현하는 것은 하
늘과 땅을, 음양을 다 채워주는 것이기 때문에 낙천적이다.
본인이 왕족의 신분이라서 아랫사람들이 모든 일처리를 해
주기를 바라고 그것을 당연하다는 사고를 가지고 있다. 사소
한 일에는 관심이 없다. 자존심이 강하고 매사에 모르는 것
이 없을 정도로 별난 정보들이 많다. 총명하고 매사에 흉이
변하여 길이 된다. 天乙貴人이 祿이면 글을 잘하는 문장가가
되고 魁罡이면 성격이 밝고 활발하여 사무처리가 신속하고
대인관계가 좋다. 死墓絶에 임하면 작용이 많이 떨어진다.
방위를 잡을 때나 택일을 할 때에 天乙貴人의 방위를 잡거
나 시간을 택하거나 날을 잡기도 한다. 天乙貴人의 해를 만
나게 되면 그 관계가 오래도록 지속되게 된다. 특히 남녀간
의 애정사가 발생하기 쉬운데 좋은 인연으로 본다. 한번 맺
으면 그 관계가 오래 지속이 된다. 배우자의 생년이 귀인이
거나 상대의 사주원국에 귀인이 있으면 대체로 길하다고 본

다. 배우자 인연이 어느 정도 있음을 의미한다. 친구, 부모, 동업자, 선후배 등의 인사에도 적용할 수가 있다. 대운이나 세운에서 귀인이 오면 개운의 암시나 좋은 일이 생기거나 난관을 극복할 길이 마련된다고 본다. 육친으로는 편관이 귀인이 되면 德은 있으나 官災口舌이 따를 수도 있으며 편인에 귀인이 깃들게 되면 타인의 德은 있으나 변덕이 있어 오해나 비난을 받을 수도 있다. 劫殺에 귀인이 있으면 용모가 준수하고 행동이 적극적이다. 驛馬가 귀인이 되면 天馬貴人이라고 하는데, 재물을 크게 획득하거나 승진이 될 수도 있다. 天乙貴人은 좋게 작용을 하지만 冲이나 刑을 당하게 되면 혹은 空亡이 들면 귀인의 작용이 없어지거나 감소한다. 난고를 겪을 수도 있다.

천덕귀인(天德貴人)

 월지를 기준으로 타주에 천덕귀인이 임하면 하늘 혹은 조상으로부터 은혜를 입고 길한 것은 더욱 길해지고 흉살은 감소하며 일평생 재앙이나 형벌 없이 장수하는 귀인이다. 재운이 왕성하고 형통하며 새로운 직업을 가지게 되면 성공과 출세를 하게 된다. 특히 출마를 할 경우에 당선 가능성이 있다. 형충파해나 공망을 당하지 않아야 작용이 원활하다.

月支	寅	卯	辰	巳	午	未	申	酉	戌	亥	子	丑
天德貴人	丁	申	壬	辛	亥	甲	癸	寅	丙	乙	巳	庚

월덕귀인(月德貴人)

月地	寅	卯	辰	巳	午	未	申	酉	戌	亥	子	丑
天干	丙	甲	壬	庚	丙	甲	壬	庚	丙	甲	壬	庚

月德貴人은 월지를 중심으로 보는데 월지 삼합의 왕지를 찾아서 천간을 대입하면 된다. 연월일시에 귀인이 들면 해당 육친에게 귀함이 따르고 주변에서 나를 도와주는 인간관계가 형성이 된다고 본다. 귀한 자식을 얻게 되고 헤어진 친척을 만나거나 행방불명된 부모형제를 만나게 되는 수도 있다. 천월이덕이 사주 중에 있으면 길한 사주는 더욱 길해지고 凶한 사주는 그 흉이 감해진다고 한다. 그러나 이 德이 刑을 당하거나 沖을 당하게 되면 이와 같은 吉한 運은 사라진다. 日柱나 時柱에 이 德이 있고 刑, 沖되지 아니하면 한 평생 형벌이나 도난을 당하지 않고, 여자가 四柱原局 中에 이 德이 있으면 성질이 온화하고 절의가 있으며 한 평생 산액을 받지 아니한다.

문창귀인(文昌貴人)

日干	甲	乙	丙,戊	丁,己	庚	辛	壬	癸
文昌貴人	巳	午	申	酉	亥	子	寅	卯

文昌貴人은 日干을 중심으로 食神이 되는데 丙丁 日干은 申酉가 문창귀인이 된다. 식신이 문창귀인이 됨으로 의미하는 바는 식신의 의미와 일맥상통한다. 표현, 필설, 교육, 재능, 예능기질, 발명, 창안 등을 의미한다. 文昌貴人이 임한 地支와 육친이 재능을 갖춘 것으로 보게 된다. 본인도 물론 재능을 갖춘 것이 되고 때가 되면 文昌의 재능을 발휘하게 된다.

금여(金輿)

日干	甲	乙	丙	丁	戊	己	庚	辛	壬	癸
金輿	辰	巳	未	申	未	申	戌	亥	丑	寅

金輿殺은 귀인과 함께 금수레를 탄다는 의미가 있는데, 사회적으로 귀인을 만나게 되며 크게 발전하는 神殺이 된다. 부귀를 겸한 배우자를 만나게 되는 것으로 보는데 특히 여자는 미모가 띄어나며 얼굴이 항상 밝고 화창하고 자애로운 기운이 있으며 몸가짐에 절도가 있다. 남자일 경우에는 여러 가지 재능이 많고 처가의 도움을 받게 된다. 또한 재덕을 겸비한 훌륭한 결혼 상대자를 만나게 되고 자손도 번창하게 될 뿐만 아니라 세상 사람들의 도움을 받게 된다고 본다.

金輿殺은 온후, 유순, 절의, 음덕, 미모를 갖추고 있으며 행복한 가정을 만들어 가게 된다. 특히 日支 또는 時支에 있으면 오래도록 편안하게 지내게 되며 주변 친인척들을 돕는데 솔선수범한다.

원진(元嗔)

子	丑	寅	卯	辰	巳
未	午	酉	申	亥	戌

 六合을 방해하는 글자를 元嗔이라고 한다. 육합을 夫婦合이라고 하는데 부부가 合을 하려는데 옆에서 방해를 하니 볼썽사나워서 흘겨보는 모습이 元嗔殺의 모습이다. 꼴은 보기 싫은데 그렇다고 헤어질 수 있는 형편은 못되어 함께 살아야하는 불가분의 관계로써 배우자 인연을 살필 때 많이 활용을 하는 神殺이다. 沖보다 더 나쁜 것이 元嗔殺이라고 했다. 공직자는 좌천되고, 보통사람은 凶禍가 따르고, 대운이 바뀌는 시점에 年運에 元嗔이 오면 생명이 위태롭다. 관재구설, 사고, 놀람, 불목질시(不睦嫉視), 부모 喪服數, 교통사고, 타향살이, 병고 등이 있을 수 있다. 流年의 地支와 月支가 元嗔이 되면 운이 길하면 애인과 이별수요, 흉운이면 사업부진, 손재, 관재구설이 발생하기 쉽다.

천충지충(天沖地沖)

신약이고 흉이 되면 생명이 위태로울 정도로 흉작용이 심하다. 신왕하면 각종 변동과 정신적인 동요는 있어도 흉이 가볍다. 신약하면 관재, 도난, 횡액, 교통사고, 질병, 이혼, 대수술, 비명횡사를 암시한다. 자살, 부모, 배우자, 자녀의 비운도 암시한다. 하늘과 땅이 격동하는 것이 되니 삶에서 크게 놀랄 일이 발생하게 된다. 역동적인 삶을 통한 원거리 이사, 직업변화, 결혼 등으로 환경을 바꾸면 凶禍를 면할 수 있다. 官殺이 필요하거나, 偏官이 미약하거나 없고 身旺한 명조인 경우에는 변동에 의하여 吉한 일이 발생할 수도 있다.

간여지동(干與支同)

주인이 둘인 것과 같다. 재관이 강하여 비견의 도움이 필요한 일간인 경우에는 도움이 되지만 나중에 반드시 분배, 손재, 분탈을 겪게 된다. 일간이 왕한 사주는 투쟁, 구설, 누명, 사기, 손재, 이동, 이사, 전업 등과 같은 재난이 발생할 수도 있다. 六親 중에서 아버지에게는 불리하게 되고 妻의 身厄이나 애정문제가 발생한다.

제19장

배우자 인연법

제19장 배우자 인연법

어떤 인연을 만나 가정을 이루어 나가느냐가 삶에서 무척 중요하다. 原局에서 인연이 될 배필의 그릇의 모습을 지닌 배우자를 만나지 못하면 그릇에 담겨지지 못하는 것이므로 헤어지거나 거리를 두고 떨어져 살아가게 된다. 투영된 그릇 대로 배우자를 만났다면 인연이 길어지게 되는 것이다. 남자의 경우에는 주로 재성이 배우자가 되고 여자의 경우에는 관성이 배우자가 된다. 하지만 글자와의 관계에 따라서 사용되고 있는 모습을 잘 살펴야 한다.

取財法

남자에게는 재성이 배우자가 된다. 재성이 年月日時 어디에 있느냐에 따라서 의미가 달라지기도 하고 天干에 있는지 地支에 있는지, 地藏干에 있는지, 재성이 없는지를 먼저 살펴보아야한다. 배우자의 성격, 기질, 재능을 보려면 재성이 천간에 있는지, 지지에 있는지, 혹은 地藏干에 있는지를 먼저 살피고, 음에 속하는지 양에 속하는지를 살피고, 어느 五行으로 재성이 되는지, 어떤 글자로 재성이 되는지를 살펴보아야한다. 그 다음에 편재가 있는지 정재가 있는지, 둘 다 있는지를 살펴보아야 한다. 그 다음에 재성이 힘이 있는지 혹은 財星의 根이 있는지, 財星이 주변 글자와의 구성이 원활하게 되어있는지도 아울러 살펴야한다.

	丙		
		酉	丑

이런 모습으로 財星을 구성하고 있는 것을 살펴보면, 먼저 酉金 재성은 월지에 있다. 부모궁에 있는 재성이기 때문에 부모가 인정하는 훌륭한 며느리가 될 가능성이 크고 부모들의 소개로 결혼할 가능성이 많다. 알뜰하고 재물을 차곡차곡 모아서 축적하는데 재능을 가지고 있다.

다음에 酉金은 정재이다. 일간과 음양이 조화를 이루고 있으므로 마음에 꼭 드는 배우자가 된다. 외모는 아름다울 것이며 정재가 힘이 있으면 처가 건강하고 활동적일 것이다.

다음에 酉金은 음양적으로 음에 속한다. 무엇을 하든지 마음이 편한 배필이 된다.

다음에 酉金은 오행적으로 金에 속하고 숙살지기를 가지며 응축하려는 貯藏性을 지니고 풍요로움의 상징이 되며 가치가 있는 존재가 된다. 근면, 검소하고 금전과 저축에 대하여 건전한 가치관을 가진 근검절약하는 배우자이다.

다음에 酉金 재성은 丑과 합을 하여 세력이 강해져 있어서 때가 되면 배우자가 경제활동에 참여하게 된다.

다음에 酉金은 왕지가 되는데 한 번 자리를 잡으면 잘 바꾸려하지 않는 기질을 지니게 된다. 이런 모습의 배우자와 인연하게 될 것이다.

天干에 편재가 있고 地支에 정재가 있으면 정재를 배우자로 취하게 되는 것이다. 여자인 경우에는 관성을 남명의 재성의 경우와 같이 보면 될 것이다.

취록법(取祿法)

 取祿法이란 日干은 신약해도 배우자를 취할 수가 있는데 세력적으로 약하여 있을 경우에는 일간의 뿌리가 될 수 있는 祿이 배우자 인연이 될 수도 있다. 身弱하면 日干의 建祿 支를 因緣한다. 祿의 띠나 祿을 보필하는 띠를 만나면 수명이 연장될 수도 있다. 日干이 신약하여 財官을 감당하기가 어려울 때에는 지지의 祿으로 배우자를 삼게 되는 것이다.

甲日生~寅年生 因緣
乙日生~卯年生 因緣
丙日生~巳年生 因緣
丁日生~午年生 因緣
戊日生~巳年生 因緣
己日生~午年生 因緣
庚日生~申年生 因緣
辛日生~酉年生 因緣
壬日生~亥年生 因緣
癸日生~子年生 因緣

 男命에서 財星이 弱하면 財星의 建祿支와 因緣하기가 쉽고 女命의 경우에는 官星이 배우자가 됨으로 原局에서 官星이

弱하면 官星의 建祿支와 因緣하게 된다.

재성이 뿌리가 없는 경우, 祿이 없는 경우에도 재성이 得祿할 때 배우자와 因緣을 맺게 되는데, 天乙貴人, 官貴貴人, 財庫貴人이 되면 錦上添花가 되는데 배우자로 인연을 맺는 것이 좋다.

남자의 명조에 正財, 偏財가 混雜되어 透出하면 偏財를 合去하거나 偏財의 七殺이 되는 生年과 因緣을 맺게 된다.

여자의 명조에 正官과 偏官이 混雜되어 透出하면 偏官을 合去하거나 偏官의 七殺이 되는 生年과 因緣을 맺게 된다.

억부용신법(抑扶用神法)

日干 중심으로 四柱原局이 약하다 하더라도 財나 官은 음양의 조화를 이루고 있으므로 쉽게 취하게 된다. 강한 것은 억누르고 약한 것은 도와주는 것을 억부라고 하는데, 억누르는 神과 도와주는 神을 말한다. 이 用神이 배필 인연이 될 수 있다. 강한 것은 억누르기도 하지만 引化하기도 하는데 이 引化하는 것이 또한 배우자가 될 수 있다.

開庫法

재고(財庫)

남자의 四柱에는 배우자가 財星이 되는데 財星이 原局에 없을 경우에는 財星의 庫地를 찾아보아서 庫地를 沖하여 재성을 開庫하는 글자를 찾아서 배우자 인연으로 삼게 된다.

木日干에게는 戌이 戊土 재성의 庫地가 되는데 戌土를 冲해서 戌土 속의 土 재성이 庫에서 나오게 만드는 것은 辰土인데 재성을 開庫시키는 辰年生이 배우자 인연이 될 수 있다.

火日干에게는 丑이 庚金 재성의 庫地가 되는데 丑土를 冲해서 丑土 속의 金 財星이 庫에서 나오게 만드는 것이 未土인데 재성을 開庫시키는 未年生이 배우자 인연이 될 수 있다.

土日干에게는 辰이 壬水 재성의 庫地가 되는데 辰土를 冲해서 辰土 속의 水 財星이 庫에서 나오게 만드는 것이 戌土인데 재성을 開庫시키는 戌年生이 배우자 인연이 될 수 있다.

金日干에게는 未가 甲木 재성의 庫地가 되는데 未土를 冲해서 未土 속의 木 財星이 庫에서 나오게 만드는 것이 丑土인데 재성을 開庫시키는 丑年生이 배우자 인연이 될 수 있다.

水日干에게는 戌이 丙火 재성의 庫地가 되는데 戌土를 冲해서 戌土 속의 火 財星이 庫에서 나오게 만드는 것이 辰土인데 재성을 開庫시키는 辰年生이 배우자 인연이 될 수 있다.

관고(官庫)

 여자의 四柱에는 배우자가 官星이 되는데 官星이 原局에 없을 경우에는 官星의 庫地를 찾아보아서 庫地를 冲하여 관성을 開庫하는 글자를 찾아서 배우자 인연으로 삼게 된다.

木日干에게는 丑이 庚金 官星의 庫地가 되는데 丑土를 沖해서 丑土 속의 金 官星이 庫에서 나오게 만드는 것이 未土인데 관성을 開庫시키는 未年生이 배우자 인연이 될 수 있다.

火日干에게는 辰이 壬水 官星의 庫地가 되는데 辰土를 沖해서 辰土 속의 水 官星이 庫에서 나오게 만드는 것이 戌土인데 관성을 開庫시키는 戌年生이 배우자 인연이 될 수 있다.

土日干에게는 未가 甲木 官星의 庫地가 되는데 未土를 沖해서 未土 속의 木 官星이 庫에서 나오게 만드는 것이 丑土인데 관성을 開庫시키는 丑年生이 배우자 인연이 될 수 있다.

金日干에게는 戌이 丙火 官星의 庫地가 되는데 戌土를 沖해서 戌土 속의 火 官星이 庫에서 나오게 만드는 것이 辰土인데 관성을 開庫시키는 辰年生이 배우자 인연이 될 수 있다.

水日干에게는 戌이 戊土 官星의 庫地가 되는데 戌土를 沖해서 戌土 속의 土 官星이 庫에서 나오게 만드는 것이 辰土인데 관성을 開庫시키는 辰年生이 배우자 인연이 될 수 있다.

원국 중에 丑,辰,未,戌,의 墓宮이 있으면 沖하거나 破하는 띠가 配偶者 인연이다. 배우자 될 사람의 年支로써 인연을 맺게 된다. 財庫, 官庫는 기복이 많게 되기 때문에 沖하여서 開庫하는 것이 좋다. 沖하는 地支가 배우자 인연이 된다.

天干合法

男子 命造

甲日生은 年月에서 甲己合이 있으면 己土가 인연(因緣)이다.
丙日生은 年月에서 丙辛合이 있으면 辛金이 인연(因緣)이다.
戊日生은 年月에서 戊癸合이 있으면 癸水가 인연(因緣)이다.
庚日生은 年月에서 乙庚合이 있으면 乙木이 인연(因緣)이다.
壬日生은 年月에서 丁壬合이 있으면 丁火가 인연(因緣)이다.

女子 命造

乙日生은 年月에서 乙庚合이 있으면 庚金이 인연(因緣)이다.
丁日生은 年月에서 丁壬合이 있으면 壬水가 인연(因緣)이다.
己日生이 年月에서 己甲合이 있으면 甲木이 인연(因緣)이다.
辛日生이 年月에서 辛丙合이 있으면 丙火가 인연(因緣)이다.
癸日生이 年月에서 癸戊合이 있으면 戊土가 인연(因緣)이다.

三合法, 六合法

方合은 원국에 두글자가 있어도 빠진 한 글자를 끌어다가 사용하는 경우는 없지만 三合은 원국에 두글자가 있으면 나머지 없는 글자를 끌어와서 合을 하고자 하는 경향이 강하다. 이때에 끌어오는 地支年 生이 배우자 인연이다.

亡身殺

12神殺을 적용하여 생년을 중심으로 亡身殺이 되는 생년을 배필로 삼을 수 있게 된다. 생년을 중심으로 망신, 육해, 천살은 三合을 이루는데 내가 극복하기 어려운 天殺 三合이 된다. 예를 들어, 亥卯未 년생은 寅이 망신살이니 寅 년생이 배우자가 된다. 망신살은 내 속에 있는 것을 다 드러내어 부끄럽게 된다는 의미가 된다. 처녀총각이 망신을 당하여 고개를 숙일 일은 혼사를 의미한다. 망신살 띠로 남편이 오면 인연이 오래간다고 본다.

進神法과 退神法

原局 중에서 子午沖, 寅申沖, 卯酉沖, 巳亥沖이 있거나 寅巳 刑殺, 巳申 刑殺, 子卯 刑殺 등이 있을 때 使用하는 인연법칙이다.

子午沖
子水를 퇴신(退神)하여 亥水와 인연을 맺으면 午火는 丁火요 亥水는 壬水로서 丁壬合木으로 子午沖이 해소되고, 丁火와 午火의 天乙貴人이 되는 亥水와 인연을 맺게 된다.
午火를 퇴신(退神)하여 巳火와 인연을 맺게 되면 子水는 癸水요 巳火는 丙火로서 癸水와 巳火는 天乙貴人이 되고, 巳中 戊土가 戊,癸合을 이루기 때문에 子午沖이 해소된다.

卯酉沖
卯木을 퇴신(退神)하여 寅木과 인연을 맺게 되면 酉金은 辛
金이요 寅木은 甲木이요 丙火로서 甲辛 陰陽, 丙辛合水로서
卯酉충이 해소되고 天乙貴人을 이룬다.
酉金을 퇴신(退神)하여 申金과 인연을 맺게 되면 申金은 庚
金이요 卯木은 乙木이기 때문에 乙庚合金으로 卯酉충이 해
소되고 天乙貴人의 관계를 이루기 때문에 좋은 인연이 된다.

寅申沖
寅木을 진신(進神)하여 卯木과 인연을 맺으면 申金은 庚金이
요 卯木은 乙木이기 때문에 乙庚合金으로 寅申沖이 해소되
고, 乙申은 天乙貴人 合이 됨으로 좋은 인연이 된다.
申金을 진신(進神)하여 酉金과 인연을 맺게 되면 寅木은 甲
木이요 丙火로서 酉金은 辛金이기 때문에 寅申沖이 해소되
고 辛寅은 天乙貴人이기 때문에 좋은 인연이 된다.

巳亥沖
巳火를 진신(進神)하여 午火와 인연을 맺게 되면 亥水는 壬
水요 午火는 丁火로서 丁壬合木이 되기 때문에 巳亥沖이 해
소되고 天乙貴人이 됨으로써 좋은 인연이 된다.
亥水를 진신(進神)하여 子水와 인연을 맺으면 子水는 癸水요,
巳火는 丙火로서 癸巳는 天乙貴人이 되어 좋은 인연이 된다.

辰戌沖
辰土를 퇴신(退神)하여 卯木과 인연을 맺거나 戌土를 퇴신
(退神)하여 酉金과 인연을 맺게 되면 卯戌合, 酉辰合으로 辰

戌沖이 해소된다.

丑未沖
丑土를 퇴신(退神)하여 子水와 인연을 맺거나 未土를 퇴신
(退神)하여 午火와 인연을 맺게 되면 子丑合, 午未合으로 丑
未沖이 해소된다.
六沖과 三刑殺은 六合 또는 三合, 方合으로 인연을 맺게 되
는데 거주지역도 매우 중요하다.

시연법(時緣法)

時柱	日柱	月柱	年柱
7	5	3	1
8	6	4	2

日干은 주체인 나(我)인데 1, 2, 3, 4는 이미 정해진 과거의
인연이기 때문에 나의 뜻과는 무관하다. 부모의 중매결혼이
되기 쉽다. 나의 뜻이 반영되고 관철되는 영향권은 6, 7, 8이
므로 夫婦因緣은 가급적이면 6, 7, 8에서 찾는 것이 좋다.

干合과 地支六合法

合이란 新生體로서 생산되고 변화한다.

陽天干이 干合하면 陰五行으로 변화한다.
陰天干이 干合하면 陽五行으로 변화한다.

甲己合은 己土로 변화하고, 己甲合은 戊土로 변화한다.
乙庚合은 庚金으로 변화하고, 庚乙合은 辛金으로 변화한다.
丙辛合은 癸水로 변화하고, 辛丙合은 壬水로 변화한다.
丁壬合은 甲木으로 변화하고, 壬丁合은 乙木으로 변화한다.
戊癸合은 丁火로 변화하고, 癸戊合은 丙火로 변화한다.

六合 즉 支地合은 陽五行으로 변화한다.
男命의 四柱 中에서 干合이든지 地支六合이든지 合을 하여서 변화한 五行이 日干의 財星이면 배우자로 선택이 가능한 것으로 본다.
女命의 四柱 中에서 干合이든지 地支六合이든지 合을 하여서 변화한 五行이 日干의 官星이면 배우자로 선택이 가능한 것으로 본다.

時柱가 本人의 年柱와 5~6年 이하 정도 나이 차이가 나면 반드시 本人의 배우자이다. 日支가 무슨 十神이든지 日支에 暗藏된 地藏干이 배우자로 연결되고 日支 그대로 인연을 맺게 된다.

二字 因緣法

사주 중에 子-子가 있으면, 丑生과 인연을 맺게 된다.

사주 중에 丑-丑이 있으면, 子生과 인연을 맺게 된다.
사주 중에 寅-寅이 있으면, 亥生과 인연을 맺게 된다.
사주 중에 卯-卯가 있으면, 戌生과 인연을 맺게 된다.
사주 중에 辰-辰이 있으면, 酉生과 인연을 맺게 된다.
사주 중에 巳-巳가 있으면, 申生과 인연을 맺게 된다.
사주 중에 午-午가 있으면, 未生과 인연을 맺게 된다.
사주 중에 未-未가 있으면, 午生과 인연을 맺게 된다.
사주 중에 申-申이 있으면, 巳生과 인연을 맺게 된다.
사주 중에 酉-酉가 있으면, 辰生과 인연을 맺게 된다.
사주 중에 戌-戌이 있으면, 卯生과 인연을 맺게 된다.
사주 중에 亥-亥가 있으면, 寅生과 인연을 맺게 된다.

공재법(拱財法)

 격각이 될 때 이어주는 글자가 대체로 공협으로 불러오는 글자가 되는데 이때 공협으로 불러오는 글자가 재성이나 관성이 되면 배우자로 취하게 되는 것이다.

	甲		
戌	申		

위의 예시에서 酉를 공협으로 불러오면 정관이 되는데 여명에게는 酉命이 배필이 된다.

초대운론(初大運論)

初大運이 본인의 태어난 해와 5년 이내이면 배우자가 된다.
初大運이 배우자가 되면 그 天干 또는 地支까지 배우자로
삼는다.

이 장에 기록한 <u>배우자 인연법</u>은 선현의 글과 역술대가의 인연법을 참조
하여 정리를 하여본 것인데 배우자 인연법은 많은 연구와 관찰이 필요한
부분이다. 깨우침으로 가기 위해 공부해야 할 하나의 부분이니 命理學을
선택하여 공부를 하는 모든 學徒들이 부지런히 정진하여 큰 깨달음을 얻
고 도의 경지에 오르기를 간절히 바란다.

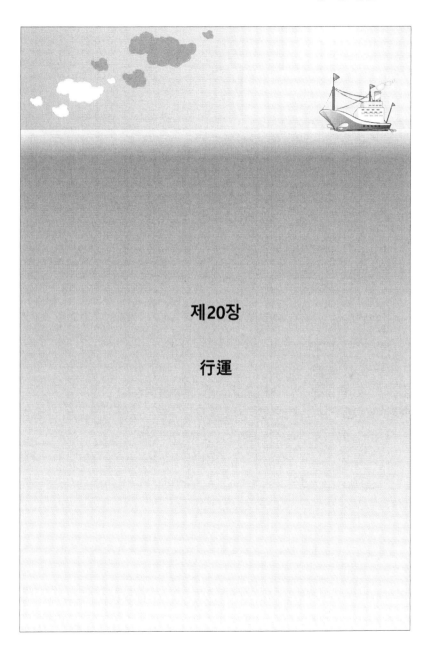

제20장

行運

제20장 行運

行運이란 사주팔자가 시간을 맞이하면서 지나가는 것을 의미하는데 시간이 지나가면서 맞이하게 되는 환경, 사건, 인물과의 관계설정, 환경변화, 사건변화의 작용을 살피고자 하는 것이다. 대운, 세운, 월운, 시운이 있는데 대운은 십년마다 바뀌고, 세운은 매년 만나는 것이고 월운은 매월, 시운은 하루 12시진에 만나는 것이다. 세월이 나를 지나가는 것인지, 내가 세월을 지나가는 것인지는 모호하지만 운을 만나서 변화의 작용이 일어나는 것은 사실이라서 행운의 의미가 크다고 할 수 있다.

이 백(李 白)의 春夜宴桃李園序)에 이런 싯구가 있다. 인생에 대하여 생각을 깊이 하게 만드는 싯구다.

夫天地者(부천지자) 萬物之逆旅(만물지역려)
光陰者(광음자) 百代之過客(백대지과객),
而浮生若夢(이부생약몽) 爲歡幾何(위환기하)
古人秉燭夜遊(고인병촉야유) 良有以也(양유이야),
무릇 天地라는 것은 萬物이 잠시 쉬어가는 여관이요,
時間이라는 것은 영원한 나그네이다.
이 덧없는 인생은 꿈같이 허망하니,
그 기쁨을 즐긴다 해도 얼마나 되겠는가?
옛사람들이 촛불 들고 밤에까지 노닐던 것은
참으로 이유가 있었구나.

易은 聖人이 자연의 현상과 자연현상의 변화를 깊이 관찰하여 만들었다. 자연 현상의 변화는 사계절의 변화, 기상의 변화(바람의 변화, 강우의 변화), 산천의 변화를 말하는데 인간사에 가장 직접적으로 영향을 미치는 것이 기상의 변화이다. 사계절의 변화함에 따라서 사람의 활동양상, 행동양상, 옷입는 모습이 달라지는 것을 보면 한달에도 차이가 있다. 갑자기 폭우가 쏟아지거나, 갑자기 바람이 불어닥치면 사람들의 행동은 즉각적인 반응을 보인다. 여름철에 갑자기 소나기가 오면 역이나 터미널 주변에는 우산장수가 우산을 팔고 있다. 날씨가 추워지면 옷을 두껍게 입고 외출을 하고 날씨가 더워지면 옷을 얇게 입고 외출을 한다. 겨울에는 햇볕을 흡수하는 검은색 계통의 옷을 입는다면 여름에는 햇볕을 반사하는 흰색계통의 옷을 입게 된다. 봄이 오면 산으로 들로 소풍을 가거나 논밭으로 씨를 뿌리러 나간다. 가을이 오면 오곡백과가 무르익고 농부들은 추수하느라 바쁘고 일부사람들은 단풍놀이를 즐기러 간다. 이처럼 자연이 변화함에 따라 사계절이 바뀌고, 날씨가 바뀌는데 이 변화를 시간의 흐름에 따라서 맞이하게 되는 것이 행운이다. 누가 강제하지 않아도 이런 자연의 변화에 순응하는 삶을 살고 있다. 식물이든, 동물이든, 사람이든 한결같이 자연의 변화에 순응하여 살아가기 마련이다. 이 환경의 변화가 결국 인간이 맞이하게 되는 운명이 되는 것이다. 사람은 이 세상에 태어나면 많은 부분이 제한된다. 싫든좋든 제한 된 환경 속에서 순응해야 한다. 타고난 가정의 환경, 타고난 성정, 타고난 외모를 가지고 자연의 변화에 순응하여 살아가게 되는 것이다. 자연의 변화함과 그 작용에 따라서 사람들의 行動樣式이 달라지듯이 시간의 흐름에 따른 자연의 변화에 어떻게 사람들이 순응해가는 지를 보고자 하는 것이다.

인간사 모든 것이 길흉으로만 나눌 수는 없다. 길흉이라는 것도 음양의 개념처럼 지극히 상대적이다. 남의 불행이 때로는 내게 행복의 원인이 될 수 있고, 남의 손실이 때로는 내게 得이 될 수도 있다. 남이 싫어하는 것을 내가 좋아할 수도 있고, 남이 좋아하는 것을 내가 싫어할 수도 있다. 삼성전자 대기업에 취직을 해서 모두가 부러워하는데 정작 본인은 힘들고 취향이 맞질 않아서 결국에는 사직하고 코미디언을 하고 있는 사람도 있다. 대부분의 사람들이 길하다고 부러워하는 것이 정작 본인에게는 힘이 들어 고통스러운 凶이 될 수도 있는 것이다. 사업을 해서 돈을 많이 벌어들이니 주변사람들은 모두들 부러워하는데 본인은 남 밑에 들어가서 월급 받고 살든지, 시골로 가서 채전밭이나 일구면서 살아가고 싶어 한다면 어느 것이 吉이고 어느 것이 凶이 되겠는가 생각해볼 일이다. 겨울이 와서 춥다고 凶이 될 수 없고 여름이 와서 덥다고 마냥 凶이 될 수는 없다. 봄이 와서 吉하다는 것도 주관적인 판단이요, 가을이 와서 풍성해서 吉하다는 것도 주관적인 판단이다. 단지 삶의 양식이 어떠하며, 이미 주어진 환경이나 상황에 어떻게 적응해서 살아가는지에 대한 것만 인간에게, 동물에게, 초목들에게 주어졌을 뿐이다. 사계절을 임의로 바꿀 수가 없고, 기후를 임의로 바꿀 수가 없듯이 이미 하늘로부터 주어진 환경은 마음대로 수정 보완할 수 있는 것이 아니다. 바꾸려면 엄청난 희생이 따르게 된다. 한겨울에 하우스 안에서 채소농사를 지으려면 난방비가 많이 들어가고 몇 배의 노력이 필요하다. 삶이 역동적이긴 하지만 상응하는 희생과 노력이 따라야만 약간의 변화를 줄 수 있게 된다.

이렇게 사주원국이 어떤 모습으로 태어났느냐에 따라서 삶의 많은 부분이 제한된다. 돈을 가지고 물건을 사러 간다고 가정을 했을 때, 가지고 있는 돈의 액수와 타고난 성향, 취향, 기질에 따라서 무엇을 사게 될지는 이미 그 범위가 결정이 된다. 인삼을 살 것을 도라지를 사고, 백화점에 갈 것을 재래시장으로 가고, 유명브랜드 자켓을 살 것을 재래시장에서 편한 옷을 사게 된다. 그 다음으로 취향에 따라서 푸른 옷을 살지, 흰옷을 살지 결정을 하게 되는 것이다. 내가 가지고 있는 돈과 태어나면서 가지게 된 성향에 따라서 내가 선택할 수 있는 부분은 상당히 제한적으로 될 수밖에 없다. 이 제한적인 선택 부분일지라도 최선의 선택을 하기 위함이 운을 알아야 하는 이유가 되는 것이다. 운명이라는 것이 이와 같이 나의 행동양식, 삶의 방식, 만나는 사람의 부류 등을 제한한다. 타고난 사주팔자를 가지고 주어진 삶을 살아가는데 살아가면서 만나게 되는 환경, 사람, 사건 등이 行運이 되는 것이다.

큰 소가 빈수레를 끌고 가는 것과 어린 송아지가 짐을 잔뜩 실은 수레를 끌고 가는 것이 어리석음이요, 여름옷을 입고 북극지방에 가서 사는 것과 겨울 털옷을 입고 열대지방에 가서 사는 것이 모두 어리석음이다. 누가 거저 준다고 할지라도 쌀 한가마니를 짊어지고 가기도 힘든 병약한 사람이 쌀 두가마를 짊어지고 가는 것이 어리석음이요, 쌀 두가마니를 거뜬히 짊어지고 갈 수 있는 건장한 사람이 부양해야 할 가족도 많은데 거저 주는 쌀을 귀찮다고 한 되박만 들고 가는 것이 어리석음이다. 이치를 잘 모르는 것이다. 명리학은 자연에 순응하는 조화의 이치, 상생의 길을 찾는 학문이며, 태양빛이 누구에게든 동일하게 비추듯이 자연은 모두에게 공평한 평등의 학문이요, 더불어 살아야 할 공존운명의 학문이며 이웃에게 자비를 베풀고 심성이 자비를 추구하는 학문이요 삶이다. 分數에 맞는 삶을 살아가고자, 힘이 닿는 만큼 일을 이루어내고자 하는 것이 行運을 알아야하는 이유이고 命理를 알아야하는 이유이다. 孔子도 '命을 알지 못하면 君子가 아니다' 라고 했다.

十神의 行運

行運이란 것이 사주원국, 명주가 시간의 흐름을 따라서 맞이하게 되는 환경, 인물, 사건 등이다. 이 때 운에서 맞이하게 되는 글자와 사주원국에 있는 글자 상호간의 작용을 통해서 삶이 변화하게 된다. 합, 형, 충, 파, 해, 공망, 神殺을 맞이하면서 변화하게 되는 삶이 바로 인간이 살아가게 되는 삶의 모습이다. 때로는 유익하게 작용을 하기도 하고, 때로는 유익되지 못하게 작용을 하는 경우도 있다. 유익한 작용은 더 유익하게, 유익되지 못한 것은 유익될 수 있도록 약간의 변화를 주고자 하는 것이다. 하지만 주어진 그 환경에서 선택할 수 있는 부분은 그리 많지 않다고 볼 수 있다. 겨울이 너무 싫어서 겨울을 피하고 싶은데 겨울이 닥쳐오면 피할 수 있는 길은 열대지방으로 가던지 난방을 해놓고 집안에서만 살아가던지 두 가지 방법밖에 없다. 그 외에는 싫어도 맞이하고 좋아도 맞이해야 한다. 겨울의 시기 동안 삶의 양상 속에서 약간의 변화를 줄 선택은 할 수는 있지만 겨울의 추위를 피할 수는 없는 것이다.

대운은 명주가 십년 마다 맞이하게 되는 운인데 환경, 계절, 주거지가 되고, 세운은 당년에 맞이하게 되는 사건사고, 행위, 사람, 물건, 환경, 뜻이 된다. 인생사에서 발생할 수 있는 흥망성쇠, 부침은 세운에 따라서 주로 결정이 된다. 월운은 대운과 세운의 환경과 변화의 양상 안에서 발생하는 사건, 행위, 사람, 물건의 변화가 되는데 세운을 받쳐주는 경향이 있고 시운은 큰 변화의 환경 안에서 하루 동안 시의 변화에 따라서 일어날 수 있는 것들이다.

比肩運

　비견은 동업, 독립, 실천, 主演, 전환, 시작, 안정, 건강회복, 자의적인 분배 등의 작용을 의미한다.

　비견이 좋게 작용을 하게 되면, 부부, 동료, 형제, 친구의 도움을 받아 승진, 취직, 합격이 되고 득재를 하거나 합자, 동업, 주식투자 혹은 신규사업을 시작하여 성공하거나 건강이 회복된다. 부동산 매매가 성공한다. 학생은 친구나 선배의 도움으로 학업이 정진된다.

　비견이 나쁘게 작용을 하게 되면, 즉 刑, 沖, 破, 害가 되면 반대의 작용이 일어나게 되는데 특히 三刑이 되면 **多事多難**해지거나 수술, 관재, 차사고 등이 일어날 수도 있다. 재산이나 명예가 분탈 당하는 일이 생기거나 부부간에 불화하거나 이별하고 처의 건강이 악화되거나 질병이 발생하게 된다. 친구와 불화할 수도 있고 사업부진, 손재가 발생할 수도 있고 부친의 사업이 실패하거나 혹 부친과 불화하여 별거 등 이별하는 수도 있다.

　남녀간의 삼각관계가 발생하거나 형제들과 유산이나 재산문제로 불화하거나 동업 분쟁이 발생한다. 보증을 서주고 피해를 보는 경우도 있고 부도가 나거나 계획한 것이 지체되기도 하고 손재를 당하여 경제사정이 급격히 나빠지는 등의 일들이 발생할 수도 있다.

　비견운에는 돈 때문에 어려움을 겪는 수가 있으니, 금전거래, 투기, 보증, 공동투자, 공동사업도모 등은 면밀히 검토를 할 필요가 있다.

劫財運

겁재는 투기, 손실, 투쟁, 속성속패, 이별, 도둑, 실수, 타의에 의한 강압적 분배, 분탈 등의 작용을 의미한다.

겁재가 좋게 작용을 하게 되면 형제, 친구, 동료, 부하직원의 도움으로 사업이 확장되고 재물이 생기는 일이 있다. 건강이 회복된다. 학생은 선배나 친구의 도움으로 학업에 정진하게 되고 성적이 올라간다. 가옥이나 부동산을 구입한다. 겁재의 운에는 투기, 투자, 보증 등 모든 일들이 불리하게 작용할 수가 있으니 신규사업은 하지 않는 것이 좋다. 직업변화, 지출과다. 경쟁하는 일은 승리한다.

과감하게 추진해도 좋다.

겁재가 나쁘게 작용을 하게 되면, 형제, 친구, 친척과 불화하여 관재, 구설, 이별을 하거나 재물로 인해 다툼이 발생하게 되고, 처의 건강이 악화되거나 질병이 발생하게 된다. 돌발사고, 수술, 불안, 이혼, 喪服數, 손재, 도난, 물품이 반품되는 등의 일이 있을 수 있다. 남자의 명에 정재가 약하면 겁재운에 喪妻를 할 수가 있으나 정관이 있으면 면할 수도 있다. 학생은 불량친구와 어울려 다니느라 성적이 떨어지고 비행 청소년이 되거나 방황하게 된다. 건강이 나빠져 질병으로 고생할 수도 있다. 형제나 친구에게 돈을 빌려주거나 보증을 서주면 되돌려 받기가 어렵다. 헛돈이 나가고 부동산 문제는 소송으로 발전하기도 한다. 겁재운에 상대방의 정이 변하거나, 이성교제가 진실이 아니므로 몸과 마음이 상할 수 있다.

겁재운에는 자신을 위한 투자는 무방하나 투기를 위한 투자는 건질 것이 별로 없다.

食神運

식신은 건전한 배설처가 되는데 어학, 표현, 필설, 예체능, 스포츠, 활동, 나눔, 사교, 귀인상봉 등의 의미를 가진다. 식신은 대체로 좋은 일로 보는데 남자는 직장을 얻게 되고, 시험, 승진, 당선이 보장되고(정관이 있을 경우) 신규사업을 시작하며 활발히 움직인다. 재산증식, 제조업 성공, 가옥이나 토지매입, 취업, 득남, 건강회복, 명예상승이 되기도 한다. 식신과 관이 조화를 이루기 때문이다. 여명에 식신이 좋게 작용을 하게 되면 결혼을 하거나 임신을 하게 된다. 자녀를 출산하거나 자녀가 큰상을 받거나 각종 시험에 합격하는 등의 경사가 있다. 상품판매가 늘어나고 새로운 거래처도 늘어난다. 종업원의 도움이 크다. 건물 신축의 의미도 있고 신규주택으로 이사를 가기도 한다. 자만이나 사치와 태만은 금물이다. 성실한 노력이 필요하다. 폭식이나 폭음을 할 일이나 모임이 많아진다.

식신이 나쁘게 작용을 하게 되면 식욕이 왕성하여 과식으로 인해 위장장애가 오기 쉽다. 남녀 모두 자녀문제로 고통을 받거나 심할 경우에는 불구가 되던지 사망에 이르기도 한다. 관성을 사용하던 사람은 생명에 위험이 따를 수도 있다. 空亡이 되면 바람이 나거나 婦人科 질환이 발생할 수도 있고 수술을 할 수도 있다. 관재, 송사, 시비, 쟁투, 사기, 도난, 낙태, 자녀우환, 학업중단, 좌천, 화재와 같은 불행한 일이 발생할 수도 있다.

傷官運

상관은 어학, 저술, 총명, 예체능, 스포츠, 기예, 직장승진, 사기, 손실, 사치, 분쟁, 오해, 모사, 파직 등의 작용이 있다.

상관이 좋게 작용을 할 경우에는 우수한 재능을 인정받고, 총명하며, 예체능, 음악, 웅변, 저술, 기예, 중개업, 특허 등으로 크게 성공한다. 병약자는 건강이 회복된다. 혼인 적령기 남녀는 혼인이 성사가 된다. 상관이 偏官 七殺과 조화를 이루면 변방의 장수가 되거나 재상이 될 수 있다 했다. 난세의 영웅이 된다.

상관이 나쁘게 작용을 하게 되면 공직자는 낙직, 좌천, 감금, 납치, 관재구설 등의 일이 발생하는데 직장인은 공연히 직장 다니기가 싫어진다. 좌천되어도 재물은 들어오게 된다. 남명에게는 자녀가 凶運을 당하게 되고, 학생은 불량서클에 가담하거나 성적이 떨어져 고민한다. 명예손상, 관재, 시비, 투쟁, 재화가 이어진다. 행운에서 상관운이 오고 三刑이 되면 범법, 탈세 등의 관재사고가 따르게 된다. 남편이 교통사고나 수술, 송사를 당하게 되는 수가 있다. 고위직에 올라가도 갑자기 죄수가 되거나 귀신도 모르게 사라지기도 한다. 전업, 이직 문제가 구체화되고 사고에 대한 보상 문제, 도난, 화재, 거래처의 부도 등으로 損財하고 상관 월을 만나면 재난을 피하기 어렵다. 외과계통의 수술 가능성이 있고 치료가 장기화된다. 자식이 가출하여 행방불명이 되거나 자식의 질병으로 근심하게 되고 자식의 반항으로 근심이 발생한다. 관성을 극제하기 때문에 여명의 경우에는 남편의 사회적 활동을 방해하거나 부부가 이별할 수도 있다. 남자는 처가와 마찰이 생긴다. 남명은 사회조직과의 마찰, 불화가 발생하기 때문에 독립적인 일을 추진하려고 하거나 조직에 오래 있지 못하고 전전하게 된다.

傷官운이 들어와서 사주원국의 여덟 글자와 합, 충, 형, 파, 해 등으로 吉하게 작용을 하게 되면 필설, 어학, 스포츠, 예능, 교섭, 모사, 동업, 확장, 수리, 투자 등에 성공이 따르고, 식구가 늘어날 수도 있다.

傷官운이 들어와서 사주원국의 여덟 글자와 합, 충, 형, 파, 해, 공망 등이 凶하게 작용을 하게 되면, 응급재난, 수술, 교통사고, 배신, 망신, 누명, 신용타락, 부도, 낙직, 산액, 가출, 상복 운이 있다.

偏財運

편재는 투자, 재운, 무역, 채무, 투기실패, 봉사, 이성교제, 동분서주의 작용을 의미한다. 사회적 활동이 왕성해지고 주거환경이 주로 상가나 번화가 등 시끄러운 곳을 의미한다.

편재가 좋게 작용을 하게 될 경우에, 신왕하거나 괴강, 白虎殺 등으로 강할 경우에는 증권이나 부동산 투자 등으로 得財 한다. 사업으로 큰 돈을 다루게 된다. 경마, 복권당첨 등으로 횡재하는 수가 있다. 새집구매, 부동산매입, 부업시작, 사업확장, 승진, 횡재, 혼사, 수입지출이 빈번해진다. 공직자나 직장인은 승진이나 포상을 받는다. 명예와 인기가 오르고 학생은 학업 성적이 오른다. 관성이 약한 여명은 편재 운에 결혼하기도 한다.

편재가 나쁘게 작용을 하게 될 경우에, 신약하면 재물을 탐하다가 분쟁, 송사, 투옥, 벌금문제 등으로 損財를 당하고 허욕을 부리면 女色으로 패가망신할 수도 있다. 여자문제로 처와 불화하게 된다. 손재, 사기횡령, 부도, 사업중단, 부부불화, 건강악화, 뇌물죄, 여난, 자살 등이 발생한다. 특히 돈 관련 문제로 복잡한 일들이 발생할 수도 있다. 경마, 도박, 증권 등 투기성 모험을 하다가 실패할 수도 있고 사업가는 부도가 나고 직장인은 친구나 형제들에게 재물손실을 당하기도 한다. 학생은 성적이 떨어지며 돈을 벌려고 하거나 이성문제로 학업을 포기하는 경우도 발생한다. 부모님의 건강이 나빠지거나 편재가 墓運이면 사별, 이별하는 수가 있다.

正財運

정재는 현금, 고정자산, 안전, 발전, 귀인 등을 의미한다.
정재가 좋게 작용을 하게 되면 身旺할 경우에는 사업이나 상업이 잘 되고 妻로 인하여 기쁨이 있고 재물이 늘어난다. 부동산 매입, 투자기회, 취직, 승진, 합격, 당첨, 당선의 기쁨이 있다. 학생은 학업성적이 오르고 합격의 영광을 누리게 된다. 신축, 개축을 하여 새로운 터전을 이룬다. 금전 운이 좋아 우연한 기회에 횡재수가 있고 금전으로는 실패가 없다. 여자는 계(契)나 돈놀이로 재산을 증식한다. 결혼 적령기이면 좋은 배필을 만나 결혼하게 된다.
정재가 나쁘게 작용을 하게 되면, 신약할 경우, 손재하거나 과로 때문에 건강을 해친다. 투기성 사업이나 도박에 휘말려서 다툼이 있거나 실패한다. 여자로 인하여 곤욕을 치르는 경우도 있다. 아버지의 사업상 성공 또는 실패가 있고 질병도 주의해야 한다. 정재가 나쁘게 작용하는 경우에 모친이 사망할 수도 있다. 학생은 공부하기 싫어하고 돈을 벌려고 하며 시험은 낙방한다. 사망, 횡령, 사기, 뇌물죄, 부부이별이 발생할 수도 있다.

偏官運

편관은 신속한 일처리, 속전속결, 武力, 魁罡(괴강), 개혁, 압력, 전환기, 신병, 재난, 놀람, 갑작스런 질환, 세균성 질환 등의 작용이 있다.

편관이 좋게 작용을 하게 되면, 신왕한 경우에 권세가 있는 부서로 영전하게 되고 사업인은 급성장 한다. 명예가 상승하고 자녀나 남편의 경사가 있게 된다. 실업자는 취직이 되고 막힌 일은 풀리고 해결된다. 질병으로 고생한 사람은 회복이 된다. 학생은 학업성적이 올라간다. 명조에 관살이 혼잡되지 않고 인성소통이 잘 이루어지면 각종 시험에 합격이 된다. 소송사건이나 관청과 관계되는 각종 인허가 업무들이 쉽게 해결되기도 한다. 여자명은 남자의 도움을 받고 재기한다. 혼기에 있는 여자는 좋은 배필을 만나 결혼하기도 한다. 기혼녀는 남편의 사랑을 더 많이 받거나 남편에게 좋은 일들이 많이 생기게 된다.

편관이 나쁘게 작용을 하게 되면, 신약한 경우에는 세금과중, 시비, 관송 문제, 비난, 구설 등이 발생하기도 하며 질병, 조난, 돌발사고, 손재수가 발생하고, 신병, 관재, 투기, 폭력, 사기가 발생하기도 하고, 자녀나 남편의 신상에 문제가 발생하기도 한다. 신약하고 관살이 지나치게 왕성해지는 운에는 생명이 위험하다. 학생은 집안사정이나 질병 때문에 학업을 중단하고 불량친구와 어울려 관재나 사고를 당하기도 한다. 시험은 실패한다. 여명은 남편과 불화하여 별거하게 되거나, 이혼하게 되며, 질병으로 고생한다. 마음이 횡폭해지고 강도, 강탈, 겁탈을 하거나 당하기도 한다.

正官運

정관은 발전, 명예, 신용, 벼슬길, 승진운, 사회성 등의 좋은 의미를 가지고 있다.

정관이 좋게 작용을 하면, 신왕할 경우에 여명은 남편이 발전하고 남명은 자식이 출세하게 되며 명예가 상승한다. 일상 생활 환경이 아주 좋아지기도 한다. 직장인은 진급, 승진, 당선, 포상, 합격 등의 명예가 높아진다. 무직자는 취직이 되고 건강이 회복되며 사업자는 재물이 따르고 사업이 발전하며 관공서와의 유대가 좋아지니 각종 인허가 등록 등이 쉽게 처리된다. 학생은 성적이 올라가고 시험도 합격한다. 명예회복, 내집마련, 신규사업 발족, 당선, 특허, 목적달성, 혼사 같은 것이 이루어지기도 한다.

정관이 나쁘게 작용을 하면, 신약할 경우에 형제간에 충돌이 있고 금전적으로 애로가 발생할 수도 있다. 상관을 보게 되면 남자는 투옥, 형액, 자녀 근심 등 불의의 사고가 발생할 수도 있다. 여명은 남편과 불화, 이혼, 사별의 고통이 따른다. 실직되거나, 좌천, 감봉이 되고, 실업자는 직장을 얻기가 어렵다. 몸을 다치거나 질병에 시달린다. 여명이 편관격이 되면 강간, 외간 남자의 유혹에 빠져 곤욕을 치르고 배신을 당하며 일신을 망치는 수도 있다. 혼인 적령기의 남녀는 경제적인 문제로 혼사가 성립이 안 되는 수도 있다. 사주에 관살이 혼잡되면 심신이 고달프고 최악의 경우 생명이 위태해질 수도 있다.

偏印運

편인은 근심, 불안, 초조, 변덕, 눈치, 후회, 좌절, 착오, 산액, 입산수도, 예술인, 전문기술 등의 작용을 의미한다.

편인이 좋게 작용을 하게 되면 승진, 부동산 매입, 문서, 인허가권, 인기, 사업인수, 귀인의 협조로 매사 순조롭다. 학생은 학업성적이 오르고 시험은 합격한다. 편인 운에 침술, 역술, 기술, 기공, 예능을 배우려 돌아다닌다.

편인이 나쁘게 작용을 하게 되면, 식신이 격을 이루고 있는 경우에 편인운이 오면 영업부진, 실직, 파산, 오락, 도박, 잡기, 약물, 가스중독, 流産, 뇌물죄, 喪服數 등으로 가산이 탕진된다. 사주원국에 편인, 화개, 상관, 陽刃殺이 중첩되면 편인운이 아니라도 동일하다. 학생은 마음의 변화로 학업이 부진하고 각종 시험에 불리하다. 사업자는 부도가 나고 종업원의 배신으로 실패를 하게 된다. 문서와 관련된 대부분의 일들은 불리하다. 사기도박, 협잡꾼에게 말려들어 봉변을 당한다. 편인 운에는 허욕, 허위문서, 실직, 입원, 보증을 각별히 주의하여야 하는데, 비밀이 폭로되고 용두사미 격이 되기 쉽다. 여명의 자녀에게는 액운이니 대운이 나쁘고, 공망이면 자식을 잃는 수도 있다.

正印運

정인은 학문, 문서, 연구, 도덕심, 생산성, 명예, 인기상승 등의 작용을 한다.

정인이 좋게 작용을 하게 되면, 어머니에게 경사가 있고 윗사람의 도움, 유산(遺産)상속, 시험합격, 학문정진, 문서취득, 취업, 해외여행, 매매확장, 투자이익, 생남을 하게 된다. 학생은 성적도 오르고 시험도 합격한다. 선조나 부모의 재산을 상속받는 수가 있다. 부모나 스승의 도움을 받는다. 귀인의 도움으로 막혔던 일이 풀린다.

정인이 나쁘게 작용을 하게 되면 문서위조, 부도수표, 뇌물, 매매계약 손실, 학업실패, 모략, 사망, 좌천, 자녀근심, 사기, 계약상 손실 등이 발생하여 재난을 당할 수도 있다. 제왕, 건록 月 중에 모친과 생사이별이 우려되고 대운에 비견운을 만나면 모친상을 피하기 어렵다. 자녀근심이 많아진다. 학생은 불량선배의 꼬임에 넘어가 학업을 중단하고 시험도 낙방의 고배를 마시게 된다. 여명은 자녀와 생사이별이 따르고 婦人科 질병으로 고생하는 수가 있다.

기타 행운

大運과 歲運과의 沖年

沖해오는 글자와의 관계에 따라 의미가 달라지겠으나 대체로 불안, 동요, 건강, 사고, 재해, 손재 등의 어려움을 의미한다. 부부별거, 이혼, 가족의 어려움이 발생할 수 있으며, 의

도치 않은 불의의 사고로 인한 고민, 번민할 일이 발생한다. 주거환경, 사회활동의 환경에 변화가 오게 된다.

歲運, 大運이 年支를 刑, 沖, 破, 害 하는 해

족보나 조상의 일, 선산, 제사, 석물, 이장, 축대, 가옥이나 토지문제가 발생한다. 집안과의 불화로 집을 떠나거나, 국가나 소속 조직관련 소송이나 분쟁이 발생할 수 있다.

歲運, 大運이 月支를 沖하는 해

환경변화, 권태, 육친의 변동 혹은 사고가 있을 수 있다. 여자는 결혼하여 출가 하는 수가 있다. 형, 충, 파, 해가 되면 직업변화, 이사, 전직, 이동이 반드시 있다. 직장에 불만이 생기지만 이동하면 후회한다. 부모형제와 불화가 발생한다. 전공학과의 변화, 혹은 학업을 중단할 수가 있다.

歲運, 大運이 日支를 沖하는 해

배우자궁을 충하는 것이니 부부간에 우연히 불평이 생기고 스스로 화가 나서 쓸데없는 일을 저지른다. 관재, 송사, 생이별, 사별을 할 수도 있고, 여성은 남편을 무시하는 경향이 있다. 건강이 나빠지고 배우자와의 관계가 좋지 않게 된다. 일지가 관성이나 양인이면 관재 구설이 있다. 현재상황이 역동적으로 된다. 이사를 갈 수가 있다.

歲運, 大運이 時支를 沖하는 해

노년기이면 건강을 잃거나 삶이 불안정함을 의미한다. 자녀들과 불화하여 별거하게 된다. 자식걱정, 각종사고, 반항, 가

출 등으로 근심하게 되고, 계획중단, 미래불안, 진로변경, 현실도피를 하고자 한다.

天地合이 되는 해

뜻과 생각, 계획이 현실적으로 그대로 이루어지는 환경이니 큰 뜻을 품거나, 일확천금의 유혹으로 큰일을 저지르게 되지만 크게 실패할 수도 있으니 주의하여야 한다. 애정문제가 발생하여 혼사가 이루어지기도 한다.

年支에 歲運, 大運이 三合이나 六合이 되는 해

조상의 일, 가옥이나 전답 등에 좋은 변동이 있게 된다.

月支에 歲運, 大運이 三合이나 六合이 되는 해

부모형제가 집을 사던가 전답을 사게 된다. 공직자는 승진하고 사업가는 사업이 잘된다. 미혼자는 결혼하게 되어 새로운 가정을 이루게 된다.

日支에 歲運, 大運이 三合, 六合年

처가 부정하거나 배우자와의 사이가 좋아지든가 새로운 애인을 만나게 된다. 미혼자는 혼인의 길이 열리기도 한다.

父亡運

비겁이 강한데 비겁 干與支同 流年이나, 재성대운에 재성이 입묘하는 月에 위태롭다.

비겁이 태왕한데 대운이 비겁이고, 流年干은 재성이고 支는 비겁이고, 간지 충이나 流年干과 일간이 충되면 사망이나 상신한다. 반대로 財多身弱이면 재성 운이나, 재성 입묘 운에 사망할 수 있다. 大運支와 流年支가 충 하는데 대운의 支가 재성일 때 사망할 수 있다.

母親亡運

인성이 태왕해지거나 재가 旺하여 인성이 극을 받을 때 사망할 수 있다. 재성 대운에 流年의 天干이 인수가 되고 支는 인수 입묘 운에 母親이 死亡할 수 있다.

이사운

일지나 월지가 충 되는 해
일간이나 월간을 충 하는 해
일지와 년지가 지합, 삼합되는 해
일주를 기준하여 역마, 지살이 되는 해
행운의 천간은 인수가 되고 지지는 일지와 합이 되는 해

交通事故 당하는 運

일지가 좋게 쓰이는데 충이 되는 해
관살이 태왕한테 관살이 되는 해
관살 혼잡이 되는 해
일주에 역마, 지살인데 형, 충이 되는 해

질병운(疾病運)

신약에 편관 칠살운, 양인이 충을 당하는 年에 질병이 들게 된다. 六害, 刑, 양인이 되는 년은 흉운으로 질병이 들 수도 있다. 일간과 流年 천간이 간합되고 일지와 유년지가 刑이

되면 곤랑도화(滾浪桃花)가 되는데 性病을 주의하여야 한다.
사주원국에 도화살이 있는데 유년지가 와서 형, 충하여도 性病에 걸릴 수가 있다.

賣買, 문서계약운(文書契約運)

정인, 정관 年에 계약, 매매가 이루어진다.

비견, 겁재 운이 오면서 사주의 년, 월과 三合이 되는 년, 월에 매매가 이루어진다.

재성운이 오면 년, 월과 三合이 되는 運에 매매계약이 잘 이루어진다.

대운, 세운, 사주가 子午卯酉, 辰戌丑未, 寅申巳亥가 會集 되는 년, 월에 계약된다.

년운이 정인이면 식신 월에 사주의 년, 월과 합이 될 때 매매가 성립된다.

년운이 편인이면 상관 월에 사주의 년, 월과 합이 될 때 매매가 이루어진다.

년운이 비겁이면 정재 월에 사주의 년, 월과 합이 될 때 매매가 성립된다.

세운과 剋되는 월운에 사주의 년, 월과 합이 될 때 매매가 성립된다.

편인 年이나 편인 月에는 가격인하가 된다.

매매에 있어 겁재 月은 의견이 맞지 않고 상관 月은 계약방해나 구설, 위약이 있으며 편인 月은 거래상 차질이 생겨 해약되거나 원래의 값을 제대로 받지 못하는 수가 있다.

매매운은 대운이 불길한 때는 매매경기가 원만치 못할 때이니 애로가 많다.

驛馬나 正印이 刑, 冲 되면 계약, 매매 시에는 구설과 시비가 있게 되고 중요한 서류를 분실할 수도 있다.

편관, 겁재, 상관 년에 매매하면 사기를 당하기가 쉽다.

附　録

滴天髓

通神頌

天道
欲識三元萬法宗　先觀帝載與神功

地道
坤元合德機緘通　五氣偏全論吉凶

人道
戴天履地唯人貴　順則吉兮凶則悖

知命
要與人間開聾瞶　順悖之機須理會

理氣
理乘氣行其有常　進兮退兮宜抑揚

配合
配合干支仔細詳　定人禍福與災詳

論天干
五陽皆陽丙爲最　五陰皆陰癸爲至
五陽從氣不從勢　五陰從勢無情義

甲木參天　脫胎要火　春不容金　秋不容土,
火熾乘龍　水蕩騎虎　地潤天和　植立千古
乙木雖柔　刲羊解牛　懷丁抱丙　跨鳳乘猴,
虛濕之地　騎馬亦憂　藤蘿繫甲　可春可秋

丙火猛烈　欺霜侮雪　能煅庚金　逢辛反怯,
土衆生慈　水猖顯節　虎馬犬鄉　甲來成滅
丁火柔中　內性昭融　抱乙而孝　合壬而忠,
旺而不烈　衰而不窮　如有嫡母　可秋可冬

戊土固重　既中且正　靜翕動闢　萬物司命,
水潤物生　火燥物病　如在艮坤　怕沖宜靜
己土卑濕　中正蓄藏　不愁木盛　不畏水狂,
火少火晦　金多金光　若要物旺　宜助宜幫

庚金帶殺　剛健爲最　得水而清　得火而銳,
土潤則生　土乾則脆　能贏甲兄　輸於乙妹
辛金軟弱　溫潤而清　畏土之多　樂水之盈,
能扶社稷　能救生靈　熱則喜母　寒則喜丁

壬水通河　能洩金氣　剛中之德　周流不滯,
通根透癸　沖天奔地　化則有情　從則相濟
癸水至弱　達于天津　得龍而潤　功化斯神,
不愁火土　不論庚辛　合戊見火　化象斯眞

論地支

陽支動且強　速達顯災祥,
陰支靜且專　否泰每經年

生方怕動庫宜開　敗地逢沖仔細推,
支神只以沖爲重　刑與穿兮動不動
暗沖暗合尤爲喜　彼沖我兮皆沖起,
旺者沖衰衰者拔　衰神沖旺旺者發

干支總論

陰陽順逆之說　洛書流行之用,
其理信有之也　其法不可執一
故　天地純粹而精粹者昌,
天地乖敗而混亂者亡,
不論有根無根　俱要天覆地載
天全一氣　不可使地德莫之載,
地全三物　不可使天道莫之用,

陽乘陽位陽氣昌　最要行程安頓,
陰乘陰位陰氣盛　還須道路光亨
地生天者　天衰怕冲,
天合地者　地旺喜靜

甲申戊寅　眞爲殺印相生,
庚寅癸丑　也坐兩神興旺
上下　貴乎情協(和),
左右　貴乎同志(氣協)
始其所始　終其所終,
福壽富貴　永乎無窮

形象

兩氣合而成象 象不可破也,
五氣聚而成形, 形不可害也
獨象喜行化地 而化神要昌,
全象喜行財地 而財神要旺
形全者 宜損其有餘,
形缺者 宜補其不足

方局

方是方兮局是局 方要得方莫混局,
局混方兮有純疵 行運喜南還(或)喜北
若然方局一齊來, 須要干頭無反覆
成方干透一元神 生地庫地皆非福,
成局干透一官星 左邊右邊空碌碌

八格

財官印綬分偏正 兼論食神八格定,
影響遙繫既爲虛 雜氣財官不可拘

體用, 精神

道有體用 不可以一端論也 要在扶之抑之得其宜
人有精神 不可以一偏求也 要在損之益之得其中

月令, 生時

月令乃提綱之府 譬之宅也,
人元爲用事之神 宅之定向也 不可以不卜
生時乃歸宿之地 譬之墓也,
人元爲用事之神 墓之穴方也 不可以不辨

衰旺, 中和

能知衰旺之眞機　其於三命之奧　思過半矣.
旣識中和之正理　而於五行之妙　有全能焉

源流

何處起根源　流到何方住
機括此中求　知來亦知去

通關

關內有織女　關外有牛郎　此關若通也　相遙入洞房

官殺, 傷官

官殺混雜來問我,　有可有不可,
傷官見官果難辨　可見不可見

淸氣, 濁氣

一淸到底有精神　管取平生富貴眞
澄濁求淸淸得淨　時來寒谷也回春
滿盤濁氣令人苦　一局淸枯也苦人
半濁半淸猶是可　多成多敗度晨昏

眞假

令上尋眞聚得眞　假神休要亂眞神
眞神得用平生貴　用假終爲碌碌人
眞假參差難辨論　不明不暗受迍邅
提綱不與眞神照　暗處尋眞也有眞

剛柔, 順逆

剛柔不一也　不可制者　引其性情而已矣
順逆不齊也　不可逆者　順其氣勢而已矣

寒暖, 燥濕

天道有寒煖　發育萬物　人道得之　不可過也
地道有燥濕　生成品彙　人道得之　不可偏也

隱顯, 衆寡

吉神太露　起爭奪之風,　凶物深藏　成養虎之患
强衆而敵寡者　勢在去其寡　强過而敵衆者　勢在成乎衆

震兌, 坎離

震兌主仁義之眞機　勢不兩立　而有相成者存,
坎離宰天地之中氣　成不獨成　而有相持者在

六親論

夫妻, 子女

夫妻因緣宿世來　喜神有意傍天財,
子女根枝一世傳　喜神看與殺相聯
父母或興與或替　歲月所關果非細,
兄弟誰廢與誰興　提用財神看輕重

富貴貧賤吉凶壽夭(何知章)

何知其人富　財氣通門戶
何知其人貴　官星有理會
何知其人貧　財神反不眞
何知其人賤　官星還不見
何知其人吉　喜神爲輔弼
何知其人凶　忌神輾轉攻
何知其人壽　性定元神厚
何知其人夭　氣濁神枯了

女命章, 小兒

論婦論子要安祥　氣靜和平婦道章.
三奇二德虛好語　咸池驛馬半推祥
論才論殺論精神　四柱平和易養成
氣勢攸長無虧喪　殺關雖有不傷身

才德

德承才者　局合君子之風,
才勝德者　用顯多能之象

奮鬱

局中顯奮發之氣者　神舒意暢,
象內多沈埋之氣者　心鬱之灰

恩怨

兩意情通中有媒　雖然遙立意尋追
有情却被人離間　怨起恩中死不灰

閑神

一二閑神用去麼　不用何妨莫動他
半局閑神任閑着　要緊之場作自家

羈絆

出門要向天涯游　何事裙釵恣意留
不管白雪與明月　任君策馬朝天闕

從象,化象

從得眞者只論從　從神又有吉化凶
化得眞者只論化　化神還有幾般話

假從,假化

眞從之象有幾人　假從亦可發其身
假化之人亦多貴　異性孤兒能出類

順局, 反局

一出門來只見兒　吾兒成氣構門侶
從兒不管身强弱　只要吾兒又得兒

君賴臣生理最微 兒能求母洩天機
母慈滅子關頭異 夫健何爲又怕妻

戰局, 合局

天戰猶自解 地戰急如火.
合有宜不宜 合多不爲奇

君象, 臣象

君不可抗也 貴乎損上以益下,
　臣不可過也 貴乎損下以益上

母象, 子象

知慈母恤孤之道 始有瓜瓞無疆之慶,
知孝子奉親之方 始克諧成大順之風

性情

五氣不戾 性情中和,
濁氣偏枯 性情乖逆
火烈而性燥者 遇金水之激,
水奔而性柔者 全金木之神
木奔南而軟怯 金見水而流通
最拗者西水還南, 至强者東火轉北
順生之機 遇擊神而抗, 逆生之序 見閑神而狂
陽明遇金 鬱而煩多, 陰濁藏火 包而多滯
陽刃局 戰則逞威 弱則怕事,
傷官格 淸則謙和 濁則剛猛
用神多者 情性不常, 時支枯者 虎頭蛇尾

疾病

五行和者 一世無災, 血氣亂者 平生多病
忌神入五臟而病凶 客神遊六經 而災小
木不受水者血病, 土不受火者氣傷,
金水傷官 寒則冷嗽 熱則痰火,
火土印綬 熱則風痰 燥則皮癢,
論痰多木火 生毒鬱火金,
金水枯傷而腎經虛, 水木相勝而脾胃泄

出身

巍巍科第邁等倫 一個元機暗裏存,
清得盡時黃榜客 雖存濁氣亦中式
秀才不是塵凡子 清氣還嫌官不起,
異路功名莫說輕 日干得氣遇財星

地位

臺閣勳勞百世傳 天然清氣發機權,
兵權憲府幷蘭台 刃殺神清氣勢特
分藩司牧財官和 清純格局神氣多,
便是諸司幷首領 也從清濁分形影

歲運

休咎係乎運 尤係乎歲, 戰沖視其孰降 和好視其孰切
何為戰? 何為沖? 何為和? 何為好?

貞元

造化起於元 亦止於貞, 再肇貞元之會 胚胎嗣續之氣

-참고문헌-

太極圖說(주돈이, 覩溟 譯)
周易(노태준 역해, 홍신문화사)
莊子 자유에 이르는 길(다석 유영모, 박영호 역저, 두레)
梅花易數(소강절, 김수길,윤상철 공역, 대유학당)
논어집주(공자, 성백효 역주, 전통문화연구회)
맹자(맹자, 覩溟 譯)
滴天髓闡微(임철초, 宇玄 譯)
낙녹자삼명소식부(珞琭子, zhaozizhe 取賢館, 覩溟 譯)
육임입문(우산 이수동, 대유학당)
子平眞詮(심효첨)
窮通寶鑑(여춘태)
四柱捷徑(자강 이석영)
命理要綱(도계 박재완, 易文關書友會)
春夏秋冬 신사주학(박청화, 청화학술원)
사주여행(덕연, 중원문화)
명리일진내정법(박일우, 도서출판 도가)
黃帝內經 運氣(백윤기 역, 고문사)
黃帝內經 靈樞해석(홍원식 편, 고문사)
黃帝內經 素問해석(홍원식 편, 고문사)
宇宙變化의 原理(한동석, 대원출판)
中醫運氣學(楊力, 박현국 외 옮김)
명리학의 직업이론과 적성에 관한 연구(정의록 박사논문)
십이신살에 관한 연구(이영무, 2010년 석사학위논문)
격국과 직업의 상관성 연구(김순옥, 2005년 석사학위논문)

감사합니다 ---